WITHDRAWN

BIBLIOTECA CLÁSICA

PUBLICADA BAJO LA DIRECCIÓN DE
FRANCISCO RICO

VOLUMEN 17

CÁRCEL DE AMOR

DIEGO DE SAN PEDRO

CÁRCEL DE AMOR

EDICIÓN,
PRÓLOGO Y NOTAS DE
CARMEN PARRILLA
(Y KEITH WHINNOM
PARA LA «CONTINUACIÓN»
DE NICOLÁS NÚÑEZ)

CON UN ESTUDIO PRELIMINAR DE
ALAN DEYERMOND

CRÍTICA

BARCELONA

José María Micó *Adjunto a la dirección*

Rafael Ramos Nogales *Secretario de redacción*

Manuel Florensa Molist *Tipografía*

Ignacio Echevarría *Coordinación*
Víctor Igual *Fotocomposición*

© 1995 de la edición, prólogo y notas: Carmen Parrilla
© 1995 del estudio preliminar: Alan Deyermond
© 1995 de la colección: Francisco Rico
© 1995 de la presente edición para España y América:
CRÍTICA (Grijalbo Mondadori, S.A.), Aragón, 385, 08013 Barcelona
ISBN: 84-7423-702-5 rústica
ISBN: 84-7423-713-0 tela
Depósito legal: B. 135-1995
Impreso en España
1995. — HUROPE, S.A., Recaredo, 2, 08005 Barcelona

LA FICCIÓN SENTIMENTAL: ORIGEN, DESARROLLO Y PERVIVENCIA

La ficción en la Edad Media. *Gran parte de la literatura medieval, según ocurre con la épica, el romancero o los viajes al otro mundo, es ficción en el sentido de que narra cosas que no son verdaderas. Para los diversos públicos de la Edad Media, sin embargo —tanto el público lector como el público analfabeto que escuchaba a los juglares en la plaza—, tales narraciones eran fehacientes. Hay, en cambio, géneros que siempre se acogían como ficción. Si alguien los aceptaba como hechos comprobados, era síntoma de una enfermedad arraigada y peligrosa, como en el caso del pobre Alonso Quijano. Puesto que la novela (en el sentido moderno de la palabra) nació muy tarde, a fines del siglo XV, en la baja Edad Media hay sólo dos géneros principales de ficción, dos géneros que siguieron vigentes —aunque cada vez con más competencia— en el Renacimiento: el cuento y la ficción larga (libros de caballerías,* matière de Rome, *ficción sentimental). La diferencia entre cuento y ficción larga no estriba únicamente en la extensión de la obra, sino también, y principalmente, en que el cuento narra tan sólo un episodio, en vez del argumento más complejo de la ficción larga.*

El cuento medieval tiene varias formas: el exemplum *didáctico, el* fabliau *o cuento cómico (a menudo obsceno) y el cuento de entretenimiento. No son categorías herméticas, desde luego, y el mismo cuento puede servir de* exemplum *o de entretenimiento según el contexto. Además de cuentos escritos, hay cuentos orales, folklóricos, que entran a menudo en la literatura propiamente dicha (la cual, por otra parte, no deja de influir en el folklore oral). Los cuentos literarios, los que se ponen por escrito, se recogen a menudo en colecciones, la mayoría de las cuales encaja sus cuentos dentro de una historia-marco. Hay colecciones de* exempla, *como* El conde Lucanor *de don Juan Manuel (con historia-marco), el* Libro de los exenplos *por a.b.c. de Clemente Sánchez (de organización alfabética), o el anónimo* Libro de los gatos *(sin estructura formal). Otra colección muy conocida, el* Libro de los engaños *o* Sendebar, *con historia-marco muy interesante, tiene función ejemplar según algunos críticos, mientras que otros sostienen que sus cuentos cómicos se destinaron a divertir, y nada más. A la categoría de colecciones de entretenimiento pertenecen algunas de las obras más famosas de la Edad Media:* Las mil y una noches, *los* Cuentos de Canterbury *de Geoffrey Chaucer, el* Decamerón *de Giovanni Boccaccio.*

X ALAN DEYERMOND

La ficción larga de la Edad Media suele dividirse temáticamente según las categorías formuladas a fines del siglo XII por el poeta francés Jean Bodel. La matière de Rome *consta de las historias heredadas de la Antigüedad clásica y luego adaptadas a las circunstancias medievales, historias de la guerra de Troya, de Alejandro Magno, de Apolonio rey de Tiro, etc. La* matière de Bretagne *engloba las historias relacionadas con la corte del rey Arturo. La tercera categoría, la* matière de France, *es de menos interés para nuestros propósitos actuales, ya que abarca las historias carolingias, de origen épico. Hay, desde luego, muchas ficciones que no caben dentro de ninguna de estas categorías, pero a veces llegan a vincularse a una de ellas (la trágica historia de Tristán e Iseo se asocia con las de la corte de Arturo). Por otra parte, varias obras de ficción se inspiran en la* matière de Bretagne *para llegar a tener una vida autónoma: dos de las obras maestras de la literatura medieval europea,* Amadís de Gaula *en España (¿fines del siglo XIII?) y* Sir Gawain and the Green Knight *en Inglaterra (siglo XIV) son neo-artúricas.*

Las ficciones largas son diversas en su forma exterior (algunas en verso, otras en prosa), en su extensión, en su tema, en su estructura, en su relación con otras ficciones para formar una serie o mantenerse aisladas, pero todas tienen características que las reúnen en un solo género. El tal género es el que se llama en inglés romance, *y aunque en otras lenguas no existe la categoría en cuestión (en francés, tanto* Aucassin et Nicolette *como* La condition humaine *se llaman* roman; *en español, la palabra* novela *puede emplearse para el* Libro de Apolonio *o* Amadís de Gaula, *además de* Fortunata y Jacinta), *la distinción genérica me parece obvia. Ojalá la crítica literaria española se ponga pronto de acuerdo en un marbete apropiado para identificarla, porque «romance», aun entre comillas o en cursiva, se confunde con el romancero; «libro de aventuras», que propuse hace unos veinte años, no ha hecho fortuna; y «novela» despista a los lectores e incluso, a veces, a los mismos críticos. Sea cual sea el tal marbete, estas obras son historias de aventuras, que versan sobre combates, amores, búsquedas, separaciones y reuniones de los personajes, viajes al otro mundo, o cualquier combinación de estos temas. La historia se narra principalmente como historia, aunque hay a menudo un subtexto moral o religioso. Sus autores emplean lo maravilloso con frecuencia, y el mundo en el cual se sitúan los personajes está alejado del mundo del público: de su época, de su lugar, o de su clase social —y a menudo de los tres a la vez—. Los libros de caballerías y las otras ficciones largas de la Edad Media*

*crean su propio mundo, que no es el de la experiencia cotidiana de su
público; se puede aplicar simbólicamente, pero no directamente, a la vida
real de cada día. (En la realidad del* Libro del Passo honroso, *igual
que en la ficción de* Don Quijote *o de* Madame Bovary, *se aprecian
las consecuencias extraordinarias y hasta funestas de cualquier intento
de vivir como si se estuviera en el mundo del libro de aventuras.) Tratan,
sin embargo, de emociones reales, alcanzando (a menudo merced al empleo de diseños y motivos arquetípicos) niveles muy profundos de la experiencia emocional.*

*Dentro de este género tan nutrido y tan variado, que durante siglos
comparte con el cuento el dominio de la ficción europea (e incluso de
la ficción en otras culturas), es natural que haya subgéneros, que llegan
a funcionar como géneros independientes: así el* lai *breton en Francia
y la ficción sentimental en España. Ambos influyeron fuertemente en
la literatura de otros países; los dos, aunque muy distintos, tienen un
rasgo en común: sus obras son más cortas, hasta mucho más cortas, que
las de la* matière *de* Rome *o de la* matière *de* Bretagne. *Pero la
ficción sentimental no se distingue de los libros de caballerías únicamente
por ser más corta (aunque sus autores se dan cuenta de esta diferencia:
«por no detenerme en esto que parece cuento de historias viejas», dice
«el Auctor» en la* Cárcel de amor), *sino también, y sobre todo, por
su acción principalmente interior. Hay retos, duelos, batallas, asedios,
sí, pero ocupan una proporción mucho menor que en los libros de caballerías. Las cartas, las poesías, los monólogos y diálogos, en cambio, se
destacan mucho más. Otros rasgos muy frecuentes, aunque no universa-
les dentro de la ficción sentimental, son el tono autobiográfico y hasta
confesional, y la innovación narrativa. Conviene aplazar a apartados
posteriores el comentario de dichos rasgos, para decir ahora algo sobre
el origen del género.*

ASCENDENCIA DE LA FICCIÓN SENTIMENTAL. *Varios antecesores son muy conocidos, y se comentan en muchos estudios sobre el género: la importancia de los libros de caballerías (sobre todo los artúricos)
y de la ficción italiana (sobre todo de la* Elegia di madonna Fiammetta
*de Boccaccio) se ha reconocido desde el estudio clásico de Marcelino Me-
néndez y Pelayo. Estudios más recientes completan la visión de la ascendencia de la ficción sentimental, señalando la importancia de la poesía
cancioneril y de las* Heroidas *de Ovidio en la formación del género.
Estas cuatro tradiciones lo proveen de sus rasgos característicos. Por ejemplo, la importancia de las cartas resulta de la influencia de las* Heroidas,

*que se presentan como una colección de cartas ficticias, principalmente
de heroínas trágicas de la Antigüedad clásica, víctimas del amor. La
inclusión del narrador como personaje resulta naturalmente del autobiografismo de tres de las tradiciones aludidas: las de las* Heroidas, *la* Fiammetta *y la poesía cancioneril. La visión trágica del amor es rasgo esencial de las* Heroidas, *de* Fiammetta, *de muchas poesías cancioneriles
y de la ficción artúrica.*

*No quisiera de ninguna manera poner en duda la influencia funda-
mental de estas cuatro tradiciones en el nacimiento y desarrollo de la
ficción sentimental, pero no se trata de una lista exclusiva. Sospecho
que la verdad es algo más complicada, y que vale la pena pensar en
las influencias indirectas además de las directas. Además de Ovidio, hay
dos autores de la Antigüedad latina que influyen en la prehistoria de
la ficción sentimental, pero que, a diferencia de Ovidio, no escribieron
en los albores del Imperio Romano occidental sino en su crepúsculo: se
trata, desde luego, de San Agustín y de Boecio. Las* Confesiones *de
aquél constituyen un modelo de autobiografía confesional y analítica a
lo largo de la Edad Media, modelo que influyó sobre todo a partir del
siglo* XII. *La* Historia calamitatum *de Abelardo no sólo se modela
sobre las* Confesiones, *sino que concede un papel central a un elemento
que en la obra agustiniana se había subordinado a la autobiografía espiritual: me refiero al elemento erótico. De este modo la autobiografía
agustiniana se acerca al autobiografismo amatorio de muchas ficciones
sentimentales, algo que se hace aún más obvio cuando recordamos que
la* Historia calamitatum *va acompañada a menudo en la tradición manuscrita por el epistolario de Abelardo y Eloísa. Y por si fuera poco
el interés de una autobiografía espiritual y emocional acompañada de
un intercambio de cartas entre dos personas que fueron amantes, Abelardo evoca vívidamente las canciones de amor que escribió para Eloísa.
Según creo, no se ha descubierto prueba alguna de la lectura de Abelardo
en la España bajomedieval (la de San Agustín sí está clara), pero no
es imposible que se descubra (la investigación va revelando cada vez más
la influencia de Abelardo en otras literaturas europeas), y al menos parece que hubo una influencia indirecta, aunque bastante fuerte, en la ficción sentimental.*

*La importancia de Boecio en el contexto de la ficción sentimental estri-
ba en dos aspectos de su* De consolatione Philosophiae, *uno genérico
y otro formal. Los tratados consolatorios son frecuentísimos en la España
del siglo* XV, *y las autoconsolaciones —en las cuales se ve más claramente el modelo boeciano— son bastante numerosas. La ficción sentimental*

es genéricamente distinta del tratado consolatorio, desde luego, pero inclu-ye bastantes ingredientes en la línea de la consolatio. *En cuanto al aspecto formal, el* De consolatione Philosophiae *es un prosimetrum: alterna prosa y verso con regularidad. Los dos rasgos se ven juntos de nuevo en la* Vita nuova *de Dante (dejemos a los especialistas la cuestión de la posible influencia directa) y, aunque de manera atenuada, en la ficción sentimental. Vale la pena advertir de paso que el género al que pertenece la* Vita nuova *(y con el cual el* Libro *de buen amor tiene relación paródica), la pseudoautobiografía erótica, combina, igual que la ficción sentimental, el autobiografismo emocional con la alternancia de verso y prosa. No es necesario, ni siquiera aconsejable, concluir que la ficción sentimental es una extensión de la pseudoautobiografía erótica. Se trata más bien de dos resultados de influencias y circunstancias pareci-das, de manera que se recrea parcialmente un género de ficción que había pasado de moda hacía mucho tiempo.*

Conviene explayarnos un poco en una línea de influencia, la de las Heroidas. *Su visión trágica de la experiencia amorosa femenina (que coincide hasta cierto punto con un aspecto de la lírica de Safo), junto con la inmediatez de cartas que parecen autobiográficas, aseguró la fortu-na medieval de la obra ovidiana, que se tradujo dos veces al castellano. La primera traducción, en la corte de Alfonso el Sabio, se incluye en la historiografía alfonsí y parece responder a un interés más histórico que emocional. La segunda, en cambio, el* Bursario *de Juan Rodríguez del Padrón (hacia 1430), se presenta más bien como obra literaria, dentro del contexto de la literatura amorosa del momento. Las cartas originales redactadas por Rodríguez del Padrón (Madreselva y Mauseol, Troilos y Breçaida) ya se aproximan a la ficción sentimental, y no sorprende que sea el mismo autor quien compone, hacia 1440, la primera obra castellana de ficción sentimental, el* Siervo *libre de amor.*

EN LAS FRONTERAS DE LA FICCIÓN SENTIMENTAL. *La in-fluencia indirecta de las* Heroidas *es tan poderosa como la directa. La* Elegia di madonna Fiammetta, *compuesta por Boccaccio hacia 1335, es la autobiografía emocional (ficticia, desde luego) de una joven casada que se enamora de otro hombre y entra en relación adúltera con él, rela-ción que termina en la desesperanza cuando el amante la abandona. La obra se dirige «alle innamorate donne», porque sólo las mujeres ena-moradas la comprenderán. Parece una carta de las* Heroidas *pero en prosa, más larga, y trasladada desde la mitología clásica a la Italia con-temporánea. La* Fiammetta *se tradujo al catalán a finales del siglo XIV y al castellano en el* XV, *pero su influencia no resulta de las traducciones (al contrario, parece que la traducción castellana resulta del éxito de la ficción sentimental). No hubo imitaciones directas de* Fiammetta *(es decir, no hubo hasta muy tarde más autobiografías eróticas ficticias en voz femenina), pero dos obras adoptan su argumento: las* Cent ballades d'amant et de dame *(antes de 1410), de Christine de Pisan, y la* Historia de duobus amantibus *(1444), de Enea Silvio Piccolomini, el futuro Papa Pío II. Ambas obras nos revelan la vida trágica de una mujer joven, hermosa y casada, que se deja seducir, y cuyo amante, fingiendo un pretexto para ausentarse, la abandona cínicamente. Las* Cent ballades *alternan la voz de la mujer y la del seductor; casi se oye un eco lejano de las cartas de Eloísa y Abelardo, aunque, desde luego, las dos relaciones son muy distintas y hay que recordar la diferencia entre un intercambio de cartas años después del desastre y un diálogo que traza el perfil de una relación en curso. En vez del dramatismo de las* Cent ballades, *la* Historia *es una narración en tercera persona, en voz masculina. La* Historia, *igual que* Fiammetta, *se tradujo al castellano en el siglo* XV, *en el apogeo de la ficción sentimental, y en este contexto las dos traducciones pertenecen efectivamente al género.*

Hay otras obras que están en la frontera genérica: la anónima Storia de l'amat Frondino e de Brisona *(en catalán, de principios del siglo* XV, *o tal vez de finales del* XIV), *y* The Kingis Quair *(h. 1424), del rey Jacobo I de Escocia.* Frondino e Brisona *es la historia de dos amantes que, separados, superan los obstáculos para conseguir un desenlace feliz. La historia se narra en versos cortos, y en ella se intercalan cartas de los dos amantes en prosa catalana (ocupan la mitad de la obra) y poesías líricas en francés. El papel dominante de las cartas recuerda, obviamente, el intercambio entre Eloísa y Abelardo, y en cierto sentido el diálogo poético de las* Cent ballades, *contemporáneas de* Frondino e Brisona; *pero hay otra analogía en la misma lengua y de la generación anterior: me refiero a las cartas escritas entre 1374 y 1376 por una mujer barcelonesa a su marido ausente (y valdría la pena comparar las dos series de cartas). La influencia francesa en el* Frondino *no termina con la lírica: la cultura caballeresca francesa se nota a lo largo de la obra.* The Kingis Quair, *poema de 197 estrofas, tiene su origen en la tradición del sueño alegórico, pero se independiza al hallar en el* De consolatione Philosophiae *su base ideológica (y parte del argumento) y orienta la acción hacia un final feliz en el matrimonio. Varios aspectos del libro del rey Jacobo se parecen a los poemas alegóricos del Marqués de Santillana sobre el amor:* Triunphete de Amor, Sueño *e* Infierno

de los enamorados, compuestos en los años treinta del siglo XV. *Tanto
el* Triunphete *como el* Sueño *pueden leerse como la primera parte de
una narración alegórica cuya segunda parte se ve en el* Infierno, *la
historia de un hombre que se enamora, sufre las penas del amor y luego
se libera. La secuencia* Triunphete-Infierno, *sustituida por la secuencia*
Sueño-Infierno, *constituye una ficción que unos decenios más tarde se
habría leído como ficción sentimental.*

Entre principios del siglo XV *y 1444, por lo tanto, hay cinco obras
que se aproximan al género de la ficción sentimental; cinco obras en
cinco lenguas (francés, catalán y francés, inglés, castellano, latín). Dos
de ellas se colocan dentro de la tradición de* Fiammetta, *otras dos emplean la técnica del sueño alegórico, una se basa en la tradición boeciana
y otra se apoya principalmente en cartas y poesías líricas. Tres son en
verso, una en prosa, y otra en verso y prosa. Dos tienen un desenlace
trágico, otras dos un desenlace feliz y otra termina con la renuncia del
amor. Lo que tienen todas en común es que, de maneras muy distintas,
se encuentran en la frontera de la ficción sentimental. Varias tradiciones e influencias iban convergiendo. Un nuevo género estaba a punto
de nacer.*

PRIMERA ETAPA: LOS INICIADORES, 1440-1460. *El* Siervo
libre de amor, *de Juan Rodríguez del Padrón, se ve generalmente —y
con razón— como el inicio del género. Se compuso en Galicia hacia
1440, poco después de* The Kingis Quair *y los poemas de Santillana,
poco antes de la* Historia de duobus amantibus. *El autor anuncia
una estructura tripartita: el amor correspondido, el amor no correspondido
y la renuncia al amor (compárese la estructura de los poemas de Santillana: antes, durante y después del amor). Sorprende que, después del comienzo y el fin de la primera parte y el comienzo de la segunda, todos
claramente delimitados, no aparece la tercera. Es una cuestión que se
ha discutido mucho: ¿es que la tercera parte se ha perdido o es que se
halla dentro de la narración? Ni lo uno ni lo otro: al final, el protagonista se encuentra con Syndéresis, la conciencia moral, la cual le pregunta
lo que ha pasado. La narración que acabamos de leer es de hecho su
contestación a la pregunta de Syndéresis, y la necesidad de narrarla le
cura de la enfermedad de la pasión amorosa. La creación literaria es
la tercera parte, y la obra tiene una estructura circular.*

Hay que insistir en tres aspectos más.

*Primero, la narración empieza como carta a un juez amigo del prota-
gonista, o sea, se presenta como carta confesional. Es curiosísimo que*

el Siervo libre, *que inicia un género en castellano, se parezca en dos aspectos importantes (estructura circular y carta confesional) a* La vida de Lazarillo de Tormes, *que un siglo más tarde inicia otro género. Segundo, dentro del relato en primera persona de una relación amorosa fracasada a causa de la disensión interna, se introduce como* exemplum *la* «Estoria de dos amadores Ardanlier e Liessa», *relato en tercera persona de una relación amorosa apasionada y estable que es destruida por la violencia externa. Mientras que la narración principal acusa la influencia de la poesía alegórica de visiones y de la lírica cancioneril, la* «Estoria» *se ubica dentro de la tradición caballeresca y neoartúrica. No es nada insólito en la ficción medieval el intercalar una historia dentro del argumento principal, pero la* «Estoria» *ocupa la mitad de la obra, y esto sí sorprende. Aún más interesante es el hecho de que la* «Estoria» *tiene una estructura tripartita que refleja la del argumento principal.*

Tercero, ya vemos la ambigüedad, el problemático punto de vista narrativo que va a caracterizar el género; vemos también que las dos relaciones tienen final trágico: otro distintivo del género, por obra del cual el Siervo *se separa netamente de* The Kingis Quair, *que en su tradición literaria se parece al argumento principal, y de* Frondino e Brisona, *que en su tradición literaria se parece a la* «Estoria».

El género nace en Galicia, y la segunda ficción sentimental proviene también del oeste de la Península, de Portugal. Dom Pedro, Condestable de Portugal, compuso la primera versión de su Sátira de infelice e felice vida *en portugués entre 1445 y 1449, o sea cuando tenía sólo entre 16 y 20 años. Nos dice en el prólogo que* «traýdo el testo a la desseada fyn, e parte de las glosas en lengua portuguesa acabadas, quise todo trasformar, e lo que restava acabar en este castellano ydioma». *Es probable que la versión castellana se haya redactado entre 1450 y 1453. La* Sátira *(que no tiene nada de satírico pues en el siglo XV la palabra denotaba sólo una alegoría de la vida moral) es una presentación alegórica de una desdicha amorosa de su joven autor. Sigue muy conscientemente los pasos de Rodríguez del Padrón:* «¿Ni has leýdo cómo ... Ardanlier en la sangrienta espada se ensangrentó, e a la omicida ayuntó nuevo omicidio?», *pregunta uno de los personajes, e incluso el argumento se ha modelado sobre el del* Siervo; *las investigaciones más recientes revelan que es en gran parte una refundición de la obra de Rodríguez del Padrón. Un rasgo nada característico de la ficción sentimental, aunque se encuentra en otras alegorías morales (por ejemplo en otra* «sátira», *la* Coronación *de Juan de Mena) es la serie extensa de glosas eruditas. La obra de dom Pedro es ficción sentimental, pero en este sentido está en los márgenes del género. Otra obra algo marginal de la primera etapa es el* Tratado e dispido a una dama de religión, *capítulo noveno del* Libro de veynte cartas e quistiones *de Fernando de la Torre, tal vez unos pocos años posterior a la* Sátira de infelice e felice vida, *tal vez de unos pocos años antes. Es una historia trágica y violenta de amor, refundición del capítulo 6 de las* Gesta Romanorum *(colección de* exempla *cuya primera redacción es de 1330 aproximadamente, y por lo tanto más o menos contemporánea de la* Fiammetta*).*

La primera etapa de la ficción sentimental, la de los pioneros, es por lo tanto una etapa occidental, con la mínima excepción del Tratado e dispido, *que es de Castilla. Y puesto que la* Sátira *se modela sobre el* Siervo, *apenas podemos hablar todavía de características genéricas.*

SEGUNDA ETAPA: LAS OBRAS CLÁSICAS DEL GÉNERO, 1470-1492. *Después de la* Sátira *hay una pausa (observamos una pausa mucho más larga en el desarrollo de la novela picaresca después del* Lazarillo de Tormes*). La casi anónima* Triste deleytación *(tenemos tan sólo las iniciales del autor), cuya acción se fecha en 1458, fue por este motivo colocada por sus primeros críticos entre los precursores del género, y hay todavía razones respetables para ello. La investigación más reciente tiende a fecharla hacia 1470, a caballo entre la primera etapa y la segunda. El autor es consciente de su deuda para con* Rodríguez del Padrón: *se menciona a los amantes de la «Estoria de dos amadores», y a* Rodríguez del Padrón *como defensor de las mujeres: «aquel más virtuoso de todos los ombres, coronándonos [a las mujeres] de gloria en el* Triunfo de las senyoras». *Continúa la mezcla de prosa y verso que caracteriza la primera etapa, e, igual que* Rodríguez del Padrón, *utiliza la alegoría para expresar el conflicto emocional en el* Enamorado. *El hecho de que los personajes compartan el anonimato de su autor (se llaman «el* Enamorado», «la Madrastra», *etc.) también asocia la* Triste deleytación *con la primera etapa del género: igual se hace en el* Siervo libre *(pero no en la «Estoria de dos amadores») y en la* Sátira *(también en las* Cent ballades*). Tal anonimato es poco común en la segunda etapa de la ficción sentimental, aunque se encuentra en el fragmentario* Tratado de amores. *El argumento de la obra, en cambio, la liga más bien a las obras de la segunda etapa, y especialmente a las de* Juan de Flores: *dos pares de amantes, adúlteros en un caso, cuyas historias se entrelazan trágicamente (como en* Grimalte y Gradissa*), la tercería y una visión naturalista del amor sexual (como en* Grisel y Mirabella*).*

*La visión naturalista del amor proviene de un aristotelismo heterodoxo que arraigó en la Universidad de Salamanca en el segundo cuarto del siglo XV y que, gracias sobre todo a una obra de Alfonso Fernández de Madrigal, el Tostado, a lo largo del siglo llegó a influir en varias obras no universitarias (recuérdese que Juan de Flores parece haber sido, aunque brevemente, rector de Salamanca). Hasta se ha sugerido que la ficción sentimental mantiene un diálogo con dicha teoría, impugnándola (*Siervo libre de amor*) o aceptándola (*Triste deleytación*).*

Aunque escrita en castellano, la Triste deleytación *parece ser obra de un barcelonés (tal vez a esta circunstancia se deba el ambiente urbano de la acción, igual que en* Fiammetta *y la* Historia de duobus amantibus*). Es muy posible que la extensión de la ficción sentimental al este de la Península, y el conocimiento de Rodríguez del Padrón que demuestra esta obra, se deban a la influencia personal de dom Pedro de Portugal, el cual fue, en los dos últimos años de su breve vida (1464-1466), Rey de los catalanes. Si esta hipótesis es válida (la apoya el hecho de que unas ficciones más o menos sentimentales —por ejemplo,* Lo despropriament de amor, *de Romeu Llull— se escribieron en catalán en el último tercio del siglo), el traslado de dom Pedro definiría la frontera entre las etapas primera y segunda de la ficción sentimental.*

Se solía creer que Juan de Flores fue un noble aragonés, posterior a Diego de San Pedro. Ni lo uno ni lo otro es cierto, según las últimas investigaciones: fue castellano, cronista real de los Reyes Católicos a partir de 1476, y por lo tanto predecesor de Diego de San Pedro. Flores, a diferencia de la mayoría de los autores de la ficción sentimental, no es poeta (las poesías incluidas en Grimalte y Gradissa *son de otro autor). Característica mucho más interesante es su talento por la innovación narrativa. No podemos situarle en la línea directa que lleva del* Siervo *a la* Sátira *(por imitación literaria) y de la* Sátira *a la* Triste deleytación *(por influencia de dom Pedro en Cataluña). ¿De dónde, pues, proviene la inspiración para su ficción sentimental, implantando el género firmemente en Castilla? No sabemos, por ejemplo, si tuvo contacto con dom Pedro; no parece probable, pero no podemos descartar totalmente esta posibilidad. Tal vez sea significativo el hecho de que Flores, a diferencia de Diego de San Pedro y del autor de la* Triste deleytación, *no alude a otra obra española de ficción sentimental ni toma prestado de ninguna un solo elemento narrativo. No digo que Flores haya recreado el género desconociendo las obras anteriores, pero es verdad que no se nota en él la autoconciencia genérica, en el contexto hispánico, que notamos en otros autores. El problema es tanto más complejo a causa de la falta de datos externos para establecer la cronología relativa de las obras de Flores, y sobre todo de las dos que son con seguridad ficciones sentimentales,* Grimalte y Gradissa *y* Grisel y Mirabella *(el* Triunfo de Amor, *parodia alegórica, está en los márgenes del género, y* La coronación *de la señora Gracisla, además de estar en esos mismos márgenes, no se ha establecido todavía como obra de Flores).*

El centro temático de Grisel y Mirabella, *y también el núcleo de su argumento, es el debate entre Braçayda y Torrellas sobre la responsabilidad respectiva de mujeres y hombres por cuanto atañe al amor ilícito. Lo más interesante de la acción que conduce al debate es que la joven princesa Mirabella «por sí sola, sin tercero, buscó manera a la no más placiente que peligrosa batalla, donde los deseos de Grisel y suyos vinieron a efecto»: no sólo siente un deseo sexual tan intenso como el del hombre, sino que lo reconoce lisa y llanamente. No podríamos estar más alejados de la* belle dame sans merci. *Es muy interesante también que Braçayda, personaje de la* Historia troyana *(es decir, personaje literario, ajeno a la Escocia ficticia donde vive Mirabella), se enfrente con Torrellas (el poeta, en la vida real contemporáneo de Juan de Flores, ajeno al mundo ficticio) de manera muy distinta para decidir el destino de Mirabella y de su amante. El Torrellas ficticio creado por Flores es metónimo del notorio poema misógino del Torrellas real, y el horroroso asesinato ritual con que concluye la ficción (un episodio que combina múltiples tradiciones literarias, bíblicas y folklóricas) es un rechazo de su misoginia. Pero, si la reina y las damas de la corte son capaces de un acto tan violento y sádico, ¿no demuestran con ello que Torrellas tuvo razón? La ambivalencia de Flores en esta obra es tan notable como su talento de innovación y su destreza al manejar las tradiciones que hereda.*

La calidad innovadora es aún más notable en Grimalte y Gradissa. *Decir que es una secuela de la* Elegia di madonna Fiammetta *es verdad, pero no hace justicia a la obra. El erotismo del libro de Boccaccio impresiona tanto a Grimalte, que regala un ejemplar a su dama, esperando que, inflamada por su lectura, acceda a sus deseos («Galeotto fu il libro e chi lo scrisse», dice Francesca a Dante, explicando el origen de su pasión adúltera y funesta). El regalo resulta contraproducente: a Gradissa le impresiona fuertemente lo traidores que son los hombres, de modo que la narración de Fiammetta llega a ser una fuerza activa, casi un personaje, dentro de la ficción de Flores. Cuando Gradissa insiste en que Grimalte localice a Fiammetta y Pánfilo y consiga un desenlace feliz para su historia, le obliga no sólo a reescribir el libro de Boccaccio, sino a entrar en el mundo ficticio de éste (o hacer entrar a sus personajes en el mundo imaginado por Flores). Cuando Grimalte logra lo imposible, la barrera entre dos niveles de ficción se ha hecho permeable. Por si fuera poco, debemos recordar que al principio de la obra se nos dice que Juan de Flores ha cambiado su nombre en Grimalte, y que, al insistir en que Grimalte le informe de lo que pasa, Gradissa le obliga a escribir una historia sentimental, historia que tiene un desenlace aún más trágico que el de Boccaccio.*

No es cosa de duplicar aquí lo dicho en el excelente prólogo a la presente edición. Notaré, con todo, que la semejanza estructural y temática entre el Tractado de amores de Arnalte y Lucenda *y la* Cárcel de amor, *semejanza comentada por casi todos los críticos, repite hasta cierto punto la relación entre el* Siervo libre *y la* Sátira, *pero con la obvia diferencia de que Diego de San Pedro reescribe su propia obra, no la de un predecesor. La diferencia más llamativa entre ambas obras es, desde luego, la transformación en el papel del narrador.* Arnalte y Lucenda *empieza como narración en tercera persona, pero pronto se cede la palabra a Arnalte para su relato autocompasivo. En la* Cárcel, *en cambio, el narrador —que se asocia al principio y al final con la vida de Diego de San Pedro— llega a ser plenamente protagonista en la historia de Leriano y Laureola, interviene decisiva y desastrosamente en la acción y queda desolado por la tragedia final. Surgen de su papel problemas muy interesantes desde el punto de vista narrativo: por ejemplo, después de observar los síntomas de Laureola, el narrador los describe a Leriano, interpretándolos de manera optimista, pero comenta a los lectores que se había equivocado. ¿Qué interpretación debe aceptarse? ¿La primera, motivada por el deseo de ayudar a Leriano, o la segunda, nacida de la desesperanza y el sentimiento de ser culpable del desastre? De modo parecido, al escuchar a Arnalte, ¿cómo hay que interpretar su conducta? ¿San Pedro lo presenta como un personaje cómico, o como víctima de una obsesión egoísta? ¿O como víctima absurdamente obsesionada? Otro aspecto de gran interés es el empleo de la alegoría en la* Cárcel. *La técnica alegórica no es nada nuevo en la ficción sentimental, ni en las obras que se encuentran en las fronteras del género (*Siervo, Sátira, Triste deleytación, Kingis Quair, *poemas de Santillana); la novedad no estriba en la presencia de la alegoría sino en el modo en que los personajes entran en el mundo alegórico y salen de él para tratar de influir en su propia vida real, de modo que cuando el «Auctor» parece haber conseguido la victoria para Leriano, la cárcel alegórica de éste se desvanece, y no hay posibilidad de entrar de nuevo en ella.*

Hay en la Cárcel, *igual que en* Grisel y Mirabella, *un debate sobre las mujeres, pero su función estructural es muy distinta: en vez de determinar el curso de la acción, el debate entre Tefeo y el moribundo e idealista Leriano, el cual toma prestados sus razonamientos del* Tratado en defensa de virtuosas mugeres *de* Diego de Valera, *trata de extraer conclusiones de lo que acaba de pasar. Otro importante préstamo literario proporciona a San Pedro el principal episodio de acción externa en la* Cárcel: *la denuncia contra Laureola y Leriano por parte de Persio, motivado por celos, el duelo entre éste y Leriano, la condena y rescate de Laureola, el asedio del castillo y el indulto concedido a Laureola por el rey, todo esto (casi el cuarenta por ciento de la obra) proviene de la* Mort Artu *(probablemente a través de la versión castellana incluida en la* Demanda del Santo Grial*). Esto es seguro. Lo que no es seguro, pero sí probable, es la deuda de la* Cárcel *con la* Sátira *de dom Pedro, cuyo primer capítulo empieza: «Metida, destroçada, en la muy tenebrosa cárcel de servitud, llena de amargura y de desesperación, mi franca voluntad despojada de libertad...». El motivo es desarrollado en la* Triste deleytación, *con una larga descripción alegórica del palacio del amor, y parece que tanto la descripción como el simbolismo de la* Cárcel de amor *se inspiran en dos de las primeras ficciones sentimentales.*

La segunda etapa del género abarca autores que tienen confianza en sí mismos, autores muy innovadores, que utilizan las tradiciones y los recursos heredados pero no se aferran a ellos, a diferencia de la Sátira *(refundición del* Siervo*) en la primera etapa y de varias obras imitativas de la tercera. Sin embargo, Diego de San Pedro al final de la segunda etapa, igual que el autor de la* Triste deleytación *en su inicio, es consciente de continuar una tradición genérica castellana.*

Dentro de la segunda etapa, o sea entre 1470-1492, caben las traducciones castellanas de Fiammetta *y de la* Historia de duobus amantibus. *Parece que la* Repetición de amores *de Luis de Lucena, impresa en 1494 o 1495, se compuso unos años antes, entre el* Arnalte y Lucenda *y la* Cárcel de amor. *La* Repetición *empieza como ficción sentimental, pero se revela pronto como sátira misógina (si no se trata más bien de una parodia de tales sátiras). Es posible que el fragmento del anónimo* Tratado de amores *date también de estos años, aunque es igualmente posible que se compusiera hacia 1500 o un poco más tarde. En cuanto a la cronología de las obras de Diego de San Pedro, hay buenas razones para fechar* Arnalte y Lucenda *hacia 1481 (diez años antes de su primera edición existente), y me parece prudente suponer el máximo período de tiempo posible entre* Arnalte *y la* Cárcel *para permitir la transformación estilística notada por los críticos. Es decir, me parece probable que el éxito de* Arnalte *en la imprenta haya animado a San Pedro a escribir la* Cárcel. *Se ha sugerido que el hecho de escribir para la imprenta (poco común en aquella época) haya influido en la forma de la obra. De todos modos, la* editio princeps *de la* Cárcel *parece delimitar una frontera.*

Tercera etapa: imitación y traducción, 1493-1550. *La primera edición de la* Cárcel de amor *salió de la imprenta el 3 de marzo de 1492. Sólo año y medio después, el 18 de septiembre de 1493, se imprimió en Barcelona la traducción catalana de Bernardí Vall-manya, la primera traducción de una obra castellana de ficción sentimental. El éxito instantáneo de la* Cárcel de amor, *pronto confirmado con la publicación en 1496 de la secuela de Nicolás Núñez, no sólo establece la primacía de Diego de San Pedro, sino que convierte la* Cárcel *en la obra clásica del género, el punto obligatorio de referencia para la ficción sentimental futura. La continuación de Núñez es además un comentario, y parece haber impuesto su visión de la obra de San Pedro en generaciones sucesivas de lectores. Es posible que Núñez, al incluir un discurso en el cual Laureola confiesa haberse enamorado de Leriano, haya despistado a los lectores, como creyó Keith Whinnom, pero es igualmente posible que tuviera razón.*

No sabemos, como ya queda dicho, si el fragmentario Tratado de amores *es contemporáneo de la ficción sentimental de San Pedro o si pertenece a la tercera etapa del género. De todos modos, es obra interesante, a causa de la mensajera (ni familiar ni amiga del enamorado, pero tampoco una tercera profesional) y del doble enfoque que nos proporciona cuando leemos una carta y oímos el recado oral que su autor da a la mensajera que llevará la carta. También de época incierta es* La coronación de la señora Gracisla, *una ficción à clef: la opinión mayoritaria es que se refiere a acontecimientos de principios del siglo XVI (probablemente hacia 1505-1506), y que se redactó poco después, pero la hipótesis de que el autor es Juan de Flores no es nada despreciable. La conexión de* La señora Gracisla *con la ficción sentimental es algo tenue, mientras que el* Tratado de amores *pertenece plenamente al género.*

Unas diez obras de ficción sentimental son de la primera mitad del siglo XVI. (Mientras que hay varios trabajos de conjunto sobre la ficción sentimental del siglo XV, nos faltaba hasta hace muy poco un trabajo equivalente para las obras del XVI. *Ahora lo tenemos, desde un punto de vista sociohistórico, en la tesis doctoral que María Fernanda Aybar Ramírez leyó en 1994 en la Universidad Complutense. En lo que sigue, me apoyo varias veces en sus hallazgos e hipótesis. Es un trabajo de importancia excepcional, y es de esperar que los estudios que contiene se publiquen pronto.)*

Tres obras que se publicaron casi simultáneamente representan variedades muy distintas de la ficción sentimental: son la anónima Qüestión de amor *(publicada en 1513),* Una quexa que da de su amiga ante el Dios de Amor, *del comendador Escrivá (en la segunda edición del* Cancionero general *recopilado por Hernando del Castillo, 1514), y la* Penitencia de amor, *de Pedro Manuel Ximénez de Urrea (1514). Todas se relacionan con la Corona de Aragón, y dos de ellas se imprimieron en Valencia (la* Penitencia de amor *se imprimió en Burgos).*

Joan Ram de Escrivá, de una antigua familia noble de Valencia, había pasado un par de años en Nápoles, ciudad en la cual se localiza la acción de la Qüestión de amor, *mientras que Ximénez de Urrea, noble aragonés, tuvo conexiones familiares con Italia. La* Quexa ante el dios de Amor *es un prosimetrum en el cual el narrador-protagonista, desesperado ante la crueldad de una belle dame sans merci, emprende un viaje alegórico al otro mundo para quejarse ante el tribunal del Dios de Amor, pero sin éxito. La ficción sentimental (con su característico autoanálisis emocional) se mezcla aquí con otros géneros: el viaje alegórico y el diálogo cancioneril. Es muy posible que la literatura amatoria valenciana del siglo* XV *haya influido en la obra de Escrivá.*

La Qüestión de amor, *como* La señora Gracisla, *es una ficción à clef, que refleja en este caso la vida cortesana del Nápoles aragonés. Dentro de un contexto de fiestas cortesanas, dos tristes enamorados debaten una cuestión teórica: ¿sufre más el rechazado por su dama, o aquel cuya dama ha muerto? (Es posible aquí el influjo del* De amore *de Andreas Capellanus, traducido al catalán en el siglo* XV, *donde se plantean cuestiones amatorias en las cortes de amor.)*

La Penitencia de amor *constituye una mezcla genérica de la ficción sentimental con la* Celestina. *El elemento celestinesco más obvio es que no hay narrador, y todo es diálogo o monólogo; de la misma fuente proviene el episodio de la unión sexual de Darino y Finoya: mientras que la mayoría de las heroínas de la ficción sentimental (la dama de la* Sátira, *Gradissa, Lucenda, Laureola) niegan a sus pretendientes una relación sexual, y la minoría que mantienen tal relación (Liessa, Mirabella) buscan gozosamente el cumplimiento de sus deseos, Darino viola a Finoya de manera aún más abrupta que Calisto a Melibea. Una gran diferencia entre la* Penitencia *y la* Celestina *es que en aquélla no hay contacto con el mundo del prostíbulo, aunque Darino es ayudado por sus criados. De la ficción sentimental provienen las cartas mandadas por Darino a Finoya como táctica seductora, y el castigo severo impuesto por el padre de ésta cuando les descubre* in flagrante delicto.

Una cuarta obra de los mismos años está en un pliego suelto de hacia 1515: las Cartas y coplas para requerir nuevos amores, *de autor desconocido. A diferencia de sus contemporáneas, esta obra no parece relacionarse con la Corona de Aragón: el pliego suelto se imprimió por primera vez en Toledo, y se reimprimió varias veces en Sevilla; si se puede identificar una deuda para con un autor específico, parece ser con Diego de San Pedro. Las* Cartas y coplas *constituyen un ejemplario de cartas y de poesías líricas, destinadas a la recuesta de amores, ordenadas en la forma de una ficción epistolar.*

Después de estas cuatro obras hay un intervalo de veinte años, no en las ediciones y traducciones de las obras clásicas del género, sino en la aparición (y, según parece, en la composición) de nuevas obras, con la posible excepción de una obra portuguesa, Naceo e Amperidónia. *Este hueco en la composición de la ficción sentimental tiene un precedente, también de unos veinte años, entre la* Sátira de infelice e felice vida *y la* Triste deleytación, *pero éste se puede explicar fácilmente; no así el que va de 1515 a 1535 (Aybar Ramírez sugiere una explicación social que hay que pensar). Luego, en los quince años a partir de 1535, encontramos buen número de obras, después de las cuales termina la época de creación —aunque no la de refundición— de la ficción sentimental.*

La composición de la ficción sentimental se reanuda con el Veneris tribunal, *de Ludovico Scrivá (Pedro Luis Escrivá, probablemente pariente del comendador Escrivá, autor de la* Quexa). *Publicado en Venecia en 1537, el libro se dedica al duque de Urbino, sobrino del Papa, y su ambiente es el mismo en que surgió* Il cortegiano *de Baldassare Castiglione, libro que, igual que* Gli Asolani *de Pietro Bembo, influye en la obra de Escrivá. El escenario de la acción es Padua, donde el protagonista se enamora de una dama que no corresponde a su devoción. Después de un debate con dos amigos sobre el amor (compárese con el debate entre Leriano y Tefeo al final de la* Cárcel de amor *de Diego de San Pedro, y —aún más parecido— con el debate de la* Qüestión de amor, *también de escenario italiano), pasa la noche en un sueño alegórico. En el sueño se ve ante el tribunal de Venus, donde dos caballeros defienden sus respectivos conceptos del amor (una combinación de motivos de la* Qüestión de amor *y de la* Queja ante el dios de Amor). *Se ha sugerido la presencia de otras tradiciones en el* Veneris tribunal, *notablemente la de la* repetitio *universitaria (compárese con la* Repetición de amor, *de Luis de Lucena). Intercalados entre la prosa de la obra hay unos versos, las «invenciones», que se leían en los mantos, las vainas de espadas, etc., de los cortesanos de la época. Hay que añadir que el estilo y sobre todo la sintaxis del* Veneris tribunal *no animan nada al lector.*

También de origen italiano —esta vez napolitano, como la Qüestión de amor *—es el* Tratado notable de amor, *de Juan de Cardona y Requesens (virrey de Navarra en sus últimos años). Parece que se compuso entre 1545 y 1547 y está enteramente en prosa. A diferencia de la mayoría de la ficción sentimental del siglo XVI, no se imprimió. Se estructura alrededor de una serie de cartas. La historia principal —el amor del caballero Cristerno por la infanta Isiana, la resistencia de ésta y la muerte de los dos— se encaja dentro de un cuadro histórico. No se trata tan sólo de una alusión inicial a los acontecimientos del día (como la mención de la guerra de Granada al principio de la* Cárcel de amor*), sino que la narración de la relación Cristerno-Isiana y las cartas se entrelazan con episodios bastante extensos sobre las campañas del Emperador contra los turcos, con lo que se invierte la relación entre ficción e historicidad que vemos en la ficción* à clef (La señora Gracisla, Qüestión de amor*). Es una táctica nada típica de la ficción sentimental, pero tiene un precedente famoso,* Tirant lo Blanc. *Las dos influencias principales sobre el* Tratado notable *son la* Cárcel de amor *y la* Qüestión de amor.

Contemporáneo con el Tratado notable *es un manuscrito (¿1543-1546?) que contiene, entre otras muchas, dos obras portuguesas de ficción sentimental: la conocidísima* Menina e moça *y una desconocida hasta hace pocos años, que carece de título pero que se conoce ahora como* Naceo e Amperidónia. *Aquélla, de Bernardim Ribeiro, parece haberse compuesto poco antes de recopilarse el manuscrito, o sea, hacia 1540; ésta es de fecha incierta, con un* terminus a quo *de 1517 (sería casi contemporánea de las* Cartas y coplas para requerir nuevos amores*) y un* terminus ad quem *de hacia 1545; es incluso posible que se compusiera en medio de los veinte años vacíos ya aludidos. Por desgracia se ha perdido el final de la obra, pero nos queda la mayor parte de ella. Se trata de ficción principalmente epistolar, con trozos narrativos, poesías líricas, y dos pasajes de diálogo muy vivo. El último rasgo es atípico dentro de la ficción sentimental, y es muy posible que acuse la influencia de la* Celestina. *En cuanto a los otros elementos, se ha notado la ausen-*

cia de cartas en la Sátira *y en* Menina e moça, *de modo que* Naceo
e Amperidónia *se parece más a la tradición castellana de la ficción sentimental que a la portuguesa. Es posible, sin embargo, que la ficción
sentimental portuguesa haya sido más extensa de lo que parece ahora,
y que descubrimientos futuros nos den una impresión más adecuada del
género en* Portugal.

   También contemporáneas del Tratado notable *son dos obras de Juan
de Segura, publicadas juntas en 1548. El* Processo de cartas de amores *que entre dos amantes pasaron es una ficción epistolar. No sólo
con alta proporción de cartas como mucha ficción sentimental, sino, con
la excepción de una lamentación del enamorado infeliz, totalmente epistolar. Consta de cuarenta cartas entre un señor (que firma «Captivo»,
identificado en una ocasión con Juan de Segura) y una dama (que firma
«Servidora»), la lamentación, y cuatro cartas buscando y ofreciendo consolación (se relaciona al final, pues, con la tradición boeciana de tratados
consolatorios). La última carta, de un amigo del enamorado, acompaña
otra obra,* Quexa y aviso *de un caballero llamado* Luzíndaro *contra
Amor y una dama y sus casos, «con que creo gran deleyte sentiréys,
y alivio muy grande para vuestro mal. Sabrosa lectura es, y muy conforme a lo que avéys pasado en vuestros penosos amores». El argumento
del* Processo, *localizable en Sevilla por un par de alusiones, es de un
amor frustrado; no porque la dama sea* sans merci, *sino porque la cre-
ciente pasión mutua nunca llega a consumarse, a causa de la intervención
de los padres de la dama. La* Quexa y aviso *tiene, pues, una función
parecida a la de la «Estoria de dos amadores» dentro del* Siervo libre
de amor. *Hay una obvia diferencia estructural: mientras que la «Estoria» va encajada dentro del* Siervo, *la* Quexa y aviso) *es una obra
asociada con el* Processo de cartas de amores, *o como máximo un apén-
dice de él. Sin embargo, la semejanza es muy interesante. Tanto en
el* Processo de cartas de amores *como en el* Siervo *hay una relación
amorosa frustrada (de maneras distintas, desde luego), y al enamorado
de la historia principal se le presenta (con autopresentación en el primer
caso y regalo de un amigo en el segundo) una historia trágica para com-
pararla con la suya. La «Estoria» narra la consumación del amor de
Ardanlier y Liessa, la destrucción de su felicidad por la muerte de ésta
y el suicidio de aquél; la* Quexa y aviso *narra la consumación del amor
de* Luzíndaro *y* Medusina *(en este caso se trata de un matrimonio), la
destrucción de su felicidad por la muerte muy pronta de ésta y el suicidio
de aquél. Es difícil decidir si hay imitación del* Siervo *por parte de Juan
de Segura (a pesar de que dicha obra no andaba impresa), o si se trata*

de poligénesis. Otra influencia que se ha propuesto es la de la ficción bizantina, que nació en España a mediados del siglo XVI; a este respecto, puede ser significativo lo que dice Segura en el prólogo: «Y como de muchos fuesse importunado que traduxesse esta obra del griego en castellano...».

OTRA FRONTERA DE LA FICCIÓN SENTIMENTAL. *El nacimiento de la ficción bizantina converge con* Menina e moça *de dos modos interesantes. Estamos de nuevo en la frontera de la ficción sentimental, pero frontera de tipo distinto a la que encontramos en las* Cent ballades, *el* Kingis Quair *y los poemas alegóricos de Santillana. Ahora se trata de la dilución de la ficción sentimental, de su transición a otros géneros. La primera obra castellana que se acepta en la crítica como ficción bizantina es la* Historia de los amores de Clareo y Florisea y de los trabajos de la sin ventura Isea, *del converso Alonso Núñez de Reinoso, publicada en Venecia en 1552. Se la ha llamado «medio bizantina, medio caballeresca, enmarcada en un cuadro pastoril», y es una buena descripción, pero se puede mejorar incluyendo el elemento sentimental.* Menina e moça *tiene dicho elemento mucho más acusado; es de hecho ficción sentimental en un ambiente pastoril.*

Aún más interesante que la mezcla genérica es el hecho de que estas dos obras nos ofrecen algo que, inexplicablemente, había faltado en más de un siglo de ficción sentimental hispánica: una narradora-protagonista. «Menina e moça me levaram de casa de minha mai para muito lonje» son las primeras palabras de la obra de Bernardim Ribeiro, rompiendo definitivamente con la tradición centenaria de narradores-protagonistas del sexo masculino. El papel decisivo de la Elegia di madonna Fiammetta *en la formación del género nos hace esperar una buena proporción de narradoras en la ficción sentimental ibérica, pero sucede todo lo contrario. El caso más sorprendente es el de* Grimalte y Gradissa, *que es en parte —como ya hemos visto— una secuela de la* Fiammetta; *pero mientras que Boccaccio explota las posibilidades narratológicas y emocionales de una narradora que dirige a otras mujeres la triste historia de su vida emocional («mi piace, o nobili donne ... narrando i casi mei, di farvi, s'io posso, pietose. Né m'è cura perché il mio parlare agli uomini non pervenga»), Flores limita a Fiammetta a un papel importante pero secundario en la historia de amor frustrado de un narrador-protagonista masculino. En el caso de la mayoría de las demás ficciones sentimentales ibéricas parece razonable hablar del descuido de las posibilidades que ofrece una narradora-protagonista. En el caso de Flores, que tenía el ejemplo de Boccaccio tan claramente presente, es obvio que las posibilidades no fueron simplemente pasadas por alto, sino rechazadas.*

Ribeiro, por lo tanto, efectuó un cambio radical en la ficción sentimental, y un cambio análogo se encuentra en Clareo y Florisea. *El paralelo no es exacto, ya que los dos prefacios dedicatorios de Núñez de Reinoso indican que él es el autor. Sin embargo, cuando la ficción misma empieza, tiene una narradora que es también una de las protagonistas de la historia, Isea:*

> Si mis grandes tristezas, trabajos y desventuras por otra Isea fueren oídas, yo soy cierta que serán no menos lloradas que con razón sentidas … Esta mi obra, que solamente para mí escribo, es toda triste, como yo lo soy … Para lo cual, piadosas y generosas señoras, a quien mis palabras enderezo…

La heroína de Ribeiro también habla de sus intenciones autoriales:

> Isto me pos em duvida de começar a escrever as cousas que vi e ouvi. Mas despois, cuidando conmigo, disse eu que arecear de nam acabar de escrever o que vi, nam era cousa para o deixar de fazer, pois nam avia de escrever pera ninguem senam pera mi soo…

Es casi inconcebible que dos autores se hayan decidido simultánea e independientemente a introducir una narradora-protagonista. Ya hemos visto que, aunque la editio princeps *de* Clareo y Florisea *antecede dos años a la de* Menina e moça, *ésta se compuso unos doce años antes que aquél. Es muy probable, por lo tanto, que Núñez de Reinoso haya imitado a Ribeiro al introducir una narradora-protagonista. Pero ¿cómo podemos explicar la innovación de Ribeiro? Los dos precedentes más obvios, las* Heroidas *y la* Fiammetta, *eran igualmente accesibles a todos los autores de ficción sentimental. Si vamos a solucionar el problema por las tradiciones literarias, sólo hay una que habría influido en Ribeiro más que, por ejemplo, en Juan de Flores: las cantigas de amigo, en las cuales una voz femenina canta en primera persona acerca de sus ansiedades, temores, celos y esperanzas amorosas. Se ha aceptado generalmente que el mundo emocional de Ribeiro le debe mucho al de la cantiga de amigo. Me parece probable que, como mínimo, la lírica amorosa popular y cortesana en voz femenina, tan firmemente establecida en la cultura de la corte durante los años formativos de Ribeiro, haya reforzado la influencia de* Fiammetta *y de las* Heroidas *hasta tal punto* que le inspiró para romper con la práctica establecida en el resto de la ficción ibérica. La innovación radical de Ribeiro —una mujer que está al mando de la narración, aunque no de sus emociones, que reorganiza artísticamente el caos y la derrota de sus relaciones personales— transformó la ficción sentimental en un momento en que el género parecía haberse agotado. Su ejemplo no parece haber sido seguido, excepto por Núñez de Reinoso, pero esta innovación y la comprensión de sus posibilidades condujeron a una obra maestra.

CARACTERÍSTICAS DEL GÉNERO. Las obras comentadas en los apartados anteriores son tan diversas que es casi imposible establecer las características determinantes del género al que pertenecen. Aún si eliminamos las obras más marginales (Triunfo de Amor, Repetición de amores, La señora Gracisla), queda una variedad deslumbrante. Sólo se puede decir que la ficción sentimental está compuesta de obras cortas, de tema amoroso y desenlace triste. Hay características mayoritarias —por ejemplo, un elemento autobiográfico—, pero si insistimos en ellas quedarán excluidas varias obras. Incluso si empezamos la definición con media docena de obras centrales (dos de Juan de Flores, dos de Diego de San Pedro, el Siervo libre de amor y la Triste deleytación), mirando unos elementos narrativos básicos, hay bastante variedad:

	amor consumado	muerte de amante(s)	desierto de frustración	rival	padre cruel
SLA	no/sí	no/sí (2)	no/sí	no/sí	no/sí
TD	no/sí	sí (1)	vida monástica (2)	no	sí
GM	sí	sí (2)	no	sí	¿sí?
GG	no/sí	no/sí (1)	sí (1)/sí (1)	no	no
AL	no/sí	no/sí (1)	sí (1)/vida monástica (1)	sí	no
CA	no	sí (1)	no	sí	sí

(SLA: Siervo libre de amor. TD: Triste deleytación. GM: Grisel y Mirabella. GG: Grimalte y Gradissa. AL: Arnalte y Lucenda. CA: Cárcel de amor. no/sí, etcétera, indica que hay dos parejas de protagonistas; en TD el marido es rival en un contexto, padre cruel en otro; en AL la misma mujer participa en ambas parejas.)

*La variedad no es, sin embargo, tan grande como parece a primera vista.
En cada obra, el argumento termina con la muerte o con un símbolo
del amor frustrado (desierto, monasterio) para al menos un personaje de
cada pareja, con la única excepción de la trama principal del Siervo
libre de amor, que se explica por la renuncia del amor ocasionada por
Syndéresis. El final trágico ocurre igualmente en los casos de amor consumado y de amor no consumado, pero hay una alta correlación entre
amor consumado y muerte, y sólo en un caso, el de Leriano, coinciden
el amor no consumado y la muerte. En casi todos los casos hay un rival
o un padre cruel como obstáculo; en las dos excepciones, el obstáculo
toma otra forma, un amigo indiscreto en la trama principal del Siervo,
y un libro-personaje en* Grimalte y Gradissa. *Es verdad que las diferencias aumentan al agregar nuevas obras a la lista, pero es interesante
que haya tanta coherencia en las obras centrales del género, las obras
leídas por casi todos los lectores de la ficción sentimental.*

*Si tratamos de construir un diagrama estructural para dichas obras,
los diagramas para* Arnalte *y* Cárcel *resultan idénticos, y es posible
construir diagramas muy parecidos para otros pares de obras, e incluso,
a veces, para tres obras, si bien al aumentar el número de obras vemos
disminuir la coherencia del diagrama. Sin embargo, no es totalmente
absurdo pensar en un diseño argumental típico, seguido de cerca o de
lejos por una obra determinada. Por ejemplo, para el Siervo libre, la*
Triste deleytación, Grisel y Mirabella *y la* Cárcel de amor *servirá
el siguiente:*

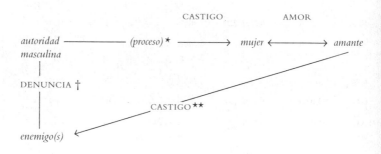

   ★   sólo en GM y CA.

   †   sólo en TD, GM y CA (denuncia involuntaria en SLA).

★★   sólo en GM y CA (el castigo de la autoridad masculina se anuncia en
      SLA).

¿Es posible decir algo parecido de los autores? En algunos casos (por ejemplo, Juan de Segura) no sabemos bastante para contestar. Se ha notado, sin embargo, que la gran mayoría de los autores son letrados o pertenecen a la pequeña aristocracia (dom Pedro de Portugal es la excepción más obvia). La impresión de un género sumamente cortesano se refuerza cuando pensamos en las dedicatorias de los libros. Su público no se restringía al ambiente cortesano, ni mucho menos: las repetidas reimpresiones y traducciones demuestran que la ficción sentimental atraía a un público amplio. Pero en cuanto a su autoría y en cuanto al lector en que pensaban los autores, el género es cortesano. Las primeras tentativas de relacionarlo con su contexto social fueron demasiado simplistas, pero las investigaciones más recientes, tanto feministas como sociohistóricas, son muy prometedoras.

Hay más: la ficción sentimental tiene autoconciencia genérica. Ya hemos visto varias de las deudas literarias dentro del género. Por ejemplo, la Sátira *como refundición del* Siervo, *la* Cárcel *de Nicolás Núñez como secuela a (y comentario sobre) la de Diego de San Pedro, la combinación de motivos de la* Qüestión de amor *y de* Una quexa que da de su amiga *en* Veneris tribunal, *las alusiones al* Siervo *en la* Triste deleytación, *y varios casos más. Se trata de un género variado, sí; con casos muy marginales, sí; pero coherente y consciente de sí mismo. Y se trata de un género sumamente innovador, sobre todo en su segunda etapa.*

PERVIVENCIA DE LA FICCIÓN SENTIMENTAL. *Ya vimos que la primera traducción de la* Cárcel *de amor salió sólo año y medio después de la primera edición del original. Nos falta todavía un estudio global de las traducciones de la ficción sentimental, pero un rastreo de las bibliografías y otras fuentes secundarias revela que hubo al menos, entre 1493 y 1660, 25 traducciones y adaptaciones en siete lenguas, es decir, traducciones y adaptaciones distintas; el número de ediciones es mucho más grande:*

TRADUCCIONES

Grisel: *alemán, francés, inglés (2), italiano, polaco*	total:	6
Grimalte: *francés*		1
Arnalte: *flamenco, francés, inglés (4), italiano (2)*		8
Cárcel *(San Pedro): alemán, catalán, francés (2),*		
inglés, italiano		6
Cárcel *(Núñez): inglés*		1

Qüestión: *francés*   I
Penitencia: *francés*   I
Quexa y aviso: *francés*   I

EDICIONES

francés: 8
inglés: 8
italiano: 4
alemán: 2
catalán: I
flamenco: I
polaco: I

Hay 46 ediciones bilingües, una trilingüe y cinco cuatrilingües. Las traducciones y adaptaciones de la ficción sentimental (que resultan a veces muy influyentes: por ejemplo, en el estilo de la prosa renacentista inglesa) constituyen un aspecto de la moda más general de la literatura española en la Europa renacentista; el número de traducciones y adaptaciones de la Celestina *indicarían otra. ¿A qué se debe tal popularidad? Me parece que se debe explicar, al menos en parte, por la extraordinaria capacidad innovadora de Juan de Flores, Diego de San Pedro, y algunos otros. La ficción sentimental es, en su etapa clásica, un género deslumbrantemente innovador: el narrador que llega poco a poco a ser uno de los protagonistas y que conserva el nombre de «Auctor», el personaje ficticio que es metónimo de una obra de su tocayo histórico, la permeabilidad de la barrera entre dos niveles de la ficción... La lista se podría prolongar fácilmente.*

Finalmente, vale la pena pensar en otro aspecto de la pervivencia del género. Sólo ahora empieza a estudiarse debidamente la adaptación y refundición de varias obras de ficción sentimental. Sabemos ahora que hay una adaptación de Grimalte y Gradissa *en* La quarta parte de don Clarián de Landanís, o Crónica de Lidamán de Ganayl *(1528); que el episodio de* Cardenio *en* Don Quijote *se inspira en* Arnalte y Lucenda *y que de dicho episodio nacen una comedia quizá perdida de Shakespeare y Fletcher,* Cardenio *(1612-1613), y una comedia francesa,* Les folies de Cardenio *(1629), de Pichou, y que* Cardenio *fue refundido en* Double Falshood *(1727), de Lewis Theobald. Pensemos un poco más en las implicaciones del episodio de* Cardenio. *Cada una de las historias interpoladas de* Don Quijote *tiene su propia identidad genérica: la de Marcela y Grisóstomo es ficción pastoril, «El curioso impertinente» es un cuento ejemplar, y la historia de Cardenio y Luscin-*

da es ficción sentimental. Estamos acostumbrados a pensar en el año 1550 como el fin de la época de creación de la ficción sentimental, aunque no de su difusión. El reconocimiento de esta historia interpolada como ficción sentimental no nos obliga a cambiar dicha opinión, pero sí nos obliga a aceptar que el siglo y medio desde el Siervo libre de amor *hasta el* Processo de cartas de amores, *época de la creación de nuevas ficciones sentimentales, fue seguido por otro siglo y medio (las dos épocas se solapan un poco) en el cual dichas ficciones no sólo se reimprimieron y se tradujeron, sino que se refundían. En esta segunda época encontramos no sólo las obras ya mencionadas, sino también* La deplourable fin de Flamette *(1535), de Maurice Scève; la* Historja o Equanusie krolu skockim *(1578), de Bartosz Paprocki;* Cardenio y Luscinda *(1605), de Cervantes (suplo el título que podría haber llevado si se hubiera impreso como obra independiente); el anónimo* A Paire of Turtle Doves or, The Tragicall History of Bellora and Fidelio *(1606);* The Evill-Treated Lover or, The Melancholy Knight *(1639), de Leonard Lawrence; y* Arnaldo or, The Injur'd Lover *(1660), de Thomas Sydserf. Es casi seguro que la lista es incompleta. Hay mucho que investigar en este aspecto de la ficción sentimental, y en varios otros. ¡El trabajo nos espera!.* *

ALAN DEYERMOND

---

* Gran parte de mis ideas sobre la ficción sentimental se reúnen en *Tradiciones y puntos de vista en la ficción sentimental* (A. Deyermond 1993); utilizo aquí, de vez en cuando, frases tomadas de este libro y de otras publicaciones mías, y me apoyo, desde luego, en las aportaciones de muchos otros investigadores citados en la bibliografía, de cuya comprensión espero disculpen que sus conclusiones se presenten, sobre anónimas, tan pobremente resumidas.

PRÓLOGO

Los signos ° y □ remiten respectivamente a las Notas complementarias y a las entradas del Aparato crítico.

1. TRAYECTORIA
DE DIEGO DE SAN PEDRO

En una de sus últimas obras, el poema *Desprecio de la Fortuna*, compuesto entre 1498-1500 (K. Whinnom 1973a:40), Diego de San Pedro se retracta de su obra amatoria, ofreciendo así la primera bibliografía de casi toda su producción.[1]

> Mi seso lleno de canas,
> de mi consejo engañado,
> hasta aquí con obras vanas
> y en escrituras livianas
> siempre anduvo desterrado.

Por medio de esta palinodia San Pedro enumera de modo alusivo sus obras más representativas: «un *Sermón* que escreví»; «aquellas cartas de amores» (el *Tractado de amores de Arnalte y Lucenda*); coplas, canciones y romances incluidos preferentemente en el *Cancionero general*. A la cabeza de este recordatorio de culpas el escritor menciona directamente la *Cárcel de amor*:

> Aquella *Cárcel de amor*
> que assí me plugo ordenar,
> ¡qué propia para amador,
> qué dulce para sabor,
> qué salsa para pecar!

Por si las referencias externas en sus obras pueden revelarnos las circunstancias vitales del escritor, debe observarse que el *Tractado de amores de Arnalte y Lucenda* va dirigido a las damas de Isabel la Católica y en el cuerpo de la obra se inserta un panegírico en verso dedicado a la reina.[2] Además, en la hasta ahora segunda edición conocida del *Tractado*, el autor se presenta como «criado

---

[1] El *Desprecio de la Fortuna* apareció impreso con *Las CCC del famosísimo poeta Juan de Mena con su glosa: y las cinqüenta con su glosa: y otras obras*, Zaragoza, Jorge Coci, 1506. Hay edición moderna (véase Dorothy S. Severin y Keith Whinnom 1979:271-297).

[2] Hay edición crítica de esta obra. Véase Ivy A. Corfis [1985].

del conde de Hureña» (Urueña), uno de los hijos de Pedro Girón, influyente hombre de Enrique IV. La *Cárcel de amor* va dirigida a «Diego Hernandes, alcaide de los donzeles», joven caballero casado con Juana Pacheco, prima de los Téllez-Girón. La ficción de la *Cárcel* se enmarca en unos límites geográficos: Sierra Morena y la localidad de Peñafiel, un señorío de la familia Girón. El *Desprecio de la Fortuna* va dirigido, como el *Arnalte*, al «conde de Urueña su señor», a quien sirvió, según indica en el prólogo, veintinueve años. Si a estos datos agregamos las dedicatorias de otras obras a las damas de la reina, como ocurre en el *Sermón de amores*,[3] o el encargo de la *Pasión trovada* por una «devota monja», así como los epígrafes de su poesía recogida en el *Cancionero general*,[4] bien podríamos esbozar, sin otros documentos, el perfil de un escritor cortesano introducido en el círculo isabelino cuando ya se han sofocado las revueltas por la sucesión de Enrique IV, con la consiguiente sumisión de algunos grupos de la nobleza, entre los que, por supuesto, se encontraba la poderosa familia de los Téllez-Girón.

Hace casi treinta años, Keith Whinnom [1965] contribuyó a consolidar la identidad del escritor, tratando de verificar las referencias halladas en sus dedicatorias; su rigurosa investigación en archivos, crónicas y nobiliarios, si no logró obtener positivos datos biográficos, al menos esclareció algunas noticias confusas que habían circulado en torno al autor de la *Cárcel de amor*, al que se había encuadrado en la generación de escritores contemporáneos de Juan II (N. Antonio 1788; G. Ticknor 1857; E. Cotarelo; Mori 1927). Puesto que tanto el nombre Diego como el apellido San Pedro son comunes en la Castilla del siglo XV, y más concretamente en la zona vallisoletana, K. Whinnom [1965; 1973a y 1974] hubo de descartar algunos homónimos que pudieron documentarse en una relación de miembros de la Cofradía de Hidalgos de Peñafiel, probablemente todos ellos emparentados entre sí y, como ha podido demostrarse, al servicio de la familia de los Téllez-Girón.

Si hacemos caso a las dedicatorias de *Arnalte y Lucenda* y el *Desprecio de la Fortuna*, el escritor San Pedro sirvió a los Girones. En elegante alabanza dice al conde de Urueña en el prólogo del *Desprecio* que la inspiración de tal poema viene directamente de

---

[3] Hay edición moderna (véase Keith Whinnom 1973:172-183).
[4] Véase Dorothy S. Severin y Keith Whinnom [1979].

«vuestro magnánimo coraçón, porque quien veinte y nueve años sirviendo comunicó con Vuestra Señoría, no es mucho que conozca enteramente su voluntad». El condado de Urueña fue concedido por Enrique IV en 1466 a Alfonso, hijo mayor de don Pedro Girón. A la muerte prematura de Alfonso (1469) el título pasó a poder de otro de los hijos de don Pedro, Juan Téllez-Girón, al que va dirigido el *Desprecio*.

Después de intrigas y veleidades políticas, los Girones acabaron sometiéndose a los Reyes Católicos; Juan Téllez-Girón jugó un papel destacado en la campaña de Granada y estaba emparentado, como se ha dicho, con el alcaide de los donceles, a quien San Pedro dedicó la *Cárcel de amor*. Para Whinnom [1973a:13] «es posible, y legítimo, deducir de las aventuras de los señores algo acerca de la vida y actividad de los criados». De este modo, las pesquisas de este investigador por lo menos consiguieron despejar quién no fue Diego de San Pedro, e invitan a considerar como el candidato más idóneo a uno de los hidalgos de la Cofradía de Peñafiel.

Pero si San Pedro fue natural de Peñafiel, es prácticamente imposible datar su nacimiento, pues los archivos de esa localidad fueron destruidos en el saqueo de las tropas francesas en los primeros años del siglo XIX. Otra vez tendremos que tomar como referencias la trayectoria de su señor y la última de sus obras conocidas. Si aplicamos como *terminus ante quem* la fecha aproximada del *Desprecio de la Fortuna*, considerando los veintinueve años en los que «sirviendo comunicó» con el conde de Urueña, la cuenta atrás señala 1469, que es justamente la fecha en que Juan Téllez hereda el condado. El hijo de Pedro Girón tiene en ese momento trece años, pero no hay evidencia alguna de que el conde y su criado hayan sido coetáneos. Por el contrario, en la dedicatoria del *Desprecio* San Pedro evoca más de una vez el paso del tiempo, y del mismo modo se comporta en el cuerpo de la obra, «Mi seso lleno de canas», al tiempo que se retracta de sus «escrituras livianas» como errores de juventud. Por supuesto que pueden aquí conjugarse la realidad biológica y la deuda literaria con una de las fuentes de que se sirve, el *De consolatione Philosophiae* de Boecio (K. Whinnom 1979:275). Aunque el tono grave y sentencioso es el indicado para una poesía moral, Whinnom [1973a:39-40] subraya que «no hay razón convincente para rechazar la interpretación literal de sus palabras». De este modo, al finalizar el siglo XV, Diego de San Pedro era un hombre con experiencia de la vida, con una obra literaria dilatada, y de bastante más edad que su protector. Éste falleció en 1528; de San Pedro nada se sabe a partir de la fecha de composición de *Desprecio de la Fortuna* (1498-1500).

Un factor tenido en cuenta en la pesquisa biográfica de Diego de San Pedro fue la posibilidad de que hubiese sido un judío converso o hijo de conversos. Las especulaciones adoptaron dos enfoques: la investigación documental y la interpretación de alguna de sus obras. Cotarelo y Mori [1927] se sirvió de informes elaborados en Peñafiel en 1592 para ciertas pruebas de linaje, hallando en las declaraciones de los testigos alusiones al escritor San Pedro como cristiano nuevo, así como la existencia de un sambenito vestido en 1494 por la mujer de un Diego de San Pedro, mercader. Parece oportuno recordar que los apellidos de santos eran elegidos por los judíos que abrazaban la religión cristiana, aunque hay ocasiones en que fueron «cristianos viejos» los que en un determinado momento cambiaron su apellido por nombres del santoral (K. Whinnom 1973a:20).

Marcel Bataillon [1952] había apuntado como causa del tono patético de ciertas obras de San Pedro su condición de converso. Por otra parte, F. Márquez Villanueva [1966] da crédito al origen judío de San Pedro, al apoyar las argumentaciones de Cotarelo interpretando la *Cárcel de amor* como una obra en clave «escrita en un momento históricamente crítico» por quien responde literariamente a la implantación del Tribunal de la Inquisición y desaprueba la política cesarista de los monarcas en la década de los ochenta. Suscriben en general esta postura A. Prieto [1975] y A. van Beysterveldt [1979]. S. Tejerina-Canal [1984], por su parte, sostiene esta interpretación al señalar como motivo recurrente y unitario de la obra la formulación de la tiranía amorosa y política.

Para C. Nepaulsingh [1986], en la *Cárcel* se pone a prueba la identificación de su autor, probablemente un criptojudío. La obra se presta a una doble interpretación, pues paralelamente al ideario cortés y cristiano, y a una estructura correspondiente a su género, puede advertirse una utilización tipológica de personajes, actitudes y hasta préstamos verbales que remiten a distintas secciones del Antiguo Testamento.[5]

[5] Recientemente R. Rohland de Langbehn [1989c:134-143] ha intentado ver en el análisis de algunos relatos sentimentales del siglo XV el reflejo de los inte-

La carencia de datos positivos sobre la vida del escritor contrasta con su fama literaria, que fue pronta y duradera. Buena parte de la obra en prosa y verso de Diego de San Pedro conoció el éxito editorial en España y en el extranjero a lo largo del siglo XVI. Su amplia difusión y recepción sitúa al escritor a la cabeza de sus contemporáneos (K. Whinnom 1979*b*; V. Infantes 1989). Para K. Whinnom (véase D. Severin y K. Whinnom 1979), la receta de este éxito, tanto en verso como en prosa, es la incorporación de tres factores de modernidad que inspiran y moldean la literatura finisecular, sobre todo la propiciada por la corte isabelina: un nuevo espíritu religioso, un refinamiento de la convención amorosa y la asimilación de normas retóricas de impronta humanística.

La fecha aproximada de composición de la *Cárcel de amor* se puede situar en los años de la campaña de Granada (1482-1492). Es inaceptable la fecha propuesta por E. Cotarelo [1927], quien la situaba en el decenio de los setenta, a la llegada al trono de los Reyes Católicos. A partir de la primera fecha mencionada más arriba, 1482, puede hablarse de estado de guerra, declarada por los Reyes Católicos al pequeño reducto islámico y que se manifiesta en una acción bélica muy dramática: la toma de Alhama en febrero de 1482, como respuesta al asalto de la ciudad fronteriza de Zahara por las tropas de Abu-l-Hasan dos meses antes (M.A. Ladero Quesada 1967).

La localización geográfica de Sierra Morena y la referencia a Peñafiel suponen un intento de identificar narrador con el autor San Pedro (B. Wardropper 1952). La historia relatada se origina precisamente en los aledaños de un escenario bélico, a juzgar por lo que dice el narrador:

> Después de hecha la guerra del año pasado, viniendo a tener el invierno a mi pobre reposo, pasando una mañana, quando ya el sol quería esclarecer la tierra, por unos valles hondos y escuros que se hazen en la Sierra Morena...

reses del grupo social de los conversos antes del 1492, aplicando como método la teoría marxista de la mediación. La biografía de los autores queda prácticamente fuera del ámbito de la aplicación de este método, por lo que su interpretación no aporta nada nuevo a la persona del escritor.

Es muy posible que esta referencia a la guerra señale, ya no los episodios de algaradas fronterizas anteriores al año 1481, sino la efectiva campaña comenzada el año siguiente y que se disponía en períodos de servicio militar que duraban desde la primavera hasta el otoño. En lo que atañe, pues, a la composición de la *Cárcel*, puede estimarse que un buen *terminus a quo* sería el ya mencionado de 1482. F. Márquez Villanueva [1966], considerando la obra como una muestra de literatura de protesta, establece límites temporales más amplios, entre 1477 y 1492, apoyándolos en el clima tenso de esos años a causa de la implantación del Santo Oficio.

Pero sin descartar rotundamente la posibilidad de habérnoslas con una ficción en clave, la cronología puede apoyarse también en el conocimiento que hoy tenemos de la biografía del escritor San Pedro. La primera impresión conocida de la *Cárcel* (1492) va dirigida a Diego Fernández de Córdoba, alcaide de los donceles (para los datos biográficos de esta figura, véase prólogo, nota 1), S. Gili Gaya [1967:XXVII] consideró que esta dedicatoria no pudo escribirse antes de 1483, fecha en la que don Diego, aunque todavía muy joven, adquirió notoriedad por su arrojo en la batalla de Lucena, en la que le cupo la honra de hacer prisionero a Boabdil. Al concluir la *Cárcel de amor*, el narrador dice llegar a Peñafiel, lugar desde donde envía sus saludos al alcaide de los donceles. El argumento de Gili Gaya es aceptable; no lo desaprueba I. Corfis [1987], aunque sí lo desechó K. Whinnom, pues, según él, si el escritor San Pedro fue un hombre al servicio de los Téllez-Girón, tuvo motivos suficientes para demostrar su deferencia y admiración al alcaide de los donceles, por joven que éste pudiese ser, ya que habría vínculos familiares entre los Córdoba y los Téllez-Girón; el más evidente, que don Diego estaba casado, al menos desde 1475, con Juana Pacheco, prima de los Téllez-Girón. Con el joven Girón, Diego de San Pedro acudiría a la guerra de Granada, en la cual Juan tomó parte con su estado, su casa y su misma persona (K. Whinnom 1973a:25). En definitiva, si no es posible precisar una fecha exacta de la composición de la *Cárcel de amor* debemos situarla entre 1483 y 1492, año de la primera impresión conocida, pues no se conservan otros testimonios manuscritos.

La *Cárcel* fue obra, si no de juventud, al menos escrita cuando las actividades cortesanas de San Pedro lo inclinaban más a los placeres que a la moderación y a la vida piadosa que, una vez conquistada Granada, abrazó en sus posesiones de Andalucía su señor Juan Téllez-Girón, bastante esquilmado en su economía después de su participación en la conquista (K. Whinnom 1973*a*).

Aunque no tengamos que creer al pie de la letra las protestas de moralidad del escritor, lo cierto es que, contemplada su obra desde la atalaya de un discurso de raigambre boeciana, como es el *Desprecio de la Fortuna*, no cabe duda de que tanto la *Cárcel de amor* como las demás «escrituras livianas» se ubican unos años antes, se habían gestado en un ambiente algo diferente del que probablemente inspira el poema narrativo (D. Severin y K. Whinnom 1979).

Conviene señalar dónde y por qué nace la *Cárcel de amor*, no tanto para calibrar sus virtudes literarias como el clima que hace posible una obra que, por cierto, no dejó de publicarse a lo largo del siglo XVI, testimoniando así o bien su atractivo por el resabio medieval, o bien los intereses críticos de editores, libreros e impresores (K. Whinnom 1980; V. Infantes 1989); pues de la *Cárcel de amor* se conoce, solamente en lengua castellana, cerca de treinta ediciones publicadas en el siglo XVI, pero, además, la obra de San Pedro acrecentó su éxito por la intervención de uno de sus primeros y más atentos lectores, el poeta Nicolás Núñez, compañero de San Pedro en el *Cancionero general*, quien prolongó la acción narrativa de la *Cárcel* con el fin de dar otro sentido a la conclusión del conflicto presentado por San Pedro. El resultado fue que los impresores del siglo XVI difundieron generalmente las dos obras juntas. K. Whinnom [1973*b* y 1979] consideró la continuación de Núñez como una distorsión de la *voluntas auctoris*; recientemente, M.L. Indini [1988] y C. Parrilla [1992] han matizado esta opinión.

Es muy posible que, si detectáramos más lectores tan solícitos de San Pedro, se llegaran a establecer o diseñar las circunstancias del ambiente en el que el autor escribió. Un par de obras del escritor van dedicadas o dirigidas a mujeres, como ya se ha recordado. El *Tractado de amores de Arnalte y Lucenda*, a «las damas de la Reyna nuestra señora»; el *Sermón*, según las ediciones tardías y únicas que de él se conocen, a «unas señoras que le desseavan oír predicar». Por el prólogo de la *Cárcel* sabemos de una aristócrata bastante influyente en la corte isabelina y receptora de una de sus obras, probablemente el *Sermón*, atractiva representante del

anonimato de sus lectoras femeninas. La señora en cuestión fue
doña Marina Manuel, dama de Isabel y desposada con Balduino
de Borgoña en 1489. Doña Marina debió de ser un enlace diplo-
mático con la casa de Borgoña, sobre todo en las negociaciones
del matrimonio de la infanta Juana y el duque Felipe (K. Whinnom 1973*a*]. Aun casada, su presencia fue duradera en la corte
de la reina, por lo que doña Marina pudo conocer bien la evolución o continuidad de las modas literarias isabelinas. Por los años
en que San Pedro escribió la *Cárcel*, doña Marina compone un
mote recogido en el *Cancionero general* y que fue glosado por el
poeta Cartagena, participante en la guerra de Granada y muerto
en Loja en 1486.

La presencia de doña Marina nos habla de una difusión de las
obras de San Pedro en el centro del círculo real de Isabel, por
lo que no parece postiza la alabanza a la reina que el autor incluye
en el *Arnalte*. Conviene notar que en el *Sermón*, al declarar que
los razonamientos de quien escribe deben acomodarse a la condición de quien los oye, no duda en endilgar a las damas —o a
doña Marina— que lo más oportuno es «tratar de las enamoradas
passiones», y así ilustra y amonesta a las señoras. Como corolario
de estas manifestaciones, conviene recordar que en el *Cancionero
general* se recogen una decena de poesías de San Pedro dedicadas
a damas innominadas («su amiga», en ocasiones) y que la primera
va dirigida a una «dama de la reina doña Ysabel». Por medio del
Cancionero general podemos perfilar un círculo femenino especialmente receptivo a las modas literarias, unas modas que se incor-
poran a la vida —no lo olvidemos— en un escenario preferentemente bélico en el que, a juzgar por ciertas composiciones del
Cancionero general, se apuraba el momento presente con actividades lúdicas y, a la vez, efímeras, según frase de Pinar en su *Juego*,
dedicado, por cierto, a la reina Isabel: «pasa como sueño / el hablar y el festejar».

Habría que preguntarse qué era lo que más interesaba a los lectores de San Pedro. No cabe duda de que el conflicto amoroso
por él representado pudo traer dividida a la opinión, según lo
prueban datos tales como la continuación de Núñez. Aunque no
podemos circunscribirnos a un círculo femenino de lectoras, y puesto
que la dedicatoria de la *Cárcel* va dirigida a un hombre, mejor
es quedarse con esta referencia a la corte isabelina en puertas de
la conquista de Granada.

2. TRADICIÓN Y CONTEXTO LITERARIO

La *Cárcel de amor* ocupa un lugar preferente en cierto grupo de obras narrativas que se generan en la segunda mitad del siglo XV, extendiéndose durante un siglo y a las que Menéndez Pelayo [1905-1915] clasificó como «novelas erótico-sentimentales». Tal etiqueta resulta bastante forzada, porque convencionalmente se ha admitido en el grupo una serie de obras que difícilmente podrían ser reducidas todas ellas a lo que modernamente se entiende por novela (C. Samonà 1960 y 1972; K. Whinnom 1983). Todavía suscita polémica la adscripción genérica de este grupo de obras. A. Krause [1952] las consideró tempranos experimentos novelescos organizados al amparo formal y temático del tratado en boga, muy influyente durante el reinado de Juan II de Castilla. Esta opinión ha sido seguida, aunque matizada, por gran número de críticos que defienden la calidad didáctica de las ficciones (E. Dudley 1979; D. Cvitanovic 1973; B. Damiani 1976; J. Chorpenning 1977; P. Cátedra 1989, quien ve las primeras muestras del género como una especialización de la autobiografía epistolar en tratadismo amoroso). Otros han sido contrarios a encuadrarlas en la categoría genérica del tratado (B. Wardropper 1953; C. Samonà 1960; K. Whinnom 1982). A. Deyermond [1973-1974; 1975 y 1991] considera la mayoría de las obras que integran el grupo como un subgénero de la categoría genérica anglosajona *romance*, considerándolas en general «libros de aventuras».

Un amplio sector de la crítica ha estado de acuerdo en señalar los puntos fundamentales de la tradición literaria de este tipo de obras. Pero antes de insertar la *Cárcel de amor* en un cauce autorizado, conviene señalar que la tradición literaria tantas veces repetida no es su único precedente.

El mayor problema para nuestra percepción crítica actual en el *corpus* propuesto por Whinnom en su bibliografía crítica es el de que, en líneas generales, la uniformidad de estas obras descansa únicamente en el tratamiento del tema amoroso, si bien este tema se desarrolla y resuelve con cierta variedad. Uno de los rasgos en que todas ellas concuerdan es el esfuerzo narrativo-discursivo para incorporar todo un doctrinal rico y complejo de teoría y práctica del afecto humano, lo que convierte a estos textos en una especie de artes de amar, sea cual sea la estructura formal que en ellos

predomine. Esta peculiaridad es un expediente que puede servir para
situar las obras en un contexto cultural como el que trazó A. Krause
[1952], esto es, en los intereses y realizaciones del molde formal
y temático del tratado que florece ya en la época de Juan II de Castilla. No creo que se trate de un recurso fácil de catalogación sino
de una postura inteligente para encuadrar en las preocupaciones in-
telectuales del siglo XV el arranque de unos textos de ficción, como
ha señalado P. Cátedra [1989]. El tratamiento reiterado de un tema,
en medios académicos o extra académicos, es un proceso especula-
tivo procedente de diversos ambientes, cuyas consecuencias, con
las debidas filtraciones, se plasman en la obra literaria. Esto parece
una verdad de Perogrullo porque no es más que reconocer en qué
consiste y cómo se difunde la cultura de una determinada sociedad.
En el caso de la *Cárcel de amor*, por ejemplo, la articulación de la
historia narrada es una buena muestra de la permeabilidad a las formas y los intereses de la tratadística del siglo XV, sea cual sea su
temática. Lo prueba tanto la sección destinada a la alabanza del sexo
femenino, estrechamente vinculada al *Tratado en defenssa de virtuosas mugeres* de Diego de Valera (N. Round 1989), como el ideario
expuesto en torno a la justicia y la clemencia. Pero además, los afectos
humanos ocuparon un lugar privilegiado en los intereses e inquie-
tudes de la sociedad peninsular del siglo XV, pudiendo definirse una
«cultura afectiva» inspiradora de una moral cívica que se articula
en algunas ocasiones en un engranaje jurídico (C. Heusch 1993).

Ciertos textos de filosofía moral difusores del programa de virtudes trasladaron sus contenidos a las obras literarias del período.
La traducción más o menos libre y la mediación de las glosas de
cosas tales como los libros VIII, IX y X de la *Ética* aristotélica
así como ciertas obras ciceronianas y senequistas transmitieron con
variados matices el concepto de la amistad humana.[6]

Que San Pedro no fue ajeno a la reflexión sobre el tema del
afecto más puro, lo prueba su aplicación en la importante figura

---

[6] Los textos de Cicerón son, fundamentalmente, *De amicitia* y *De oficiis* (libros II y III); en la obra de Séneca la doctrina sobre los afectos se halla esparcida
por diferentes libros. El grado de interés por el tema de la conducta afectiva
en el momento de la floración de tratados en el círculo de Juan II, lo muestran
cosas tales como la traducción y adaptación de dicha materia por parte de Alfonso de Cartagena en la *Tabulatio et Expositio Senecae*, así como la amplia glosa
de materia aristotélica y senequista que es el *Breviloquio de amor y amiçiçia* de
Alfonso de Madrigal, el Tostado.

del *auctor* de la *Cárcel de amor*, cuya constitución en el relato tiene como punto de partida la práctica de la virtud de la amistad. El arranque de la *Cárcel* pone de manifiesto cómo se funden las dos formas y grados de afecto: la *amiçiçia* y el *amor*.

Ahora bien, especular sobre amor en los años treinta del siglo XV, un decenio especialmente significativo por la floración de algunos tratados, no era una nota de modernidad, si quisiéramos contemplarlo a la luz de un contexto europeo. Tal indagación fue una propuesta intelectual que, en razonamiento y en formas expresivas, se hallaba a medio camino entre lo marcadamente escolástico y lo propiamente humanístico. Pero hasta los aledaños del siglo XVI —a juzgar por la difusión de la *Cárcel de amor*— se extiende la propuesta intelectual sobre los afectos humanos resucitada en el siglo XV al calor de la tratadística. Recordaba K. Whinnom [1971a] que la teoría psicológica medieval fue en buena medida una creación de los teólogos escolásticos, preocupados por el alma, las facultades mentales y todo tipo de afectos. Y en el marco y alcance de esta teoría psicológica pueden hallarse más o menos dispersas ciertas consideraciones sobre la pasión amorosa. Se da así la circunstancia de que en la «selva de teoría amorosa y práctica literaria» (P. Cátedra 1989:159) que se extiende en el siglo XV, la *Cárcel de amor*, fraguada en uno de los últimos decenios del siglo, todavía se afirma y especializa como ficción sin perder el hilo teórico. Hay, pues, en la *Cárcel* un discurso afectivo, amoroso, que remite al lector más que al conocimiento de las pasiones individuales, a la especulación sobre una doctrina erótica más o menos difusa, como sucede en otras obras del grupo sentimental (P. Cátedra 1989:157).

De modo que al considerar la tradición literaria en la que se insertan estas obras, conviene no olvidar su relación con estos intereses que acabo de citar. Conviene ver en el ámbito de la disquisición la influencia de ciertas materias pertenecientes a tratados de filosofía natural y moral, aireadas no sólo en las aulas sino en los ambientes cortesanos, como con argumentación convincente, expone P. Cátedra [1989]. Las obras sentimentales que han sido más analizadas ven favorecida su aparición en la segunda mitad del siglo XV, a la llegada de la imprenta, por una sociedad aristocrática que apoya al individuo que se dedica a las letras.

Espigar en San Pedro sus preferencias literarias es operación insegura porque exploramos en una especie de taracea, habida cuen-

ta de su permeabilidad a todo género de influencias, como veremos. Se narra en la *Cárcel* una historia amorosa cuyos elementos
constitutivos se derivan de una rica y variada tradición literaria
comúnmente aceptada por la crítica en sus aspectos fundamentales
(G. Reynier 1908; C. Samonà 1960; K. Whinnom 1973*a*; A. Prieto 1975). Pese a ello, algunos de los preceptos o de las recetas
prácticas que, por ejemplo, Ovidio propinó en su trilogía amatoria, base de la ininterrumpida tradición ovidiana, no se siguen
en la *Cárcel de amor* (R. Schevill 1913). En los tratados de amores
que conforman la ficción sentimental tuvo mayor peso otra obra
de Ovidio, *Heroidas*, materia epistolar bien conocida en la enseñanza escolar e incorporada a la prosa cronística alfonsí, con libre
adaptación en el XV de Juan Rodríguez del Padrón, el primer
autor de un tratado que hoy consideramos ficción sentimental
(O. Impey 1980*a* y 1980*b*; pero véase también P. Saquero y T. González Rolán 1984). Actualmente M. S. Brownlee [1990] ha resaltado la deuda que la ficción sentimental tiene con las *Heroidas*:
la influencia ovidiana estuvo favorecida por la difusión de la materia troyana, puesto que algunas cartas se incluyen en la *Crónica
troyana* y en las *Sumas de historia troyana* de Leomarte, que todavía
circulaban en manuscritos del XV. Por otra parte, hoy sabemos
de la existencia de un incunable de la *Crónica troyana* impreso
por Juan de Burgos en 1490, dos años antes de la primera impresión conocida de la *Cárcel* (H. Sharrer 1988). Es probable que
San Pedro conociese las *Sumas* de Leomarte y no sería del todo
ajeno a secciones como el enamoramiento de Aquiles por Poliscena y los acontecimientos derivados de tal situación, pues son materia narrativa que parece hallar eco tanto en el *Arnalte* como
en la *Cárcel*. Sin embargo, los conceptos vertidos en las cartas
que se entrecruzan Leriano y Laureola no son los que manejó
Ovidio y adaptó Rodríguez del Padrón, mientras que en otros
escritores, como Juan de Flores, se hallan préstamos verbales de
las *Heroidas*. Por otra parte, la autobiografía femenina en prosa
de Boccaccio, la *Elegia di madonna Fiammetta*, traducida al catalán
ya en los últimos años del siglo XIV y de decisiva influencia en
Juan de Flores, no parece haber pesado en cambio en San Pedro,
a no ser porque se trata de una historia infortunada y porque
es una autobiografía (K. Whinnom 1973*a*:53). De ascendencia ovidiana y con gran éxito editorial en el siglo XV, la *Historia de duobus amantibus Eurialo et Lucrecia* (1444), contagiada del tono senti

mental de la *Fiammetta* por los recursos de trama y la escabrosidad del *Decamerón* y afín al género de la comedia humanística, acaso pesó en la creación de *Arnalte*, pero no en la de la *Cárcel* (K. Whinnom 1980). Por ello, el propio Whinnom expresó la conveniencia de revisar los posibles enlaces de la obra de San Pedro con ciertas obras francesas autobiográficas y epistolares (*Livre du voirdit*, de Guillaume de Machaut; *Prison amoureuse*, de Jean Froissart; *Cent balades d'amant et de dame; Livre du duc de vrais amants*, de Christine de Pisan), aunque sin aferrarse mucho a la hipótesis de que esta influencia fuese directa y efectiva.

Lo cierto es que la cuestión amorosa de la *Cárcel* remite al ideario de la poesía cancioneril en sus puntos más comunes (P. Waley 1966): amor acendrado, sufrimiento del amante, expresión plástica del sentimiento por medio de la alegoría. No obstante, hay que considerar que el tratamiento del amor en el cancionero se exponía fundamentalmente desde una perspectiva unilateral, lo que apenas dejaba espacio a la expresión de las motivaciones o los sentimientos de la mujer, siempre invocada a través de la cuita amorosa. Por su parte, San Pedro ofrece en su obra en prosa una dialéctica que parece neutralizar el componente idealista de la impronta cancioneril (A. van Beysterveldt 1979). Otros críticos han visto en *Cárcel de amor* la desviación de un código cortesano de conducta que se manifiesta por medio del triunfo del honor supeditado a la opinión, lo que, en definitiva, zanja el conflicto (S. Gili Gaya 1967; C. Samonà 1972; J. Rodríguez Puértolas 1982). No contradice esto la postura de A. van Beysterveldt [1979], aunque este crítico se inclina por ver en la utilización del ideario amoroso cancioneril en la *Cárcel* una forma ya adulterada del amor cortés. En esta suma de influencias conviene tener en cuenta la gravitación de la poesía cancioneril en la integración de la polémica en pro y en contra de las mujeres; en la incorporación del estilo conceptuoso y, por supuesto, en el procedimiento alegórico (P. Waley 1966; D. Cvitanovic 1973; J.L. Varela 1965; K. Whinnom 1971*a*). La alegoría le sirve a San Pedro para encabezar la ficción porque probablemente le parece un lenguaje útil o al menos primordial para que se entienda y se valore el discurso amoroso. Como ha sugerido A. Deyermond [1989], las alegorías de Santillana, surgidas en el clima y en el tiempo en que surgen las obras de Rodríguez del Padrón y del Condestable don Pedro de Portugal, bien pudieron preparar el camino de las ficciones sentimentales.

La prosa de ficción perteneciente a la 'materia de Bretaña' es igualmente un foco de influencia pero también de interacciones, manifestándose así, entre las ficciones foráneas artúricas o las refundiciones y los primeros experimentos 'sentimentales', lo que llama H. Sharrer [1984] una «fecundación cruzada» sumamente significativa. Desde la precisión de H. Sharrer [1984] y A. Deyermond [1986], no podemos dudar de que San Pedro conociese la materia artúrica. Lo prueba la semejanza de los nombres de ciertos personajes de la *Cárcel* con los de varios relatos del ciclo bretón. En lo que se refiere a la estructura narrativa, en la *Cárcel* se adapta un pasaje de la *Mort Artu*. La propia estructura dual de la *Cárcel* —introducción alegórica al conflicto amoroso y episodio caballeresco— habla por sí sola de la amplia tradición literaria que San Pedro eligió para expresarse literariamente.

Si trazamos una línea temporal en la que se insertan las obras de ficción sentimental conocidas —al menos, las que se ofrecen en el corpus de Whinnom—, podemos apreciar lagunas que pueden dar la impresión de una tradición discontinua. En efecto, nada en el prólogo de la *Cárcel* permite pensar que el autor inscribe su obra en una determinada forma narrativa. Sin embargo, podemos considerar que pudo tener modelos próximos, desconocidos hoy para nosotros. De modo que no es fácil hablar de influencia en San Pedro; cuando se detectan influjos o préstamos en su obra, sería lícito y razonable pensar que algunos proceden de un tráfico literario interno, peninsular, tanto más efectivo que el foráneo.

Aunque se acepte la idea de una tradición polimorfa y difusa de temas y formas literarios en la *Cárcel de amor*, como C. Samonà [1960] había ya señalado, tanto desde el punto de vista temático como de su estructura formal resulta más productivo extraer de la obra de San Pedro las influencias o préstamos más evidentes en determinadas secciones de la obra, por más que en algunas ocasiones las deudas puedan ser dudosas.

3. CUESTIONES CRÍTICAS

En las fragosidades de la Sierra Morena un viajero ve pasar al amanecer una comitiva formada por un prisionero —Leriano— y su guardián. Intrigado, sigue a los hombres, pero éstos desaparecen de su presencia. Después de una noche en vela, el viajero se halla al salir el día ante una alta torre en la que, una vez franqueada su entrada, contempla los tormentos a los que es sometido el prisionero. Éste explica al viajero que está enamorado de la hija del rey y le pide ayuda para llevar a buen fin su propósito de conquistar a la princesa. El viajero se ofrece a ayudarlo y así lo hace, al presentarse en la corte y solicitar y lograr de la princesa Laureola un intercambio epistolar con el caballero. Un cortesano, envidioso de la suerte de Leriano, acusa a éste de burlar la vigilancia real y de mantener con la princesa una relación íntima. Mientras Leriano y el cortesano dirimen la cuestión por medio de las armas, en un combate público, el rey pone en prisión a su hija, dispuesto a ejecutar en ella la sentencia más cruel por ser su acción motivo de deshonra. El monarca no ceja en esta actitud a pesar de las peticiones de clemencia de sus propios familiares y de los dignatarios de la corte. Leriano, luchando entre la fidelidad a su rey o a su dama, decide por fin salvar a la princesa, con la ayuda de una pequeña tropa con la que asalta la prisión donde está Laureola. Cuando todo sugiere que la princesa premiará al caballero con su propia mano, sucede todo lo contrario. Laureola rechaza de plano a Leriano y éste, finalmente, acepta la decisión de la princesa y se dispone a morir lentamente no sin antes prorrumpir en alabanzas al sexo femenino. Después, tragándose las cartas que le había enviado su amada, se deja morir. El caballero testigo de la historia, muy conmovido, reanuda su accidentado viaje.

En el caso de la *Cárcel de amor*, antes del reconocimiento de Menéndez Pelayo [1905-1915], su calidad de ficción caballeresca y, por consiguiente, amorosa, había sido ya apuntada por Leandro Fernández de Moratín en el «Discurso histórico» que encabeza sus *Orígenes del teatro español*. P. Salvá [1872] la incluyó en su *Catálogo* en la sección de «Libros de caballerías» porque así lo respaldaba el criterio de Pascual de Gayangos [1857:LVI-LVII]. Con los libros de caballerías, a juicio de J. Amador de los Ríos [1865], la *Cárcel de amor* mantenía una estrecha relación de dependencia compartida además con el influjo de la poesía alegórica. Para Amador, la *Cárcel* era el segundo experimento novelesco en Castilla (el primero sería el de Juan Rodríguez del Padrón con su *Siervo libre de amor*, obra semejante en su composición a la de San Pedro).

Estos primeros juicios sobre la *Cárcel de amor* tuvieron la virtud de consolidar la obra como modelo literario indiscutible para al-

gunos críticos posteriores, que destacaban en la *Cárcel* valores relacionados con los ideales de conducta que presumiblemente for-
marían el horizonte de expectativas de los lectores de San Pedro,
por corresponder tales ideales al medio aristocrático al que perte-
necían. Cupo a B. Wardropper [1953] descubrir en la *Cárcel de
amor* las líneas de este modelo con apreciaciones que fueron segui-
das por buena parte de la crítica (J.L. Varela 1965; D. Cvitanovic
1973; A. Durán 1973; F.A. de Armas 1974; B.M. Damiani 1976).
B. Wardropper [1953] bastante influido por J. Huizinga [1930]
en su visión de la sociedad europea en los últimos siglos medievales, relaciona la añoranza de los grupos aristocráticos por las antiguas formas de heroísmo, caballería y amor cortesano con la aparición de la ficción sentimental en España. La *Cárcel* es para
Wardropper la fórmula literaria que integra cuatro códigos de conducta: el del amor, el de la caballería, el del honor y el de la
observancia de la virtud, en el bien entendido de que no se trata
de códigos legales sino de factores que, al reunir las cuatro formas de
conducta, «se sienten cordial, sentimentalmente» (Wardropper
1953:192).

En la tradición crítica, la *Cárcel de amor* se convirtió así en el
paradigma de las ficciones amorosas del XV que todavía tienen
sus epígonos en el XVI, impidiendo que otras obras del heterogé-
neo grupo de los tratados amorosos pudiesen ser analizadas en
sus peculiaridades, bastante sustanciales, como había apuntado
K. Whinnom [1973a:49] y ahora se viene demostrando (P. Cátedra
1989).[7] Por ello, aunque K. Whinnom [1973a] admitió que la
Cárcel fue obra «literalmente inimitable», no acogió totalmente
los presupuestos de Wardropper, como tampoco lo hizo C. Samonà [1960 y 1972], quien al observar la obra de San Pedro en
su conjunto advirtió que en ella sí se promueven o preservan ciertos códigos de conducta, pero de manera diferente a como propone Wardropper. No se trataría tanto de un ideal permanente y
actual de vida, sino más bien de una literatura de evasión en la

---

[7] Esto redujo considerablemente el estudio de las ficciones o tratados ficcionales sobre amor al tipo de obras que se ajustasen a la modalidad narrativa de
la obra de San Pedro. Así, a pesar de que, según el corpus ofrecido por
K. Whinnom [1983], puede hablarse de una veintena de obras con algunos rasgos comunes, generalmente los estudios críticos se reducen a los análisis sobre
ocho o nueve.

que se ofrece un *ars amandi* ya irrealizable aunque sostenida por sólidos razonamientos, aquellos que justifican su dependencia de la forma y el contenido del tratado.

El tema fundamental de la *Cárcel* es el amor (Whinnom 1971:7). Porque lo esencial, como señaló este crítico, no es la historia externa de los acontecimientos, sino la interna de las reacciones psicológicas de los amantes (Whinnom 1971:41). Para Flightner [1964], la intensidad de la emoción y de la morosa descripción de los sentimientos aseguraron su popularidad. Ha insistido en esta idea con una interesante exposición E.M. Gerli [1989*b*], al advertir en la *Cárcel de amor* una modalidad tanto lírica como narrativa por la imbricación de la exploración y expresión de sentimientos con los acontecimientos narrativos. Es preciso apuntar en este tema fundamental del amor que se subsumen los del honor y la justicia.

En la obra de San Pedro la teorización sobre el amor se manifiesta fundamentalmente en el lenguaje epistolar; las cuestiones prácticas se exponen por el narrador del relato, observador de excepción que da cuenta de los avatares de la historia de amor. El comportamiento del amante no se sujeta a la razón, sino que se entrega a los vaivenes a que lo somete su sentimiento. Según Wardropper, Leriano experimenta una pasión irresistible que lo conduce a la muerte. Pero no tiene otra salida si quiere comportarse como establecen los cánones. La pasión de Leriano es una forma manifiesta de amor, mientras que el sentimiento piadoso con que la princesa corresponde a Leriano no es más que un grado de afecto bastante diferente al que experimenta el caballero. No hay, pues, posibilidad para lograr comunicarse en el plano afectivo. Así lo señala también P. Dunn [1979:193] cuando comenta que la pasión es vida para Leriano y muerte para Laureola. La conciliación del código amoroso con los otros tres señalados por Wardropper no supone otra cosa que conflictos. De acuerdo con las normas caballerescas, Leriano es un súbdito de dos señores: del rey, por vínculo natural y social; de la princesa, en virtud de su servidumbre amorosa. Se produce así la supervivencia del problema triangular planteado en las primeras obras de la tradición artúrica. Por otra parte, se aprecia en la *Cárcel* la imposibilidad de conjugar amor y honor, y lo mismo sucede con la observancia de la virtud. La justicia aplicada por el rey dista de ser una acción moral irreprochable, porque ni siquiera es equitativa. Así, en esta obra, el tratamiento que se da al problema sentimental es síntoma de la desintegración de los códigos medievales de conducta (B. Wardropper 1953).

El planteamiento del tema amoroso en la *Cárcel de amor* deriva, según P. Waley [1966], del modelo de amor de la literatura provenzal, y aunque tal patrón podía resultar falso y caduco, lo cierto es que las obras sentimentales se mostraban sugestivas porque parecían expresión común de los sentimientos humanos. A pesar del prometedor título de su artículo, P. Waley se centra únicamente en la conducta aparentemente amorosa de Laureola, por lo que su estudio no alcanzó a analizar la calidad del sentimiento expresado en la obra de San Pedro. Por el contrario, fue más explícito A. van Beysterveldt [1979] al señalar en la *Cárcel* el declive de la concepción idealizante del amor, adquirida y derivada de la tradición cancioneril pero que en la obra de San Pedro muestra una especie de adulteración de lo que se entiende por amor cortés. Sobre el esquema tan divulgado de la relación amorosa transmitido por la poesía de cancionero, el asunto crucial de las obras de San Pedro se determina por la fluctuación de las heroínas —mujeres que han de dispensar el amor— entre la crueldad o la piedad hacia su pretendiente. Pero, a diferencia de P. Waley [1966], quien enfocaba el conflicto fundamentalmente sobre Laureola, A. van Beysterveldt [1979] insiste en que en las obras de San Pedro se perfilan dos formas de vida: la del hombre y la de la mujer. La *Cárcel de amor* presenta los dos polos en la comunicación amorosa, en esto quiebra la deuda con la poesía cancioneril, en donde el discurso amoroso es unilateral. El dinamismo de la dialéctica entre los personajes de San Pedro y la confrontación de actitudes permite ver, según A. van Beysterveldt, que los héroes de la ficción sentimental no tienen más que la máscara del amante cancioneril. Al manifestarse la mujer por sus discursos escritos o hablados, la crueldad que le era conferida, según la deuda provenzal afincada en el cancionero, se transmuta en un arraigado sentido del honor, lo cual hace que este Honor sustituya al Amor, tradicionalmente entendido como una divinidad cruel con el enamorado. Es además un honor de caracteres externos; se funda en la opinión ajena, por lo que va contra los más íntimos sentimientos, es decir, contra el amor. Si se acepta esta teoría de A. van Beysterveldt, hay que convenir en que en la tradición de los tratados de amor no sería la primera vez en que se sirve una polémica de tal tipo, como puede observarse en las obras de Juan de Flores. Incluso las discusiones sobre los afectos se habían planteado en tono paródico; esto canalizaría poco a poco posturas antagónicas que fructificaron en estructuras literarias (P. Cátedra 1989). La ficción sentimental sirve así como vehículo de preocupaciones más o menos serias, por lo que a los expertos conocedores del mundo amoroso reflejado en el cancionero interesaría sobremanera la agudización de un problema como el que se plantea en la *Cárcel de amor*. En consecuencia, la continuación de Nicolás Núñez es diálogo con la obra de San Pedro, pero también es síntoma de incomprensión del problema amoroso.

El enfoque más adecuado sobre la naturaleza y desarrollo del conflicto amoroso de *Cárcel de amor* ha sido proporcionado por K. Whinnom [1971], aunque su análisis se concentra en el conflicto experimentado por el personaje masculino. Whinnom ha encuadrado muy acertadamente el fenómeno del enamoramiento, el mundo de pasiones y afectos de la obra en las creencias medievales que hubieran podido configurarlo, esto es, teniendo en cuenta las consideraciones morales de los teólogos, los conocimientos de la filosofía natural, la tradición poética cortesana y la tradición popular. Tales influencias impiden muy sanamente que en la caracterización literaria del amor haya una suerte de uniformidad.

Las ficciones sentimentales, y acaso en mayor medida que otras la *Cárcel de amor*, son manifestación de la variedad de la conducta afectiva. El enamorado Leriano es arrastrado por el Deseo a abrazar una vida de servicio amoroso, capaz de conducirle al martirio y a la muerte. En buena doctrina moral, el deseo sexual es apetito natural que puede dominarse por medio de la razón; es, por lo tanto, una forma de concupiscencia. Pero ha de advertirse que las potencias anímicas del enamorado de la *Cárcel de amor*, llamadas a juicio por el Dios Amor, refuerzan el movimiento pasional primario, lo que parece indicar que la pasión amorosa de Leriano es una forma de lujuria.

Pues bien, en la *Cárcel* conviven manifestaciones de afecto de muy distinta calidad. Por ejemplo, para realizar Leriano su deseo —hemos dicho que parece un deseo lujurioso— recibe la ayuda de un caballero, viajero ocasional que le brinda sus servicios en términos de la más pura amistad, amistad de resonancias éticas porque su fundamento es la virtud. Por otra parte, Leriano, ya a punto de dejarse morir, no parece sino que se halla en un estado emocional desequilibrado, porque al entonar una larga alabanza sobre las excelencias del género de las mujeres expresa que el estado de enamoramiento proporciona al hombre las virtudes morales y las teologales, así como la pasión amorosa tiene la virtud de conducir a la contemplación de la propia Pasión de Cristo. De «religión de Amor» se han designado en la literatura amorosa estas manifestaciones de carácter aparentemente herético (E.M. Gerli 1981a) pero que no entran en conflicto, al menos hasta muy tardíamente, con las doctrinas de los eclesiásticos. A la vista de esto, conviene apresurarse a decir que Leriano, en cuanto enamorado literario, no es una figura incoherente ni mucho menos deja de ser respetable y que, por añadidura, la *Cárcel* de San Pedro gustó a muchos y mereció una continuación más o menos justificada. Contribuyó a edificarse en ella un patrón modélico, porque para la expresión del sentimiento amoroso y, sobre todo, para darle a aquella pasión el sentido que probablemente los lectores reclamaban, se recurrió a revestirla con el ropaje adecuado.

Precisamente en la *Cárcel de amor* se afianza el proceso dignificador de Leriano, al mismo tiempo que desde otras latitudes —las consideraciones morales— se entendería la clave de su pasión, a todas luces lujuriosa. Así, con sutileza tanto menos sutil por cuanto es comportamiento de tantos y tantos textos cancioneriles, cuando San Pedro hace que las potencias anímicas condenen a Leriano, procede también a exaltarlo, porque el servicio ciego, la constancia y la fidelidad son virtudes cortesanas y literarias que dignifican el estado de amante. Y así, aun cuando Leriano pueda experimentar ciertas flaquezas y dudas, tanto en el comportamiento con su amada como en su relación con su rey o los hombres que tiene a su servicio, se conduce siempre como un hombre perfecto. Nada de esto puede extrañarnos en un autor como San Pedro inequívocamente partidario de un amante tal a juzgar por las declaraciones del *Sermón*.

En este cruce de planteamientos, hemos de observar que Leriano se conduce en ocasiones con algunos ribetes de enfermo desequilibrado, tal y como señalaban los *físicos* medievales que se manifestaba el enajenamiento amoroso, considerado como una forma de locura. Por virtuoso que sea el comportamiento de su héroe, no cabe duda de que el *auctor* llega a describir muy acertadamente los temores y ansias de un individuo obsesionado. También debemos concluir que Leriano, rechazado por Laureola, se sume en una enfermedad del ánimo de la cual parece que ni siquiera su amigo y confidente puede ayudarle a salir. El mensaje amoroso no se manifiesta en la *Cárcel de amor*, pues, con una única clave, sino que aflora en la obra desde posturas en ocasiones contrapuestas. Pero esto no ha de sorprendernos si, a la vez, insertamos la obra en la tradición literaria que le corresponde. Porque algunos de los héroes troyanos medievales que, no lo olvidemos, son nuestros primeros sentimentales, también se manifestaron en el proceso amoroso con actitudes controvertidas que anticiparon la aventura literaria de héroes como Leriano. En este sentido, la *Cárcel* es un tratado de amor que ofrece cierta controversia en su esfuerzo narrativo-discursivo.

G. Ticknor [1851], P. Gayangos [1857], J. Amador de los Ríos [1865] y M. Menéndez Pelayo [1905-1915] distinguieron en la composición de la obra dos tipos de relatos procedentes de tradiciones distintas aunque evidentemente relacionadas: la narración alegórico-dantesca y la narración caballeresca. Menéndez Pelayo [1905] se inclinó a conjugar lo caballeresco y alegórico con la influencia de la *Fiammetta* de Boccaccio. Así también lo ha apuntado modernamente C. Samonà [1972], aun cuando este crítico señala para las ficciones sentimentales una tradición más variada y difusa.

Los juicios sobre la articulación del relato distaron en principio de ser benévolos. Para G. Ticknor [1851] había poco ingenio en la estructura de la fábula, una «trama tejida con poca arte», constituida por «elementos ... confusamente hacinados y yuxtapuestos», según M. Menéndez Pelayo [1905-1915:43]. Para E.B. Place [1950] la historia amorosa se desviaba a digresiones pesadas. Modernamente, todavía P. Waley [1966] observaba que el resultado de la fusión de elementos cortesanos y caballerescos perjudicaba notablemente la coherencia y consistencia de la estructura de la novela.[8] C. Samonà [1972] habla de una estructura muy desigual, a veces poco armoniosa y que se significa por una línea o vector principal, a modo de espetón en el que, con mejor o peor fortuna, se integran los episodios cual anillas o núcleos retóricos.

Sin embargo, en su estudio sobre la obra de San Pedro, R. Rohland [1970] advertía una bien equilibrada disposición de las diversas partes de la obra, opinión que más adelante no sostuvo

---

[8] Matiza esta observación P. Waley [1973:340-356] al efectuar un análisis comparativo entre *Cárcel de amor* y *Grisel y Mirabella* de Juan de Flores.

en los mismos términos, al considerar que el equilibrio del relato se resiente por el empleo de lo que llama «materiales narracionalmente poco activos», no muy hábilmente insertos en la fábula, como consecuencia de combinar intenciones didácticas con estéticas (R. Rohland 1989*b*).

D. Severin [1977] rompió una lanza por la estructura armoniosa de la *Cárcel* al señalar en ella una intencionada repetición de motivos que indica la madurez compositiva de San Pedro. Distingue en la obra tres secciones: la parte destinada a narrar el estado psíquico de Leriano y su acercamiento a la princesa; el episodio en el que se pone a prueba la honorabilidad de Leriano y Laureola, y aquel en que, tras el rechazo de la princesa, Leriano se deja morir. Hay en estas tres secciones una repetición de temas y motivos. Los personajes protagonistas de la historia amorosa padecen prisiones (alegórica, real); en las tres secciones se produce intercambio de cartas; en dos de ellas hay lamentos de las madres de uno y otro protagonista en situaciones muy parecidas —ambos están a punto de morir—, y discursos reclamando justicia; en dos secciones funcionan también dos temas contrastantes: el de la amistad, representado por la mediación del *auctor*, y el de la traición, representado por la malevolencia de un amigo íntimo del protagonista. El práctico análisis de Severin contrasta con la búsqueda de una estructura temática que E. Moreno Báez [1977] relaciona sin mucho fundamento con el arte arquitectónico del período, o con las sugestivas aunque no muy apropiadas imágenes con que C. Nepaulsingh [1986] ve la articulación de la obra, sujeta a la rueda de la Fortuna, quien desplaza e incomunica a los personajes por medio de sus vaivenes. En las tres partes en que puede dividirse la obra —estado psicológico del prisionero de amor; episodios en la corte y retirada de Leriano después de ser rechazado— se pone de manifiesto, según P. Grieve [1989], el dinamismo de lo que denomina deseo triangular en acción.

Un buen punto de mira que ha contribuido a dar cuenta de una transformación estilística en la prosa finisecular ha sido el enfoque que ciertos críticos, con K. Whinnom a la cabeza, han aplicado a la estructura de la *Cárcel*. Frente al desmañamiento y la torpeza que algunos imputaban a la disposición de la obra, K. Whinnom [1971] consideró y valoró principalmente su estructura retórica, manifestada en la organización e interrelación de las unidades mayores del discurso, lo que proporciona una narración seguida, sin digresiones impertinentes, en la que se engarzan las unidades fundamentales: alegoría, epístolas, discursos de diferente clase.

Dejando aparte el prólogo, el tratado de San Pedro se reparte en cuarenta y ocho apartados o capítulos de desigual extensión. Veinte de estos apartados se construyen como una narración de hechos a cargo de la figura del *auctor*. Éste relata también los discursos directos de los personajes, que comprenden veintiocho unidades discursivas de diferente naturaleza. Hay, por ejemplo, doce parlamentos, de los que diez se establecen como intercambio de ideas y opiniones entre dos dialogantes. Los dos restantes son discursos en los que se suplica o se aconseja, pero sin recibir una comunicación alternativa. Hay siete cartas amorosas y una de petición (la que Laureola envía al rey, su padre); dos carteles de desafío entrecruzados por los dos combatientes; un discurso de arenga a las tropas; dos plantos maternos y, finalmente, tres tipos de argumentación que comprenden las tres veces en que Leriano afea a Tefeo por decir mal de las mujeres. El discurso en boca de Leriano se organiza sucesivamente por medio de razones (caps. 43-44) y ejemplos (cap. 45), que son, por tanto, dentro del discurso oratorio, pruebas intrínsecas (las razones) y extrínsecas (los ejemplos).

Hay una inteligente dosificación de la materia contada en la disposición de estas unidades, lo que prueba la familiaridad de San Pedro con las pautas retóricas; pero no todos están de acuerdo con esto, pues para E. Tórrego [1983] la credibilidad de la ficción no se logra por el buen empleo de las *opera minora* del género oratorio, sino por la inclusión del *auctor* como personaje literario, pues su realización a través de un *yo* convincente es el expediente más idóneo para ensamblar una historia construida con bloques narrativos aparentemente desligados entre sí y solidarios de la práctica retórica. Según esto, estoy de acuerdo en que a la responsabilidad de este narrador-testigo de los hechos habría que imputar cuestiones tales como la ordenada y bien trabada exposición de los hechos; o el grado de verosimilitud de lo que se cuenta, al conferir a personas y hechos el decoro exigido, exponiendo incluso las dudas que pudieran impedir aceptar lo narrado. Esto es, dos cualidades de la *narratio* retórica: claridad y credibilidad. Sin olvidar que, en consonancia con tal equilibrio del relato, es mejor relatar lo esencial que perderse en disquisiciones y digresiones.

Así parece que San Pedro hace dosificar su relato al narrador. Una de las virtudes de la *Cárcel* fue para Whinnom [1960 y 1971], y también para C. Samonà [1960], el practicar las técnicas de la abreviación en el plano elocutivo; pero si se observa la organización general del relato podemos ver que el ritmo que el *auctor* da a la historia contada ya en Peñafiel descansa en una cuidadosa y bien pensada reducción de la materia («satius est praeterire», *Rhetorica ad Herennium*, I, IX). Así, en las unidades narrativas el *auctor* desiste de contar algunos diálogos que mantiene bien con Leriano bien con Laureola. Las razones que da para su exclusión son las de tratarse de razones similares que no es necesario repetir. Otras veces economiza sus propias palabras, al estar obligado a reducir su propio discurso: «Mi respuesta fue breve, porque el tiempo para alargarme no me dava lugar». En el capítulo 7 el *auctor* desiste de relatar en discurso directo su defensa de Leriano: «yo le dixe todo lo que me pareció que convenía para remedio de Leriano». Tampoco cede la voz a Laureola para la respuesta, limitándose a decir que «su respuesta fue de la forma que la primera, salvo que hovo en ella menos saña». No necesita repetir a Leriano lo que aquí abreviadamente ha dado a conocer, limitándose a decir que «estensamente todo lo pasado le reconté». Por medio de un relato sumario acumula el autor gran cantidad de acontecimientos relacionados con la calumnia levantada por Persio.

Encuadradas las unidades discursivas en la categoría que les corresponde, cada una se compone de acuerdo con lo preceptuado para su naturaleza y todas ellas tienen carácter argumentativo, porque tienden a defender la *quaestio* que se propone. También I. Corfis [1985] analiza la obra según una de las partes de la retórica, la *dispositio*, señalando tres tipos de discurso: epístola, oración y narración. Da una mayor importancia a las cartas y a la narración de hechos del autor. Las primeras se ajustan a los preceptos de las *ars dictaminis*; la segunda, a los preceptos de las artes retóricas en general. De este modo, la materia de las cartas, aun cuando las de Leriano tienen la finalidad práctica de conseguir un galardón, parecen proponer fundamentalmente el conocimiento del estado psíquico de los amantes, así como intercambiar ideas acerca de la valoración de los sentimientos aparentemente contrapuestos que los corresponsales experimentan.

A la zaga de la perspectiva retórica de K. Whinnom [1971], J. Chorpenning [1977] expone la teoría de que en la *Cárcel de amor* se halla el paradigma estructural de la *oratio*, concebida como la estructura global del discurso retórico. Para Chorpenning, el prólogo funciona como un *exordium* en el que, a través de los *topoi* recomendados, se expresa con claridad que se escribe por obediencia (*causa operis*), que se va a empeñar en elaborar un estilo solicitado (*modus tractandi*). La *narratio* ocuparía los apartados o capítulos 2-5, en los que el *auctor* relata los acontecimientos vividos en el comienzo de su viaje y deja establecidas las premisas para intentar solucionar el problema de su amigo y confidente. A partir de aquí, entre los capítulos 6-18 se expone la argumentación general que creará un clima de opinión: el debate entre el honor que defiende Laureola y el amor que Leriano le profesa. Las pruebas de esta argumentación (*probationes*) se suceden con el desarrollo de los acontecimientos: acusación de Persio, duelo, combates por la salvación de la princesa y rechazo final de ésta a Leriano. Si la conducta de Laureola fuese reprobable, por desagradecimiento, una penúltima sección de la *Cárcel*, la que contiene la defensa de Leriano al género femenino, es vista por Chorpenning como una *refutatio* encaminada a mantener el equilibrio dialéctico y, con ello, la argumentación general de la obra. Ésta se cerraría con la última parte de todo discurso: la *conclusio*, en la que se da cuenta de la muerte de Leriano.

Una de las cuestiones críticas más atendidas ha sido el análisis de la caracterización y función de la figura del narrador de la historia, que en la *Cárcel de amor* es además un personaje de la ficción. Diego de San Pedro pretende narrar una historia sucedida no hace mucho tiempo, de la que fue testigo de excepción y en la que tomó parte activa. Tal planteamiento autoriza a aceptar lo relatado como verídico, proponiendo así el escritor un modo de relato en primera persona por medio de una perspectiva narrativa mixta (A. Rey 1981) en la que el narrador tratará de influir en sus lectores buscando lograr el *pathos* y configurándose así como pieza central y eje de la ficción (P. Dunn 1979; E. Tórrego 1983; C. Nepaulsingh 1986), desplazando, según E.M. Gerli [1989*b*], con la efusión de su sentimiento, el interés que debía centrarse en los protagonistas de su historia.

Se han señalado diversas cuestiones relacionadas con la figura del narrador. Como narrador y personaje hay en esta figura una serie de rasgos que es conveniente señalar. Su función se desarrolla en dos niveles. Es narrador para los lectores, a los que no puede defraudar y ha de contarles las cosas como las vio y vivió. En segundo lugar, ha de ser también un sincero narrador con los propios personajes de la historia, a quienes sirve por generosidad y amistad —de esta índole es su relación con Leriano— y entre quienes ha de moverse para efectuar de intermediario entre ellos, así como para remediar algunos problemas que surgen. No es preciso, pues, identificarlo con Leriano, como sugerían M. Menéndez Pelayo y otros, porque aunque personaje estrechamente relacionado con los del resto de la historia, está caracterizado, con todo, con ciertos rasgos diferenciales, como son su calidad de extranjero, la cual le permite ciertas prerrogativas, así como su estado presente de libertad al no estar enamorado, lo que contribuye a que pueda aconsejar en la materia amorosa con mayor objetividad (P. Dunn 1979). En este sentido, la figura de este narrador es la de un pseudo autor, invención necesaria a juicio de B. Wardropper [1952]. Para C. Nepaulsingh [1986], siempre tratando de relacionar el asunto de la obra con el criptojudaísmo de su autor, el *auctor* es un apóstol como San Pablo, de quien recuerda la visión, narrada en Hechos 16, 9-10, que le ordena ir a Macedonia.

Si consideramos que San Pedro fue natural de Peñafiel y tomó parte en la campaña de Granada —a juzgar por la dedicatoria de la *Cárcel*, la referencia a Sierra Morena y la fórmula final de cortesía dirigida a Don Diego Hernandes—, podríamos aceptar la obra como un relato autobiográfico, mediante el cual el escritor, además de relatar una historia sobre la servidumbre y tortura del amor (B. Wardropper 1952), da cuenta de su propia intervención en el conflicto. Pero la *Cárcel* es una historia en primera persona que, sin embargo, adopta enseguida el estatuto de tercera persona porque el *auctor* no cuenta su propia historia amorosa sino la del personaje Leriano (A. Deyermond 1993; E. Tórrego 1983). M. Menéndez Pelayo [1905-1915] no tuvo inconveniente en sugerir que acaso los amores del protagonista de la *Cárcel* eran los propios del escritor. La obra sería, pues, la proyección de un retazo de su propia biografía. Sin embargo, si observamos que el narrador y testigo de la historia —denominado el *auctor*— favorece a Leriano, el amante de la obra, entonces hay que pensar que en la obra las dos personalidades han de tener una diferente caracterización. En ese caso, como señaló B. Wardropper [1952], podría aceptarse que el *auctor* y el personaje denominado Leriano serían la representación de dos aspectos de la personalidad de San Pedro: el racional y el sentimental, respectivamente. Todavía S. Roubaud [1988:33] observa que el *yo* narrador se identifica con el personaje masculino y, en ocasiones, parece que oscila entre los dos personajes: *el auctor* y Leriano. La proyección autobiográfica ha sido interpretada por D. Cvitanovic [1973:149-150] como la realización imaginaria de un deseo, con lo que el *auctor* sería el sueño que de sí mismo tiene San Pedro.

Conviene abandonar tales intentos de identificación para aplicar un tipo de análisis que ponga de relieve el grado de experimentación técnica que, por lo que toca a la estructura narrativa, puede encontrarse en la *Cárcel de amor* y que, para la ficción sentimental en general, y concretamente para esta obra, ha sido señalado por varios críticos (A. Deyermond 1988 y 1993). Para E. Tórrego [1983] la calidad literaria de la obra de San Pedro se debe al hecho de que el narrador está incluido en la historia como personaje. Su vivencia de lo presenciado es un factor tan decisivo que la estructura general de la obra se ajusta en torno a la figura de este narrador, quien maneja el tiempo cronológico en función de un ritmo a medida de su propia subjetividad. El procedimiento es de índole retórica, proporcionando así un «yo legítimo que comunica y aun trata de convencer», que narra al hilo del recuerdo reciente, dando mayor crédito a lo que vio el narrador testigo que a lo que puede suponer. Desde esta posición privilegiada, el narrador toma partido por uno de los personajes de la historia que cuenta (E. Tórrego 1983).

Complementario de este trabajo de E. Tórrego me parece el penetrante análisis de A. Rey [1981], que parece que E. Tórrego no manejó. Señala Rey la adopción de una perspectiva mixta en la configuración del punto de vista en la *Cárcel de amor*, enfoque más complejo que el que San Pedro mantuvo en el *Arnalte y Lucenda*, obra anterior. La perspectiva mixta en la *Cárcel* conjuga la propia de un «yo testigo» y la de un narrador omnisciente. Como testigo, el narrador ofrece su visión parcial y limitada, como corresponde a un personaje de la ficción. Pero cuando ha de narrar acontecimientos que no afectan solamente al proceso amoroso, el narrador da muestras de saber cosas de las que no justifica su conocimiento. Su enfoque visual se ha ampliado en detrimento de la veracidad de su perspectiva testimonial. Se trata, pues, de una doble funcionalidad de la misma figura responsable del relato. Interpreta A. Rey esta toma de postura de San Pedro como una evolución desde la perspectiva única de su obra anterior, *Arnalte y Lucenda*. En aquélla, el narrador ofrecía en discurso directo el relato del propio enamorado, quien con evidente desapego a la norma del secreto divulgaba pormenorizadamente su relación amorosa frustrada. No parece que estuvo en la mente de San Pedro presentar a Arnalte como prototipo del mártir de amor, sino más bien como una figura torpe y tragicómica (P. Waley 1971; K. Whinnom 1973*a*). Por el contrario, Leriano es modelo de amante, y su recato le impide ser elocuente, por lo que, mártir de amor hasta la muerte, necesita de un narrador que cuente su historia, señalando en diversos puntos de ella la ejemplaridad de su conducta en todo momento. Por ello la narración omnisciente de los hechos se articula a partir de los sucesos en torno al conflicto entre Leriano y su rey, con motivo de la denuncia de su rival, Persio. En su interesante análisis A. Rey no pretende hacer descansar una interpretación central de la obra, aunque conviene en apuntar cómo esta diferente técnica narrativa proporciona a las obras de San Pedro calidades genéricas diferentes. El *Arnalte*, personaje no idealizado que transforma todo el relato en discurso autorreferencial, parece ajustarse a la forma «novela»; mientras que en la *Cárcel* la intencionada idealización de los personajes centrales y el episodio de corte caballeresco denotan su relación con los 'libros de aventuras'.

Ahora puede comprobarse que la perspectiva mixta en la *Cárcel de amor* puede deberse a una cuestión intertextual, como es la deuda de San Pedro con un texto de la tradición artúrica, la *Mort Artu*, en donde la narración no descansa en la primera persona. Los paralelismos entre la *Mort Artu* y la *Cárcel* han sido expuestos con claridad por A. Deyermond [1986 y 1993], y comprenden desde la acusación de Persio hasta el levantamiento del sitio de la fortaleza de Susa, justamente los pasajes en los que A. Rey advirtió la narración omnisciente.[9] En la adaptación de esta materia artúrica, cuyo conocimiento por San Pedro no hay necesidad de discutir (H. Sharrer 1984; A. Deyermond 1986 y 1993), con la consiguiente diferente perspectiva de los hechos, puede resquebrajarse el punto de vista mantenido al comienzo de la narración.

---

[9] Estas deudas han sido señaladas por H. Sharrer [1984:147-157], quien anticipa, reconociéndolo por supuesto, algunas de las observaciones de A. Deyermond, entonces todavía inéditas.

El mundo alegórico de la *Cárcel de amor* se construye en los términos de una alegoría perfecta, en la que no hay mediaciones por parte del léxico empleado para entender su sentido (K. Whinnom 1971). La alegoría introducida al comienzo del relato, según las recetas retóricas disponían para esta unidad (K. Whinnom 1971), se constituye en el marco de la visión dantesca (B. Wardropper 1952) y tiene la función de ilustrar de manera gráfica dos cosas: el comienzo de una pasión amorosa (secuencia del encuentro con Deseo y el prisionero) y cómo se debe experimentar y padecer la pena de amor (la estancia de Leriano en la cárcel). Cuando, en el capítulo 18, el *auctor* vuelve a la prisión de Leriano con la respuesta de Laureola, no va solo sino que le acompaña un pequeño pero efectivo ejército: Contentamiento, Esperança, Descanso, Plazer, Alegría, Holgança, con los que piensa combatir a los carceleros de Leriano. Como ha señalado K. Whinnom [1971:52], hay una imposibilidad de distinguir el mundo «real» de la historia contada por San Pedro de la narración fantástica ofrecida por la alegoría. Es lo que dota a la *Cárcel de amor* de una original estructura de universos ficcionales que, con todo, puede llevar a confusión, pues no se marcan claramente los límites entre dos mundos, el ficcional y el propiamente alegórico, constitutivos de la historia contada por San Pedro (A. Chas 1992). Con todo, en la organización general de la obra, la alegoría deja de ser perfecta cuando el propio Leriano explica al *auctor* cuál es el sentido de sus sufrimientos. El escritor tuvo modelos poéticos bien conocidos de este encuentro inesperado en un lugar prácticamente desierto y selvático, con personajes simbólicos, para introducir al narrador testigo, desde una realidad comprobable —los valles oscuros de Sierra Morena— a un mundo alegórico en el que fundamentalmente se representa la historia de un cautivo de amor. Y no nos engañemos: los lectores de la *Cárcel de amor* tenían la competencia suficiente para barruntar ciertas claves, no sólo de la arquitectura del edificio alegórico, sino de los tormentos que pasa el prisionero (J. Chorpenning 1977-1978; B. Kurtz 1983-1984 y 1985; A. Deyermond 1988 y 1993).

En lo que concierne a algunas características de la prisión de Leriano, conviene hacer notar que su construcción literaria no debe restringirse a una influencia francesa (Ch.R. Post 1915), sino que se inserta en la rica tradición alegórica europea del amor cortesano, en la que se incluyen elementos alegóricos clásicos y cristianos

(H. Patch 1950). Se trata de una altísima torre de tres esquinas situada en un plano elevado («en lo más alto de la sierra»), sobre un cimiento de piedra muy fuerte en el que se asientan cuatro pilares. La interpretación de otras particularidades de la torre así como de las acciones que se ejecutan sobre el prisionero coinciden con claves presentes en las alegorías amorosas de la poesía cancioneril.

La introducción de la historia de Leriano por la vía primera de la alegoría pone de manifiesto el carácter metaficcional de la obra de San Pedro, que E. Gerli [1989a] extiende como procedimiento técnico a una buena parte de las ficciones sentimentales.

Ante la casi común opinión de la crítica, reacia a valorar positivamente el estilo de la *Cárcel de amor*, K. Whinnom [1971] puso de manifiesto la calidad de la estructura retórica de la obra, no sólo en lo que concierne a la *elocutio* y a la *compositio*, aspectos que ya había analizado con anterioridad (K. Whinnom 1960), sino a la construcción de otras unidades pertenecientes al plano de la *dispositio* retórica. Se trata de piezas u obras con las que puede viviseccionarse una obra mayor. Estos retazos u obras menores equivalen a las partes argumentativas y discursivas que constan en un discurso oratorio. A pesar de su diferente hechura, todas ellas contribuyen a que la historia se cuente con coherencia y sin digresiones inútiles. El problema planteado por San Pedro ha de verse como una *quaestio finita* o *causa*, cuya exposición recibirá el tratamiento adecuado con el fin de persuadir a un auditorio de su credibilidad. Se ha indicado más arriba la estructura que J. Chorpenning [1977] ha visto en la *Cárcel*: una gran *oratio* en la que las diferentes secciones se ajustan a las partes exigidas en el discurso oratorio.[10] Al aceptar que todo análisis retórico de la *Cárcel de amor* ha de descansar en la interrelación y textura de las unidades menores de un discurso oratorio, podremos analizar la expresión de la ficción amorosa de San Pedro bajo las reglas aplicadas en el discurso oratorio.

Para K. Whinnom [1960], el estilo de la *Cárcel de amor* es una muestra del impacto del humanismo en uno de los escritores de[l] período de los Reyes Católicos. Esta supuesta apertura hacia nue[vos modelos literarios sólo puede ser valorada si se realiza, com[o]

---

[10] A pesar de que los ejemplos que conciernen al estilo están inteligentemen[te] presentados, es poco feliz el análisis de la estructura retórica de la *Cárcel* q[ue] mantuvo E. Moreno Báez [1977], por lo que prescindo de él.

hizo Whinnom, sobre el análisis de otras obras del escritor. Precisamente una comparación del estilo empleado en el *Tractado de amores de Arnalte y Lucenda* y el de la *Cárcel de amor* habla cumplidamente de una progresión de la prosa en la que se advierte una decisión bien pensada del autor, lo que K. Whinnon señala como evolución y reforma estilística. Autoriza a hablar de una evolución o reforma consciente el propio prólogo de la *Cárcel*, en donde el escritor afirma escribir en estilo diferente al de otra obra, que parece que no fue muy bien juzgada por sus principales y exigentes lectores.

Aun advirtiendo en la época señalada —última veintena del siglo— la presencia de factores contrapuestos en una reforma del estilo de un escritor, K. Whinnom situaba la creación de la *Cárcel* no sólo en el clima cortesano y refinado de un círculo isabelino femenino, sino en el ámbito de la reforma nebrisense, cuando las *Introductiones latinae* (1481), en su intención de recuperar una *aurea aetas*, «trajeron la modernidad a la lengua y la traza de la literatura» (F. Rico 1983).

Si San Pedro escribió la *Cárcel* incitado artísticamente por el clima promovido por Nebrija, que enuncia una doctrina del estilo, es comprensible la selección de recursos gramaticales y estilísticos a los que somete su lengua literaria, a diferencia de la acumulación que presenta el *Arnalte*. La selección, orientada por una aplicación de la *brevitas* al discurso retórico, es posible que denote el uso instrumental de alguno de los manuales de retórica clásica más frecuentados, la *Rhetorica ad Herennium*, pero entendiendo bien que su aplicación en la prosa de la *Cárcel* no es tanto una manifestación de un lenguaje real, de un habla al uso, sino la intención de lograr el efecto artístico por la aplicación del sistema que se considere mejor. Aquel sistema que, al poner al amparo de un latín y de una retórica clásicos las peculiaridades de la lengua utilizada, proyecta el arte de los modelos más autorizados. Las *Introductiones* de Nebrija, acompañadas en su primera edición de una práctica relación de barbarismos y solecismos, no podían únicamente, ni siquiera en su adaptación bilingüe (1492), ser la única pauta, el único modelo de buen gusto para el escritor, aunque, como ha señalado F. Rico [1983:14], los criterios esenciales de las *Introductiones* de Nebrija siguen vigentes en las grandes creaciones en lengua castellana. Pero la *Rhetorica ad Herennium* brindaba en su libro IV una muy cumplida relación de las normas elocutivas.

K. Whinnon ha enunciado los cuatro rasgos que denotan en San Pedro un cambio de estilo en la *Cárcel*, cambio que afecta tanto a la *compositio* del discurso como a la *elocutio*: el abandono de latinismos sintácticos, representados principalmente por la colocación en la frase del verbo pospuesto y el uso de subjuntivo en las oraciones subordinadas; la escasez de ciertas *figurae elocutionis* en la categoría de la *adiectio* (correspondientes a las figuras de *ornatus facilis*, según los retóricos medievales); la renuncia a los efectos de la prosa rimada y el empleo de técnicas propias del orden de la *brevitas* del discurso en los segmentos narrativos.

Enjuiciaba Whinnom la brevedad asumida por San Pedro en dos modalidades de su técnica narrativa: la explícita indicación de que se trataba de abandonar un asunto o la aplicación de una técnica especial para lograrlo sin apenas indicarlo aunque, por supuesto, manejando los recursos preceptuados desde la Antigüedad para la *abreviatio*. Tratar de discenir en un autor como San Pedro los mecanismos utilizados en los dos criterios de orden de un discurso literario —la *amplificatio* y la *brevitas*— es internarse por un territorio en el que no es fácil deslindar qué modelo o pauta sigue el escritor. Si, como sería de esperar, en el caso de la *amplificatio*, San Pedro se ajustase al ideal clásico —realzar una idea— frente al medieval —desarrollar o alargar un asunto— (E. Faral 1924:61), el problema subsistente es que, aun animado por la modalidad clásica, el escritor se ve forzado a utilizar una serie de figuras retóricas tradicionalmente recetadas no sólo para realzar sino para desarrollar, por lo que sólo apreciaremos su intención, realzar o alargar, en la calidad del empleo de las figuras o en su función más directa.

Naturalmente que no siempre la dosificación de acontecimientos narrativos se produce por factores de índole retórica. Una de las fórmulas más conocidas de economía narrativa se da en el pasaje del duelo entre Leriano y Persio, cuando el *auctor*, abandonando el relato, se refiere a los pormenores como 'cuento de historias viejas'; pero sorprende que, por el contrario, se narren más detalladamente la liberación de Laureola y, sobre todo, el asedio y defensa de Susa. Es posible que puedan pesar dos cosas: que en la *Mort Artu* no hay duelo, y que, como ha señalado E. Buceta [1933] y ratificado A. Iglesia Ferreiros [1969], San Pedro no quiere explayarse en los pormenores de una práctica caballeresca que los Reyes Católicos no ven con buenos ojos desde 1480.

Pero, puesto que lo más destacable señalado por K. Whinnom [1960] en la *Cárcel* ha sido la economía del discurso frente a la abundancia del *Arnalte*, conviene detenerse a ver la técnica de abreviación de la *Cárcel*. Puede parecer una perogrullada decir que la importante figura del *auctor* en su relato autobiográfico es responsable de un relato sumario o generoso de los hechos, pero, dada su autoridad, así se pone de manifiesto, porque esta voz narrativa tiende a prestar el discurso directo a sus personajes, no sin señalar en ocasiones su calidad de fiel registrador de los hechos que conoció, reduciéndolos además a la escritura, como puede observarse después de introducir su propio parlamento: «E como acabé de responder a Leriano en la manera que es escrita» (cap. 4).

La utilización del tópico del sobrepujamiento o de la imposibilidad del decir sirve para abreviar una parte de la narración, al tiempo que se brinda al lector el conocimiento directo del sentir de un personaje. Así, cuando el buen amigo y mensajero induce a Leriano a enviar la primera carta, encarece el estado del enamorado para concluir el relato y ofrecer el contenido de la epístola: «y puesto que él estava más para hazer memorial de su hazienda que carta de su pasión, escrivió» (cap. 7). En otras ocasiones, el sobrepujamiento puede comunicar las propias emociones del narrador-testigo: «y porque con el plazer de lo que le oía estava desatinado en lo que hablava, no escribo la dulceza y onestad que ovo en su razonamiento» (cap. 16). Son todas ellas fórmulas que se sitúan al final de cada unidad narrativa: «No quiero dezir lo que Laureola en todo esto sentía porque la pasión no turbe el sentido para acabar lo començado» (cap. 21).

En ocasiones, la fórmula abreviativa se incluye para cortar sentencias de tipo explicativo que se entienden como intromisión autorial: «porque los firmes enamorados lo más dudoso y contrario creen más aína, y lo que más desean tienen por menos cierto. Concluyendo, él escrivió» (cap. 25). En la *Rhetorica ad Herennium*, IV, XVII, se recomienda la economía de la sentencia *sine ratione* o *cum ratione* con el fin de que «non vivendi praeceptores videamur esse».

También al resumir ciertos datos se intensifican por contraste recursos amplificativos que pueden dar buena cuenta del estado de ánimo de quien habla. Resume así el *auctor* la noche que pasa desorientado y a la espera: «Allí comencé a maldezir mi ventura; allí desesperava de toda esperança; allí esperava mi perdimiento;

allí en medio de mi tribulación nunca me pesó de lo hecho, porque es mejor perder haziendo virtud que ganar dexándola de hazer; y assí estuve toda la noche en tristes y trabajosas contenplaciones». La epanáfora intensifica el sentimiento; va acompañada de la sentencia y la referencia totalizadora se expresa por una pareja de sinónimos.

La gravedad de la empresa que se propone desazona al narrador y agente de los hechos y lo sumerge en un mar de dudas que despacha en el relato por medio de la inserción, concisa por asindética, de cuatro miembros del período: «pensava quan alongado estava de España; acordávaseme de la tardança que hazía; traía a la memoria el dolor de Leriano; desconfiava de su salud, y visto que no podía cumplir lo que me dispuse a hazer sin mi peligro o su libertad, determiné de seguir mi propósito hasta acabar la vida o levar a Leriano la esperança» (cap. 7).

Otras veces procede a acelerar el ritmo narrativo por exclusión de datos que, por otros medios, han quedado ya confirmados. Así, después de liberar a Leriano de su prisión metafórica —no se olvide que la liberación más efectiva la proporciona la carta de Laureola—, no se hace necesario relatar ninguna conversación entre Leriano y el *auctor* («Pues después que entre él y mí grandes cosas pasaron acordó de irse a la corte»), uniendo con esta transición las dos partes del relato.

Una de las más elegantes maneras de economizar se da en el capítulo 9, cuando la posible incongruencia sintáctica «usando de la discreción y no de la pena», bajo la figura del zeugma, se justifica además con la enunciación de las razones propias de la brevedad exigida en el estilo epistolar. Inútiles serán los conceptos vertidos en el mensaje, por profundos que sean, si no coinciden en el mismo sentir los dos corresponsales: «quando las cartas deven alargarse es quando se cree que hay tal voluntad para leellas quien las rescibe como para escrivillas quien las enbía; y porque él estava libre de tal presunción, no se estendió más en su carta».

En general, se advierte en el estilo de la *Cárcel* una tendencia a economizar una serie de recursos autorizados por las retóricas pero, en ocasiones, también limitados por ellas. El anónimo autor de la *Rhetorica ad Herennium* aconsejaba a su discípulo ser muy parco en el empleo del *similiter cadens, similiter desinens* y *adnominatio*, sobre todo, «cum in veritate dicimus» (IV, XXII). Y como en el prólogo de la *Cárcel* parece San Pedro exhibir tal voluntad

de cambio, podemos pensar que cuando en la *Cárcel* se desliza no obstante la utilización de ciertos recursos como los que acabo de citar, su empleo dista de ser el muy abusivo antes empleado en el *Arnalte* (K. Whinnom 1960). Ahora bien, cuando los emplea en la *Cárcel de amor*, sigue la regla común. Es decir que tanto *similiter cadens* como *similiter desinens* funcionan para resaltar paralelismos, antítesis o series enumerativas. Estos recursos van a verse empleados en los parlamentos y cartas, en donde es frecuente en su arranque la *oratio perpetua* o bien construcciones periódicas bimembres, trimembres o cuatrimembres en las que tanto *similiter cadens* como *similiter desinens* concluyen con equivalencias acústicas la idea enunciada:

> Quien yo soy quiero dezirte; de los misterios que vees quiero informarte; la causa de mi prisión quiero que sepas; que me delibres quiero pedirte si por bien lo tovieres (cap. 2).

> No les está menos bien el perdón a los poderosos quando son deservidos que a los pequeños la vengança quando son injuriados; porque los unos se emiendan por onrra y los otros perdonan por virtud; lo qual si a los grandes onbres es devido, más y muy más a las generosas mugeres que tienen el coraçón real de su nacimiento y la piedad natural de su condición (cap. 5).

> Si toviera tal razón para escrevirte como para quererte, sin miedo lo osara hazer; mas en saber que escrivo para ti se turba el seso y se pierde el sentido, y desta causa antes que lo començase tove conmigo grand confusión; mi dezía que osase; tu grandeza que temiese (cap. 8).

> La dispusición en que estó ya la vees; la privación de mi sentido ya la conoces; la turbación de mi lengua ya la notas (cap. 14).

> No sé, Leriano, que te responda, sino que en las otras gentes se alaba la piedad por virtud y en mí se castiga por vicio; yo hize lo que devía segund piadosa, y tengo lo que merezco segund desdichada (cap. 28).

Pero no siempre se sigue esta norma para abrir el parlamento, como lo prueban otros ejemplos en los que la disposición sintáctica es menos equilibrada:

> Pues el galardón de mis afanes avié de ser mi sepultura, ya soy a tiempo de recebirlo; morir no creas que me desplaze, que aquél

es de poco juizio que aborrece lo que da libertad. Mas ¿qué haré, que acabará conmigo el esperança de verte? Grave cosa para sentir (cap. 15).

Laureola: segund tu virtuosa piedad, pues sabes mi passión, no puedo creer que sin alguna causa la consientas, pues no te pido cosa a tu onrra fea ni a ti grave; si quieres mi mal ¿por qué lo dudas? (cap. 39).

Los efectos acústicos no son privativos del comienzo de cartas y discursos, sino que la simetría con efectos antitéticos o para producir la *congeries* se halla en varios lugares de estas secciones en construcciones bimembres, que son para I. Corfis [1987:7] la base del estilo de San Pedro:

quando le tenía tal conoscíalas, y agora que estava libre, dubdávalas (cap. 3).

en sus palabras havía menos esquividad para que deviese callar, en sus muestras hallava licencia para que osase dezir (cap. 7).

El *similiter cadens* refuerza el paralelismo antitético en la parte final de este período:

y por esto no nos culpes si en la fuerça de tu ira te venimos a enojar, que más queremos que airado nos reprehendas porque te dimos enojo, que no arrepentido nos condenes porque no te dimos consejo (cap. 30).

En otras ocasiones, los recursos propios de la prosa se manifiestan en la acumulación de la *congeries*:

dolor le atormenta, pasión le persigue, desesperança le destruye, muerte le amenaza, pena le secuta, pensamiento lo desvela, deseo le atribula, tristeza le condena, fe no le salva (cap. 5).

Alegría le alegrava el coraçón, Descanso le consolava el alma, Esperança le bolvía el sentido, Contentamiento le aclarava la vista, Holgança le restituía la fuerça, Plazer le abivava el entendimiento (cap. 18).

todos te suplican que me hayas merced: el alma por lo que sufre, la vida por lo que padece, el coraçón por lo que pasa, el sentido por lo que siente (cap. 39).

En el estilo empleado en la *Cárcel* hay un intento por encauzar la expresión literaria a una mayor concisión y brevedad. Si estamos dispuestos a aceptar las disculpas del prólogo como algo más que mero formulismo, podemos afirmar que en dicho texto, probablemente muy posterior a la composición de la obra, San Pedro se muestra partidario de corregir su estilo, aunque confiese que, en cuanto al contenido, la obra que ahora ofrece no presenta innovaciones respecto a su anterior producción: «Podré ser reprehendido si en lo que agora escrivo tornare a dezir algunas razones de las que en otras cosas he dicho». Por tanto, si, como ha señalado K. Whinnom [1960], existe una renovación estilística en la *Cárcel*, conviene escuchar al prologuista hasta el final. Con buena traza retórica va concluyendo: «yo estava determinado de cesar ya en el metro y en la prosa ... y paresce, quanto más pienso hazerlo, que se me ofrecen más cosas para no poder conplirlo». No creo que se trate de unos imperativos hipotéticos; si el prólogo se escribe cuando la obra se da a la imprenta en 1492, el clima que ya puede percibir San Pedro es el de la creencia en el apogeo de la lengua castellana, amparada por la tutela de un Nebrija. La experimentación de San Pedro, doblemente obligado «por necesidad de obedescer» y por las circunstancias que lo rodean («se me ofrecen más cosas para poder conplirlo»), anticipan cosas tales como aquel entusiasmo declarado cuatro años más tarde por el joven Enzina, discípulo de Nebrija, cuando al dedicar su *Arte de poesía* al príncipe Juan, proclamaba que la lengua estaba «agora más empinada y polida que jamás estuvo». En esta línea, creo, debe verse la experimentación de San Pedro. Para K. Whinnom [1971:66], el resultado proporcionó «la exposición dinámica y exquisitamente ornada de un artista disciplinado». Este juicio bien puede aceptarse si se reconoce la buena integración de los imprescindibles recursos de la *elocutio* en las diferentes unidades del discurso, operación que el retórico San Pedro graduó con el fin de lograr la *utilitas*.

4. HISTORIA DEL TEXTO

Hasta el presente no se conocen fuentes manuscritas de la *Cárcel de amor*. Su primera edición conocida se debe a la iniciativa de la sociedad formada por los tipógrafos alemanes Pablo de Colonia y —en su ausencia— Juan Pegnitzer de Nuremberg, Magnus

Herbst, Thomas Glockner y Jacobo Cromberger, quienes pusieron en marcha en el decenio de los años noventa y en la ciudad de Sevilla una imprenta. De Sevilla, 1492 es, pues, la primera edición conocida de la obra de Diego de San Pedro, y no se conserva más que un único ejemplar, el de la Biblioteca Nacional de Madrid, signatura I-2134.

Al año siguiente, 1493, una traducción de Bernardi Vallmanya «en estil de valenciana prosa», ejemplo característico de la situación lingüística de la Valencia del último cuarto del siglo XV, sale de las prensas barcelonesas de Johan Rosenbach (V. Minervini y M.L. Indini 1986:23). Esta edición va acompañada de diecisiete grabados en madera que representan diversas escenas del relato (M.R. Fraxanet Sala 1984). Se sabe de la existencia de dos ejemplares de esta traducción pero no se conocen más ediciones que las modernas realizadas en el siglo XX (B. Jorgensen 1985; V. Minervini y M.L. Indini 1986).

Salvo esta traducción catalana, la *Cárcel de amor* se difundió en lengua castellana. Recientemente, en el Archivo Histórico de Protocolos de Zaragoza, M.A. Pallarés [1994] ha descubierto un ejemplar incunable, bastante mutilado, de la *Cárcel de amor*, impreso el 3 de junio de 1493, probablemente en las prensas de Pablo Hurus. Este ejemplar contiene diecisiete grabados similares a los de la edición catalana que imprimió Rosenbach en septiembre de 1493. De este modo, y mientras no se estudien en profundidad las relaciones entre los dos talleres tipográficos, a la vista de las fechas de impresión, podemos conceder, como Pallarés propone, que Zaragoza se lleva la primicia xilográfica en la difusión de la *Cárcel de amor*.

En 1496 se imprime en Burgos en la imprenta de Fadrique Alemán de Basilea una edición que tiene la particularidad de ir acompañada de una continuación. Se trata del *Tratado que hizo Niculás Núñez sobre el que Sant Pedro compuso de Leriano y Laureola llamado Cárcel de amor*. Nicolás Núñez, poeta con obra recogida en el *Cancionero general*, se manifiesta como un lector atento aunque desazonado de San Pedro, pues le parece que el autor de la *Cárcel* no concluye satisfactoriamente su historia: «me parecía que lo dexaba en aquello corto» (p. 83). Por ello, aunque considera una osadía «acrescentar lo que de suyo está crescido», retoma el relato de San Pedro en su parte final y, antes de hacer volver al fiel amigo de Leriano a Peñafiel, lo encamina a la corte con el fin de comprobar cuál sería la reacción de Laureola ante la muerte de Leriano. Las secuencias que siguen a este retorno sobre la obra de San Pedro constituyen otro pequeño relato de los encontrados sentimientos de Leriano y Laureola. A partir de esta edición puede decirse que a lo largo del XVI, en las ediciones en lengua castellana, las dos obras, la de San Pedro y la de Núñez, caminaron prácticamente juntas en virtud del designio editorial de la mayoría de los impresores (K. Whinnom 1973*b*; M.L. Indini 1988; C. Parrilla 1992).

Que la obra de Diego de San Pedro debió de tener un gran éxito, al que acaso contribuyó la adición de Núñez, lo prueba la existencia de cerca de treinta ediciones —acaso algunas de ellas sólo emisiones— salidas no sólo de imprentas españolas (Toledo, Logroño, Sevilla, Zaragoza, Burgos, Medina del Campo), sino también de importantes imprentas europeas (Amberes, Venecia, París). En su edición crítica, I. Corfis [1987:21-39] ofrece relación y descripción. Debe añadirse un ejemplar no localizado pero impreso en Sevilla, en 1527, en la imprenta de Jacobo Cromberger, según un asiento del inventario del propio impresor (C. Griffin 1988:189-224). Todas ellas van acompañadas de la continuación de Núñez y algunas aparecen impresas con otras obras con las que guardan una cierta relación temática. Así, la edición de Burgos, 1522, salida de las prensas de Alonso de Melgar, contiene la *Penitencia de amor* de Pedro Manuel Ximénez de Urrea, el *Arnalte y Lucenda* y el *Sermón* de San Pedro, un pequeño manualito para aprender a escribir cartas de amores, algunos romances y un *Triumpho* o descripción de ciertos linajes de Salamanca. Una edición de Medina del Campo de 1544 reúne la *Cárcel*, la continuación de Núñez y el *Sermón de amores* de fray Nidel; tres años más tarde, la misma imprenta ofrece únicamente obras de San Pedro: el *Sermón* y algunas de sus poesías acompañan a la *Cárcel*.

Las últimas ediciones antiguas de la *Cárcel de amor* son de la segunda mitad del XVI y en ellas la *Cárcel* no ocupa un lugar principal, sino que acompaña a la anónima *Qüestión de Amor*, cuya primera edición conocida es de 1513 (Valencia, Diego de Gumiel) pero que vuelve a editarse al amparo de la moda del cuestionamiento amoroso a mediados del siglo. Ambas obras debían de estar ya estrechamente relacionadas cuando Juan de Valdés las compara en su *Diálogo de la lengua*, pero son las imprentas de fuera de la Península (Amberes, 1546, 1556, 1576, 1598, y París, 1548) las que en la segunda mitad del siglo XVI las publican. La difusión impresa de la *Cárcel* en lengua castellana finaliza precisamente cuando la *Qüestión de Amor* va a la cabeza de las ediciones, ocupando un segundo y tercer lugar la obra de San Pedro y la continuación de Núñez. Ya en el presente siglo, se llevó a cabo una edición facsímil de la *Cárcel de amor* (A. Pérez Gómez 1967). R. Foulché-Delbosc [1904] transcribió la primera edición conocida (Sevilla 1492), y así lo han venido haciendo el resto de los editores modernos (M. Menéndez Pelayo 1907; J. Rubiò Balaguer 1941; S. Gili Gaya 1950, 1958, 1967; A. Souto Alabarce 1971; K. Whinnom 1971, 1979; E. Moreno Báez 1977 y 1984).

Según el estudio textual de la edición crítica de I. Corfis [1987], que comprende veintitrés testimonios en lengua castellana y once ediciones bilingües español-francés, el *stemma* genealógico de la *Cárcel de amor* se constituye por medio de tres familias de textos. Tanto Sevilla, 1492, como Burgos, 1496, y la traducción catalana de Bernardi Vallmanya derivan de un mismo subarquetipo. De otra rama del *stemma* parten las ediciones de Toledo, 1500, Logroño, 1508, y Zaragoza, 1551. Derivan de la de Logroño una sucesión de ediciones de la *Cárcel* salidas de las prensas de Amberes y de París. Los testimonios de una tercera rama de la transmisión textual presentan en su mayoría variantes de escasa importancia. Son testimonios de impresos salidos de las prensas de Sevilla, Burgos, Zaragoza, Toledo y Medina del Campo. En esta misma rama se inserta la edición de Venecia, 1553, imprenta de Gabriel Giolito de Ferrariis, edición corregida y enmendada por Alonso de Ulloa (A. Rumeu de Armas 1973). De esta tercera rama de la transmisión, se derivan un conjunto de ediciones bilingües español-francés que demuestran que la *Cárcel*, como otras obras de ficción sentimental, fue pasatiempo para los lectores pero también instrumento literario para aprender lenguas.

No parece posible, según Corfis, que la primera edición conocida de la *Cárcel de amor* haya sido revisada por el autor al prepararse para la imprenta. Sin embargo, ésta ha sido siempre la edición que se ha transcrito y seguido bastante fielmente en las ediciones modernas de la *Cárcel*. No hay tampoco indicios de que las variantes de estilo y contenido de las sucesivas ediciones sean responsabilidad del escritor y no de los editores. Frente a las primeras ediciones del XV, las ediciones del siglo XVI se destacan por abandonar los latinismos sintácticos presentes en las primeras y por ofrecer una mayor precisión por medio de adjetivos descriptivos y posesivos. Además Corfis ha destacado algunas variantes de interés en ciertas ediciones del XVI, por ejemplo en las de Medina del Campo, 1544 y 1547, así como en la de Venecia, 1553, donde se suprimen algunas referencias a Dios o voces relacionadas con el léxico religioso. Atribuye Corfis estas variantes al clima de temor ante la inminente censura inquisitorial que se manifestaría para toda clase de libros por medio del *Índice* de 1547. Los editores, según Corfis, temerían que ciertas expresiones en un texto de carácter amoroso pudieran aparecer como blasfemas. Pese a ello, la *Cárcel de amor* no sería incluida en el *Índice* hasta 1632 (A. Vílchez 1986).

Para M. Menéndez Pelayo [1905-1915:44], la *Cárcel de amor* fue «breviario de amor de los cortesanos de su tiempo». Aunque la opinión pueda ser algo exagerada, lo cierto es que la obra de San Pedro, a causa de su fortuna editorial, de su difusión tan intensa y extensa, fue objeto de todo género de juicios y observaciones sobre su calidad literaria, su finalidad moral y el grado de popularidad adquirido. Algunos de los sesudos censores del siglo XVI admitían que la obra era un tipo de lectura especialmente destinada a mujeres. Y acaso para paliar una posible corrupción de las lectoras, y cuando llevaba algo más de veinte años de difusión, Vives, al componer su *Institutio foeminae christianae*, la introduce en el mismo saco de los libros de caballerías y ciertas historias de amor inmorales y mentirosas, a juicio del valenciano. Como éstas, la *Cárcel* sería para Vives un libro «pestífero», a todas luces no recomendable para las féminas (M. Bataillon 1966).

En ocasiones, sin embargo, los juicios que parecían transparentar una decidida vigilancia sobre la licitud de las lecturas podían resultar endebles, como sucede con Antonio de Guevara cuando, en el primer prólogo de su *Relox de príncipes* (1529), afirma que muchos libros de amores merecerían ser rotos o quemados. Se cuenta entre ellos *Lucenda*, es decir, el *Tractado de amores de Arnalte y Lucenda* de San Pedro, porque en tal obra «no deprenden cómo se han de apartar de los vicios, sino qué primores ternán para ser más viciosos». Es toda una retractación por parte de Guevara, pues pocos años antes el obispo de Mondoñedo había incluido en su *Libro áureo* retazos enteros de las cartas intercambiadas en la obra de San Pedro y de otros pasajes sacados de la edición de *Arnalte* de Burgos, 1522, que también contenía la *Cárcel*. De modo que muy probablemente la censura antedicha de Guevara (que, por cierto, se repite en las *Epístolas familiares*) no ha de tomarse quizás más que como palinodia, si bien es un reflejo de la popularidad de las obras de San Pedro, al menos en el primer tercio del siglo (A. Redondo 1976). Porque el despreciativo juicio de Jerónimo Arbolanche en la «Epístola a don Melchor Cano, su maestro en artes», impresa en *Los nueve libros de las Hávidas*, Zaragoza, 1566, no merma la popularidad de la obra en el último tramo del siglo XVI, aunque demuestra que su materia podía resultar ya pesada para apetencias lectoras más selectivas.

Lo cierto es que Europa prestó atención a la obrita de San Pedro. Es probable que el culto Baltasar Castiglione, destacado en la corte de Carlos V en los primeros años de reinado de este monarca, hubiese leído la *Cárcel de amor*, dedicando especial atención a la defensa y alabanza que Leriano hace de las mujeres en su lecho de muerte (A. Giannini 1919). Castiglione pudo conocer la obra en alguna versión castellana, pero también en lengua italiana, pues en 1514 sale en Venecia una *Carcer d'amore* traducida por el ferrarés Lelio Manfredi y dedicada a Isabella d'Este, marquesa de Mantua (V. Minervini y M.L. Indini 1986). El interés por ciertas narraciones españolas de los últimos años del siglo XV fue estimulado en Italia por la pareja formada por Alfonso d'Este y Lucrecia Borgia; por ello Isabella emulaba a su cuñada, introduciendo tanto en Mantua como en Ferrara parecidas modas literarias. En lo que respecta a la obra de San Pedro, la influencia de estas cortes refinadas se extendió a Francia, pues entre 1525-1528 se imprimieron en París y en Lyon las versiones de una *Prison d'amour* que no procedían directamente de ediciones castellanas sino de la versión italiana de Manfredi, quien, por cierto, ya disfrutaba entonces del patronazgo de Francisco I (M.D. Orth 1983). Prueba de la popularidad de la obra en Francia es una pieza conservada en el Museo de Cluny de París. Se trata de un tapiz que representa el recibimiento de Laureola por sus padres y toda la corte, después de la batalla que Leriano entabla por su libertad. El tapiz en cuestión formaba parte de una serie de nueve, que representaba las escenas más importantes de la obra de San Pedro y que fue regalo de bodas de Francisco I a su cuñada Renée cuando ésta se casó con Ercole d'Este, hijo de Isabella (B. Kurth 1942; M.D. Orth 1983).

La *Cárcel de amor* ejerció probablemente una pronta influencia sobre ciertos escritores contemporáneos de San Pedro. M. Menéndez Pelayo [1905-1915], con algunas inexactitudes, advertía de posibles deudas de la *Tragicomedia* con la obra de San Pedro en lo que respecta al parlamento de Pleberio y al final trágico. Más recientemente, han fundamentado adecuadamente estos posibles préstamos o deudas, L.M. Vicente [1988], J. Battesti Pelegrin [1988] y D.S. Severin [1989]. El amplio estudio de M.R. Lida de Malkiel [1962] sobre la *Celestina* prueba cumplidamente el ascendiente de algunas ficciones sentimentales sobre la obra de Rojas, pero singularmente el de la *Cárcel*. Recientemente, D.S. Severin [1984] y M.E. Lacarra [1989*b*] han señalado el influjo de la *Cárcel de amor* sobre la *Celestina* en una clave paródica muy productiva desde el punto de vista literario.

Por último, un testimonio de la popularidad de la *Cárcel de amor* se recoge en la divertida *Floresta española* del toledano Melchor de Santa Cruz (1574), cuando en su Sexta Parte, al incluir dichos agudos en el apartado dedicado a los sobrescritos, relata:

> Un gentilhombre escrivió a una señora, muy avisada, una carta, sacada de un libro que se llama *Cárcel de amor*, pareciéndole que no sabría de dónde se havía sacado. Como ella la leyó en presencia de quien la havía traído, tornósela a dar, diziendo: «Esta carta no viene a mí sino a Laureola».

5. LA PRESENTE EDICIÓN

Edito el texto de la *Cárcel de amor* según la primera impresión conocida (Sevilla, 1492), que se conserva en la Biblioteca Nacional de Madrid bajo la signatura I-2134. Esta edición de Sevilla no parece haber sido revisada por el autor antes de ir a la imprenta y, puesto que la obra se transmitió a partir de tres subarquetipos distintos, me parece conveniente tener en cuenta los representantes más antiguos de las tres familias. Por otra parte, no puede comprobarse que los cambios sustitutivos o forzosos que se han ido sucediendo y alternando en la transmisión de la obra hayan sido modificaciones conscientes del autor.

De este modo, y siguiendo la notación de I. Corfis en su edición crítica, edito el texto según Sevilla, 1492 (*A*), acudiendo, cuando es necesario, a las lecciones de las dos familias: Toledo, 1500 (*C*) y Sevilla, 1509 (*E*). Tengo en cuenta también las variantes de Burgos, 1496 (*B*), de la misma familia que *A*, pero coincidente en ocasiones con los otros testimonios. La relación de estas variantes respecto a *A*, así como la explicación de las lecciones más significativas o la decisión en el caso de que se deseche *A*, se encuentra en el Aparato crítico El cotejo del impreso recién descubierto en Zaragoza (*Z*) con los testimonios utilizados en esta edición demuestra que *Z* pertenece a la misma familia que *A* y *B*. Aunque *Z* esté muy fragmentado, puede advertirse su influencia en *B*. No incorporo al Aparato crítico todas las lecciones de *Z* coincidentes con los testimonios de su familia; solamente incluyo algunos que me parecen más relevantes.

He respetado en la medida de lo posible la mayoría de las particularidades gráficas de Sevilla 1492. Por ello, transcribo alternancias del tipo 'aver/haver'; 'bevir/vivir'; 'auctor/autor'; 'arepentirme/arrepentirme'. Sin embargo, sustituyo la *u* con valor consonántico por *v* y la *v* con valor vocálico por *u*. Modernizo la *i* corta del impreso por medio de la grafía *j* y represento con *i* la yod semivocal. Transcribo con mayúscula los nombres propios de divinidades, personas o lugares así como los nombres abstractos que se aplican a personificaciones. Desarrollo las abreviaturas. Siguiendo el criterio moderno, separo palabras que están unidas y observo las normas actuales de acentuación y puntuación.

De acuerdo con las líneas orientativas de la colección, he tratado de proporcionar en las notas al pie de página la explicación necesaria pero concisa de la palabra o del pasaje en cuestión. En las notas complementarias mi participación consistió en exponer, con la debida documentación, las aportaciones de la crítica sobre las cuestiones suscitadas en las notas al pie, incluyendo en ocasiones mi propia contribución al asunto tratado.

Esta edición de *Cárcel de Amor* va seguida de la continuación de Nicolás Núñez, según la edición que Keith Whinnom dio a conocer en Exeter, 1979, sirviéndose del único ejemplar de la primera impresión conocida de la obra de Núñez, que es la de Burgos, 1496, prensas de Fadrique Alemán de Basilea, y que se conserva en la British Library bajo la signatura IA.53247. He respetado al máximo el texto establecido por Whinnom con las siguientes salvedades: transcribo la yod semivocal como *i*; separo las contracciones 'de'l'; 'pu'el'; 'porpu'el'; transcribo como *y* el signo tironiano; modifico, cuando es necesario, la puntuación. En la anotación del texto se mantiene la propia de Keith Whinnom, pero adaptándola al criterio de la Biblioteca Clásica en la disposición de notas al pie y notas complementarias. En algunas ocasiones para transmitir mejor el sentido de determinados pasajes, algunas notas se han desplazado del sitio en que estaban en la edición de Whinnom; otras, han sufrido leves modificaciones en su contenido. Por ejemplo, las notas 1, 2 y 3 del cap. 8 de esta edición engloban la 97, 98 y 99 de la de Whinnom y añaden algunas referencias de tipo contextual. Se modifican ligeramente las notas 8, 12, 13 y 14 del mismo cap. 8, así como las notas 4 y 10 del cap. 10 más la 2 del cap. 17.

Las notas de Whinnom se complementan a veces con mis propios comentarios, situados a continuación de aquéllas después de un corchete. Con sus correspondientes complementarias, si las hay, son mías las siguientes notas al pie: cap. 1 (1, 3); cap. 2 (3); cap. 3 (1, 4, 5, 6); cap. 5 (2, 3, 4); cap. 6 (1, 2, 3); cap. 7 (1, 2, 4, 6, 7); cap. 9 (1, 2, 3); cap. 10 (1, 3, 7, 8, 11); cap. 11 (1, 2, 3); cap. 13 (1, 2, 3, 4); cap. 14 (1); cap. 15 (1); cap. 16 (1, 2, 3); cap. 17 (1); cap. 18 (1, 2); cap. 19 (1).

Hasta ahora ninguna edición moderna de la *Cárcel de amor* ha ido acompañada de la obra de Núñez. Esta ocasión, debida a la feliz iniciativa del director de esta colección, Francisco Rico, proporciona al lector actual una recepción de la historia de Leriano y Laureola similar a la que tuvieron los lectores seiscentistas. Para mí es un honor seguir, aunque de lejos, los pasos de Keith Whinnom, hispanista ejemplar, en la tarea editora. A su memoria dedico este trabajo.

CARMEN PARRILLA

CÁRCEL DE AMOR

El seguiente tractado fue hecho a pedimiento
del señor don Diego Hernandes, alcaide de los donzeles,[1]
y de otros cavalleros cortesanos; llámase Cárcel de amor.
Conpúsolo San Pedro. Comiença el prólogo assí:

Muy virtuoso señor:

Aunque me falta sofrimiento para callar, no me fallesce conoscimiento para ver quánto me estaría mejor preciarme de lo que
callase que arepentirme de lo que dixiese; y puesto que assí lo
conozca,[2] aunque veo la verdad, sigo la opinión;[3] y como hago
lo peor nunca quedo sin castigo, porque si con rudeza yerro, con
vergüença pago.[4] Verdad es que en la obra presente no tengo
tanto cargo,[5] pues me puse en ella más por necesidad de obedescer que con voluntad de escrevir. Porque de vuestra merced me
fue dicho que devía hazer alguna obra del estilo de una oración
que enbié a la señora doña Marina Manuel,[6] porque le paresçía
menos malo que el que puse en otro tractado que vido mío.[7]
Assí que por conplir su mandamiento pensé hazerla, haviendo por
mejor errar en el dezir que en el desobedecer; y tanbién acordé
endereçarla a vuestra merced porque la favorezca como señor y
la emiende como discreto. Comoquiera que primero que me determinase estuve en grandes dubdas; vista vuestra discreción, temía; mirada vuestra virtud, osava; en lo uno hallava el miedo,
y en lo otro buscava la seguridad; y en fin escogí lo más dañoso
para mi vergüença y lo más provechoso para lo que devía.[8] Po-

---

[1] *alcaide*: gobernador militar de una fortificación o guardián de un castillo. El *alcaide* de los donzeles era el capitán o jefe de una milicia formada por jóvenes reclutados entre los que habían servido como pajes a los reyes.°

[2] *puesto que... conozca*: 'aunque... conozca'.°

[3] Esto es, 'no tengo criterio, no sigo mi norma personal'.°

[4] El período oracional se caracteriza por el encadenamiento de frases en paralelismos sintácticos bajo la figura de la *contentio*. La actitud humilde es un recurso propio de la tópica del *exordium*: la falsa modestia.°

[5] *cargo*: en el lenguaje forense, 'culpa que resulta de la información sumaria'.°

[6] *doña Marina Manuel* fue una dama de Isabel la Católica, a la que Diego de San Pedro dedicó su *Sermón*.°

[7] Por *tractado* se sobreentiende el *Tractado de amores de Arnalte y Lucenda*.°

[8] En este largo período abundan los recursos del *similiter desinens* y *similiter cadens* puestos al servicio de la *contentio*.°

3

dré ser reprehendido si en lo que agora escrivo tornare a dezir algunas razones de las que en otras cosas he dicho, de lo qual suplico a vuestra merced me salve, porque como he hecho otra escritura de la calidad desta, no es de maravillar que la memoria desfallesca; y si tal se hallare, por cierto más culpa tiene en ello mi olvido que mi querer. Sin dubda, señor, considerado esto y otras cosas que en lo que escrivo se pueden hallar, yo estava determinado de cesar ya en el metro y en la prosa, por librar mi rudeza de juizios y mi espíritu de trabajos; y paresce, quanto más pienso hazerlo, que se me ofrecen más cosas para no poder conplirlo. Suplico a vuestra merced, antes que condene mi falta juzgue mi voluntad, porque reciba el pago no segund mi razón mas segund mi deseo.

[I]

Comiença la obra

Después de hecha la guerra del año pasado,[1] viniendo a tener el invierno a mi pobre reposo, pasando una mañana, quando ya el sol quería esclarecer la tierra, por unos valles hondos y escuros que se hazen en la Sierra Morena, vi salir a mi encuentro, por entre unos robledales do mi camino se hazía, un cavallero assí feroz de presencia como espantoso de vista, cubierto todo de cabello a manera de salvaje;[2] levava en la mano isquierda un escudo de azero muy fuerte, y en la derecha una imagen femenil entallada en una piedra muy clara, la qual era de tan estrema hermosura que me turbava la vista; salían della diversos rayos de fuego que levava encendido el cuerpo de un honbre que el cavallero forciblemente levava tras sí.[3] El qual con un lastimado gemido de rato en rato dezía:

«En mi fe, se sufre todo».[4]

Y como enparejó comigo, díxome con mortal angustia:

—Caminante, por Dios te pido que me sigas y me ayudes en tan grand cuita.[5]

---

[1] Probablemente se refiere a la guerra de Granada.°

[2] El caballero de *feroz presencia* es símbolo literario del deseo y de lo que hay en el hombre de naturaleza animal.°

[3] *forciblemente*: 'a la fuerza'.

[4] El aparato expresivo con que se caracteriza al amante procede de la tradición cancioneril, en donde es nota distintiva la relación entre lo sagrado y lo profano.°

[5] *cuita*: 'aflicción'.°

Yo, que en aquella sazón tenía más causa para temer que razón para responder, puestos los ojos en la estraña visión, estove quedo, trastornando en el coraçón diversas consideraciones; dexar el camino que levava parecíame desvarío; no hazer el ruego de aquel que assí padecía figurávaseme inhumanidad; en siguille havía peligro y en dexalle flaqueza;[6] con la turbación no sabía escoger lo mejor. Pero ya que el espanto dexó mi alteración en algund sosiego, vi quánto era más obligado a la virtud que a la vida;[7] y enpachado de mí mesmo por la dubda en que estuve,[8] seguí la vía de aquel que quiso ayudarse de mí. Y como apresuré mi andar, sin mucha tardança alcancé a él y al que la fuerça le hazía, y assí seguimos todos tres por unas partes no menos trabajosas de andar que solas de plazer y de gente; y como el ruego del forçado fue causa que lo siguiese, para cometer al que lo levava faltávame aparejo[9] y para rogalle merescimiento, de manera que me fallecía consejo; y después que rebolví el pensamiento en muchos acuerdos, tomé por el mejor ponerle en alguna plática, porque como él me respondiese, así yo determinase; y con este acuerdo supliquéle con la mayor cortesía que pude me quisiese dezir quién era, a lo qual assí me respondió:

«Caminante, segund mi natural condición, ninguna respuesta quisiera darte, porque mi oficio más es para secutar mal que para responder bien;[10] pero como siempre me crié entre onbres de buena criança, usaré contigo de la gentileza que aprendí y no de la braveza de mi natural. Tú sabrás, pues lo quieres saber, yo soy principal oficial en la casa de Amor; llámanme por nonbre Deseo;[11] con la fortaleza deste escudo defiendo las esperanças y con la hermosura desta imagen causo las aficiones y con ellas que-

---

[6] *en siguille... en dexalle*: la palatalización de *rl* > *ll* es sistemática en San Pedro. Sin embargo, en la prosa del XV hubo alternancia en seguir o abandonar el criterio de la asimilación.

[7] *virtud* tiene aquí un significado más amplio que el de la teologal caridad. Es preciso entenderla como el ejercicio de una *virtud* moral de raíz aristotélica y también estoica, como corresponde a la asimilación de la filosofía moral en el siglo XV.°

[8] *enpachado*: 'molesto'.°

[9] *cometer*: 'acometer'; *aparejo*: 'disposición o medios necesarios para poder combatir'.°

[10] *secutar*: 'ejecutar'.

[11] La identificación del hombre salvaje se hace por medio de la *fictio personae*, con ayuda de rasgos caracterizadores: nombre y función de los objetos que porta. En el discurso oratorio este procedimiento caía bajo la *confirmatio*, como expediente necesario para argumentar y justificar un razonamiento.°

mo las vidas, como puedes ver en este preso que lievo a la cárcel de Amor,[12] donde con solo morir se espera librar».

Quando estas cosas el atormentador cavallero me iva diziendo, sobíamos una sierra de tanta altura que a más andar mi fuerça desfallecía; y ya que con mucho trabajo llegamos a lo alto della acabó su respuesta;[13] y como vido que en más pláticas quería ponelle yo, que començava a dalle gracias por la merced recebida, súpitamente desapareció de mi presencia; y como esto pasó a tiempo que la noche venía, ningund tino pude tomar para saber dónde guió;[14] y como la escuridad y la poca sabiduría de la tierra me fuesen contrarias, tomé por propio consejo no mudarme de aquel lugar. Allí comencé a maldezir mi ventura; allí desesperava de toda esperança; allí esperava mi perdimiento; allí en medio de mi tribulación nunca me pesó de lo hecho, porque es mejor perder haziendo virtud que ganar dexándola de hazer; y assí estuve toda la noche en tristes y trabajosas contenplaciones; y quando ya la lunbre del día descubrió los canpos, vi cerca de mí, en lo más alto de la sierra, una torre de altura tan grande que me parecía llegar al cielo; era hecha por tal artificio, que de la estrañeza della comencé a maravillarme;[15] y puesto al pie, aunque el tienpo se me ofrecía más para temer que para notar, miré la novedad de su lavor y de su edificio.[16] El cimiento sobre que estava fundada era una piedra tan fuerte de su condición y tan clara de su natural qual nunca otra tal jamás avía visto, sobre la qual estavan firmados quatro pilares de un mármol morado muy hermoso de mirar.[17] Eran en tanta manera altos que me espantava cómo se podían sostener; estava encima dellos labrada una torre de tres esquinas, la más fuerte que se puede contenplar; tenía en cada esquina, en lo alto della, una imagen de nuestra umana hechura, de metal, pintada cada una de su color:[18] la una de leonado[19] y la otra de negro y la otra de pardillo;[20] tenía cada una dellas una cadena

---

[12] *lievo*: forma antigua de la evolución del latín clásico *levare*.○

[13] El camino dificultoso y ascendente da a la aventura un carácter ascético.○

[14] *ningund tino*: 'ninguna señal cierta'; *dónde guió*; 'adónde se dirigió'.○

[15] *estrañeza*: 'singularidad, rareza'.○

[16] El *edificio* de la cárcel de amor está relacionado con otras construcciones

alegóricas de la poesía cancioneril.○

[17] *firmados*: 'asentados'.

[18] El simbolismo de los colores ocupa un papel fundamental en la plástica medieval y renacentista.○

[19] El *leonado* es el color rubio o rojizo.

[20] El color *pardillo* es el neutro que resulta de la mezcla del negro, el rojo y el amarillo.

en la mano asida con mucha fuerça; vi más encima de la torre un chapitel[21] sobre el qual estava un águila que tenía el pico y las alas llenas de claridad de unos rayos de lunbre que por dentro de la torre salían a ella; oía dos velas que nunca un solo punto dexavan de velar.[22] Yo, que de tales cosas justamente me maravillava, ni savía dellas qué pensase ni de mí qué hiziese; y estando conmigo en grandes dubdas y confusión, vi travada con los mármoles dichos una escalera que llegava a la puerta de la torre,[23] la qual tenía la entrada tan escura que parescía la sobida della a ningund onbre posible. Pero, ya deliberado,[24] quise antes perderme por sobir que salvarme por estar; y forçada mi fortuna, comencé la sobida; y a tres passos del escalera hallé una puerta de hierro, de lo que me certificó más el tiento de las manos que la lunbre de la vista, segund las tinieblas do estava. Allegado, pues, a la puerta, hallé en ella un portero al qual pedí licencia para la entrada; y respondióme que lo haría, pero que me convenía dexar las armas primero que entrase; y como le dava las que levava segund costunbre de caminantes, díxome:

«Amigo, bien paresce que de la usança desta casa sabes poco. Las armas que te pido y te conviene dexar son aquellas con que el coraçón se suele defender de tristeza, assí como Descanso y Esperança y Contentamiento, porque con tales condiciones ninguno pudo gozar de la demanda que pides».[25]

Pues sabida su intención, sin detenerme en echar juizios sobre demanda tan nueva, respondíle que yo venía sin aquellas armas, y que dello le dava seguridad. Pues como dello fue cierto, abrió la puerta, y con mucho trabajo y desatino llegué ya a lo alto de la torre, donde hallé otro guardador que me hizo las preguntas del primero; y después que supo de mí lo que el otro, diome lugar a que entrase; y llegado al aposentamiento de la casa, vi en medio della una silla de fuego, en la qual estava asentado aquel cuyo ruego de mi perdición fue causa. Pero como allí, con la turbación, descargava con los ojos la lengua,[26] más entendía en mirar maravillas que en hazer preguntas; y como la vista no estava despacio, vi que las tres cadenas de las imágines que estavan en

---

[21] *chapitel*: 'remate de la torre'.
[22] *velas*: 'centinelas'.
[23] *travada*: 'enlazada'.
[24] *deliberado*: 'determinado'.°

[25] Se refiere a las circunstancias de un corazón enamorado.°
[26] 'exoneraba el ejercicio de los ojos el de la lengua'.°

lo alto de la torre tenían atado aquel triste, que sienpre se quemava
y nunca se acabava de quemar. Noté más, que dos dueñas lastimeras
con rostros llorosos y tristes le servían y adornavan, poniéndole con
crueza en la cabeça una corona de unas puntas de hierro sin ninguna
piedad, que le traspasavan todo el celebro; y después desto miré que
un negro vestido de color amarilla venía diversas vezes a echalle una
visarma,[27] y vi que le recebía los golpes en un escudo que súpitamente le salía de la cabeça y le cobría hasta los pies. Vi más, que
quando le truxeron de comer le pusieron una mesa negra y tres servidores mucho diligentes, los quales le davan con grave sentimiento
de comer;[28] y bueltos los ojos a un lado de la mesa, vi un viejo an-
ciano sentado en una silla, echada la cabeça sobre una mano en manera de onbre cuidoso;[29] y ninguna destas cosas pudiera ver segund
la escuridad de la torre, si no fuera por un claro resplandor que le
salía al preso del coraçón, que la esclarecía toda. El qual, como me
vio atónito de ver cosas de tales misterios, viendo como estava en
tienpo de poder pagarme con su habla lo poco que me devía, por
darme algund descanso, mezclando las razones discretas con las lágrimas piadosas, comenzó en esta manera a dezirme:

[2]

El preso al autor[1]

Alguna parte del coraçón quisiera tener libre de sentimiento, por
dolerme de ti segúnd yo deviera y tú merecías; pero ya tu vées
en mi tribulación que no tengo poder para sentir otro mal sino
el mío.[2] Pídote que tomes por satisfación no lo que hago, mas
lo que deseo. Tu venida aquí yo la causé.[3] El que viste traer pre-

---

[27] *visarma*: 'alabarda'.
[28] *sentimiento*: 'pena'.
[29] *cuidoso*: 'pensativo'.

[1] Con el término *autor* se hace referencia al viajero que se constituye en *Cárcel
de amor* como el narrador de la historia.
Solamente en dos ocasiones en todo el
texto, aquí y en el capítulo 46, *autor* se
halla representado en forma modernizada
y no con la grafía latina.°
[2] El parlamento se abre con la dis-

culpa elegante (*captatio benevolentiae*),
como preceptuaban las artes retóricas.
La organización y explicación de la alegoría confiere a esta narración el carácter del *genus admirabilis* (considére-
se la enajenación del viajero), en donde
se imponía la pronta y directa expresión con la que se buscaba la atención
y afecto del oyente. Cicerón, *De inventione*, XV, 21.
[3] Sorprende el poder de atracción de
Leriano.°

so yo soy, y con la tribulación que tienes no as podido conoscer-me.[4] Torna en ti tu reposo; sosiega tu juizio, porque estés atento a lo que te quiero dezir. Tu venida fue por remediarme; mi habla será por darte consuelo, puesto que yo de él sepa poco.[5] Quien yo soy quiero dezirte; de los misterios que vees quiero informar-te; la causa de mi prisión quiero que sepas; que me delibres quiero pedirte[6] si por bien lo tovieres.[7]

Tú sabrás que yo soy Leriano,[8] hijo del duque Guersio, que Dios perdone, y de la duquesa Coleria. Mi naturaleza es este rei-no do estás,[9] llamado Macedonia.[10] Ordenó mi ventura que me enamorase de Laureola,[11] hija del rey Gaulo, que agora reina, pensamiento que yo deviera antes huir que buscar; pero como los primeros movimientos no se puedan en los honbres escusar, en lugar de desviallos con la razón, confirmélos con la voluntad; y assí de Amor me vencí,[12] que me truxo a esta su casa, la qual se llama cárcel de Amor; y como nunca perdona, viendo desplega-das las velas de mi deseo, púsome en el estado que vees; y porque puedas notar mejor su fundamiento y todo lo que has visto, deves saber que aquella piedra sobre quien la prisión está fundada es mi fe, que determinó de sofrir el dolor de su pena por bien de su mal.[13] Los quatro pilares que asientan sobre ella son mi en-tendimiento y mi razón y mi memoria y mi voluntad, los quales mandó Amor parescer en su presencia antes que me sentenciase; y por hazer de mí justa justicia preguntó por sí a cada uno si consentía que me prendiesen, porque si alguno no consentiese me absolvería de la pena. A lo qual respondieron todos en esta manera: Dixo el Entendimiento: «Yo consiento al mal de la pena por

---

[4] *conoscerme*: 'reconocerme'. Parece una incoherencia. El viajero ha reconocido en el cautivo de la cárcel al hombre forzado por Deseo. Véase más arriba: 'y llegado al aposentamiento de la casa, vi en medio della una silla de fuego, en la qual estava asentado aquel cuyo ruego de mi perdición fue causa'.

[5] *puesto que*: 'aunque'.

[6] *que me delibres*: 'que me ampares, que me defiendas'.□

[7] Es la anticipación de los elemen-tos imprescindibles: *quis, quid, cur*, para lograr la credibilidad de un relato, como se exigía para la exposición de

una causa en el *genus iudiciale*.

[8] Probablemente el nombre está ins-pirado en el caballero Leriador, perso-naje de la *Historia de Merlin*.○

[9] *mi naturaleza*: 'mi tierra na-tural'.○

[10] El reino de *Macedonia* y en él las ciudades de *Suria* y de *Susa* sustitu-yen a la *Sierra Morena*.○

[11] Laurette au Blanc Chief y Lauret-te de Brebaz eran nombres de la tradi-ción artúrica.○

[12] Debe entenderse: 'fui vencido'.○

[13] La *fe* es aquí el compromiso según el cual Leriano se entrega al Amor.○

el bien de la causa, de cuya razón es mi voto que se prenda».

Dixo la Razón: «Yo no solamente do consentimiento en la prisión, mas ordeno que muera; que mejor le estará la dichosa muerte que la desesperada vida, segund por quien se ha de sofrir».

Dixo la Memoria: «Pues el Entendimiento y la Razón consienten, porque sin morir no pueda ser libre, yo prometo de nunca olvidar».

Dixo la Voluntad: «Pues que assí es, yo quiero ser llave de su prisión y determino de sienpre querer».[14]

Pues oyendo Amor que quien me havía de salvar me condenava, dio como justo esta sentencia cruel contra mí.[15] Las tres imágines que viste encima de la torre, cubiertas cada una de su color, de leonado y negro y pardillo, la una es Tristeza y la otra Congoxa y la otra Trabajo.[16] Las cadenas que tenían en las manos son sus fuerças, con las quales tienen atado el coraçón porque ningund descanso pueda recebir. La claridad grande que tenía en el pico y alas el águila que viste sobre el chapitel, es mi Pensamiento,[17] del qual sale tan clara luz por quien está en él, que basta para esclarecer las tinieblas desta triste cárcel, y es tanta su fuerça que para llegar al águila ningund inpedimiento le haze lo grueso del muro; assí que andan él y ella en una conpañía, porque son las dos cosas que más alto suben, de cuya causa está mi prisión en la mayor alteza de la tierra. Las dos velas que oyes velar con tal recaudo son Desdicha y Desamor; traen tal aviso porque ninguna esperança me pueda entrar con remedio. El escalera obscura por do sobiste es el Angustia con que sobí donde me vees. El primero portero que hallaste es el Deseo, el qual a todas tristezas abre la puerta, y por esso te dixo que dexases las armas de plazer si por caso las traías. El otro que acá en la torre hallaste es el Tormento que aquí me traxo, el qual sigue en el cargo que tiene la condición del primero, porque está de su mano.[18] La silla de fuego en que asentado me vees es mi justa Afición, cuyas llamas

---

[14] Nótese que se enuncian no tres sino cuatro potencias del alma.°

[15] El resultado del juicio pone de manifiesto que las facultades mentales se subordinan al sentimiento amoroso.°

[16] Son los colores asociados tradi-cionalmente a los padecimientos de amor.°

[17] La nobleza y elevación del *Pensamiento* se representa, según Ripa, por medio del águila.°

[18] *Tormento* está puesto en el cargo por el mismo *Deseo*.

sienpre arden en mis entrañas.[19] Las dos dueñas que me dan, como notas, corona de martirio, se llaman la una Ansia y la otra Passión, y satisfazen a mi fe con el galardón presente;[20] el viejo que vees asentado, que tan cargado pensamiento representa, es el grave Cuidado, que junto con los otros males pone amenazas a la vida.[21] El negro de vestiduras amarillas que se trabaja por quitarme la vida, se llama Desesperar; el escudo que me sale de la cabeça con que de sus golpes me defiendo, es mi Juizio, el qual, viendo que vo con desesperación a matarme, dízeme que no lo haga, porque visto lo que merece Laureola, antes devo desear larga vida por padecer que la muerte para acabar; la mesa negra que para comer me ponen es la Firmeza con que como y pienso y duermo, en la qual sienpre están los manjares tristes de mis contenplaciones; los tres solícitos servidores que me servían son llamados Mal y Pena y Dolor; el uno trae la cuita con que coma y el otro trae la desesperança en que viene el manjar y el otro trae la tribulación, y con ella, para que beva, trae el agua del coraçón a los ojos y de los ojos a la boca. Si te parece que soy bien servido, tú lo juzga; si remedio e menester, tú lo vees; ruégote mucho, pues en esta tierra eres venido, que tú me lo busques y te duelas de mí;[22] no te pido otro bien sino que sepa de ti Laureola quál me viste, y si por ventura te quisieres dello escusar porque me vees en tienpo que me falta sentido para que te lo agradezca, no te escuses, que mayor virtud es redemir los atribulados que sostener los prósperos; asśí sean tus obras que ni tú te quexes de ti por lo que no heziste, ni yo por lo que pudieras hazer.

[3]

Respuesta del auctor a Leriano

En tus palabras, señor, has mostrado que pudo Amor prender tu libertad y no tu virtud, lo qual se prueba porque segund te veo, deves tener más gana de morir que de hablar; y por proveer

---

[19] La silla ardiente es uno de los tormentos de los enamorados en la tradición poética cancioneril.○

[20] Por medio de los concretos tormentos se representa en esta narración la imagen bien explotada del mártir de amor de la poesía cancioneril.○

[21] Es la representación que para el *pensamiento* propone o interpreta Ripa.○

[22] Esto es, 'que me busques el remedio'.○

en mi fatiga forçaste tu voluntad,[1] juzgando por los trabajos pasados y por la cuita presente que yo ternía de bevir poca esperança, lo que sin dubda era assí; pero causaste mi perdición como deseoso de remedio y remediástela como perfeto de juizio. Por cierto no he avido menos plazer de oírte que dolor de verte, porque en tu persona se muestra tu pena y en tus razones se conosce tu bondad.[2] Sienpre en la peior fortuna socorren los virtuosos como tú agora a mí heziste; que vistas las cosas desta tu cárcel, yo dubdava de mi salvación, creyendo ser hechas más por arte diabólica que por condición enamorada. La cuenta, señor, que me as dado te tengo en merced; de saber quién eres soy muy alegre; el trabajo por ti recebido he por bien enpleado. La moralidad de todas estas figuras me ha plazido saber,[3] puesto que diversas vezes las vi, mas como no las pueda ver sino coraçón cativo,[4] quando le tenía tal conoscíalas, y agora que estava libre dubdávalas.[5] Mándasme, señor, que haga saber a Laureola quál te vi, para lo qual hallo grandes inconvenientes, porque un onbre de nación estraña ¿qué forma se podrá dar para negociación semejante? Y no solamente hay esta dubda, pero otras muchas: la rudeza de mi engenio, la diferencia de la lengua,[6] la grandeza de Laureola, la graveza del negocio; assí que en otra cosa no hallo aparejo sino en sola mi voluntad, la qual vence todos los inconvenientes dichos, que para tu servicio la tengo tan ofrecida como si oviese seído tuyo después que nascí. Yo haré de grado lo que mandas; plega a Dios que lieve tal la dicha como el deseo, porque tu deliberación sea testigo de mi diligencia;[7] tanta afición te tengo y tanto me ha obligado amarte tu nobleza, que avría tu remedio por galardón de mis trabajos.[8] Entretanto que vo,[9] deves tenplar

[1] proveer en mi fatiga: 'ayudarme en mi tribulación'.

[2] Por cierto... tu bondad: encarece el visitante los rasgos de carácter moral que ostenta Leriano. Es doctrina ética presente en Aristóteles.°

[3] moralidad: es sinónimo de alegoría.°

[4] cativo: 'prisionero'. Es término propio del aparato expresivo en el servicio amoroso, con presencia muy abundante en la poesía cancioneril.°

[5] dubdávalas: 'no tenía certeza de ellas'.°

[6] la diferencia de la lengua: éste es un dato desconcertante que no está justificado.°

[7] deliberación: aquí con sentido de 'liberación'.

[8] tanta afición ... por galardón de mis trabajos: es declaración expresa del talante del vínculo establecido.°

[9] El latín clásico vado evolucionó a un latín vulgar vao. Hasta el XVI es normal encontrar la forma vo. La realización moderna voy es la reunión de la forma vo y un complemento locativo: ibi > y.

tu sentimiento con mi esperança, porque quando buelva, si algund bien te truxere, tengas alguna parte biva con que puedas sentillo.

[4]

El auctor

E como acabé de responder a Leriano en la manera que es escrita,[1] informéme del camino de Suria, cibdad donde estava a la sazón el rey de Macedonia, que era media jornada de la prisión donde partí; y puesto en obra mi camino, llegué a la corte, y después que me aposenté, fui a palacio por ver el trato y estilo de la gente cortesana, y tanbién para mirar la forma del aposentamiento, por saber dónde me conplía ir o estar o aguardar para el negocio que quería enprender. Y hize esto ciertos días por aprender mejor lo que más me conviniese, y quanto más estudiava en la forma que ternía,[2] menos dispusición se me ofrecía para lo que deseava; y buscadas todas las maneras que me avían de aprovechar, hallé la más aparejada comunicarme con algunos mancebos cortesanos de los principales que allí veía, y como generalmente entre aquellos se suele hallar la buena criança, assí me trataron y dieron cabida, que en poco tienpo yo fui tan estimado entrellos como si fuera de su natural nación,[3] de forma que vine a noticia de las damas; y assí de poco en poco ove de ser conocido de Laureola, y aviendo ya noticia de mí, por más participarme con ella contávale las cosas maravillosas de España,[4] cosa de que mucho holgava; pues viéndome tratado della como servidor, parecióme que le podría ya dezir lo que quisiese; y un día que la vi en una sala apartada de las damas, puesta la rodilla en el suelo, díxele lo siguiente:

---

[1] *es escrita*: 'ha sido escrita'; es ejemplo del amplio papel que *ser* poseyó en la lengua medieval como auxiliar de participio.°

[2] *estudiava*: 'ocupaba mi atención'.

[3] A partir de aquí se afianza el papel del *auctor* en su doble función de ordenar la narración y actuar en la trama.°

[4] *participarme*: 'tener más trato'.

[5]

El auctor a Laureola

No les está menos bien el perdón a los poderosos quando son deservidos[1] que a los pequeños la vengança quando son injuriados; porque los unos se emiendan por onrra y los otros perdonan por virtud; lo qual si a los grandes onbres es devido, más y muy más a las generosas mugeres que tienen el coraçón real de su nacimiento y la piedad natural de su condición.[2] Digo esto, señora, porque para lo que te quiero dezir hallé osadía en tu grandeza,[3] porque no la puedes tener sin manificencia.[4] Verdad es que primero que me determinase estove dubdoso, pero en el fin de mis dubdas tove por mejor, si inhumanamente me quisieses tratar, padecer pena por dezir que sofrilla por callar.[5]

Tú, señora, sabrás que caminando un día por unas asperezas desiertas, vi que mandado del Amor levavan preso a Leriano, hijo del duque Guersio, el qual me rogó que en su cuita le ayudase; de cuya razón dexé el camino de mi reposo por tomar el de su trabajo; y después que largamente con él caminé, vile meter en una prisión dulce para su voluntad y amarga para su vida, donde todos los males del mundo sostiene: dolor le atormenta, pasión le persigue, desesperança le destruye, muerte le amenaza, pena le secuta, pensamiento lo desvela, deseo le atribula, tristeza le condena, fe no le salva; supe dél que de todo esto tú eres causa; juzgué, segund le vi, mayor dolor el que en el sentimiento callava que el que con lágrimas descobría; y vista tu presencia, hallo su tormento justo. Con sospiros que le sacavan las entrañas me rogó te hiziese sabidora de su mal;[6] su ruego fue de lástima y mi obediencia de conpasión; en el sentimiento suyo te juzgué cruel y en tu acatamiento te veo piadosa,[7] lo qual va por razón, que de

[1] *quando son deservidos*: 'cuando han recibido mal servicio'.

[2] En la doctrina aristotélica la *piedad* es movimiento natural de los seres sensibles de naturaleza femenina.º

[3] Me parece coherente el uso del pasado, pues la justificación del atrevimiento queda de manifiesto en los elogios previos. Estos funcionan como *principium benivolentiae* de la técnica de la *insinuatio*.□

[4] *manificencia*: 'liberalidad'.

[5] Al cerrarse el exordio se acentúan los efectos del ornato con el *similiter desinens*.º

[6] *sabidora*: 'conocedora'.º

[7] *acatamiento*: 'presencia del sujeto a quien se hace reverencia'.

tu hermosura se cree lo uno y de tu condición se espera lo otro. Si la pena que le causas con el merecer le remedias con la piedad,[8] serás entre las mugeres nacidas la más alabada de quantas nacieron; contenpla y mira quánto es mejor que te alaben porque redemiste, que no que te culpen porque mataste; mira en qué cargo eres a Leriano,[9] que aun su passión te haze servicio, pues si la remedias te da causa que puedas hazer lo mismo que Dios;[10] porque no es de menos estima el redemir que el criar, assí que harás tú tanto en quitalle la muerte como Dios en darle la vida. No sé qué escusa pongas para no remediallo, si no crees que matar es virtud; no te suplica que le hagas otro bien sino que te pese de su mal, que cosa grave para ti no creas que te la pidiría, que por mejor avrá el penar que serte a ti causa de pena. Si por lo dicho mi atrevimiento me condena, su dolor del que me enbía me asuelve,[11] el qual es tan grande que ningund mal me podrá venir que iguale con el que me causa; suplícote sea tu respuesta conforme a la virtud que tienes, y no a la saña que muestras, porque tú seas alabada y yo buen mensajero y el cativo Leriano libre.

[6]

Respuesta de Laureola

Así como fueron tus razones temerosas de dezir, assí son graves de perdonar. Si como eres de España fueras de Macedonia, tu razonamiento y tu vida acabaran a un tienpo;[1] assí que por ser estraño, no recebirás la pena que merecías, y no menos por la piedad que de mi juzgaste, comoquiera que en casos semejantes tan devida es la justicia como la clemencia, la qual en ti secutada pudiera causar dos bienes: el uno, que otros escarmentaran, y el otro que las altas mugeres fueran estimadas y tenidas segund merecen.[2] Pero si tu osadía pide el castigo, mi mansedunbre consien-

---

[8] *merecer*: 'ejecutar alguna cosa, por la cual se haga digno de premio o castigo';○ *le remedias con la piedad*: debe entenderse, como propone Whinnom, 'se la remedias con la piedad'.

[9] *cargo*: véase la nota 5 del prólogo.

[10] La figura de la mujer como creadora y redentora es la consecuencia de la aplicación de la terminología religiosa

en el lenguaje amoroso.○

[11] *su dolor del que me enbía*: se logra mayor expresividad por medio del pleonasmo.

[1] En buena medida el rechazo de Laureola es formulario.○

[2] Con estas palabras Laureola extiende su defensa a un plano general.○

te que te perdone, lo que va fuera de todo derecho,[3] porque no solamente por el atrevimiento devías morir, mas por la ofensa que a mi bondad heziste, en la qual posiste dubda. Porque si a noticia de algunos lo que me dexiste veniese, más creerían que fue por el aparejo que en mí hallaste[4] que por la pena que en Leriano viste, lo que con razón assí deve pensarse, viendo ser tan justo que mi grandeza te posiese miedo, como su mal osadía. Si más entiendes en procurar su libertad, buscando remedio para él hallarás peligro para ti; y avísote, aunque seas estraño en la nación, que serás natural en la sepoltura; y porque en detenerme en plática tan fea ofendo mi lengua,[5] no digo más, que para que sepas lo que te cunple lo dicho basta;[6] y si alguna esperança te queda porque te hablé, en tal caso sea de poco bevir si más de la enbaxada pensares usar.

[7]

El auctor

Quando acabó Laureola su habla, vi, aunque fue corta en razón, que fue larga en enojo, el qual le enpedía la lengua; y despedido della comencé a pensar diversas cosas que gravemente me atormentavan; pensava quán alongado estava de España; acordávaseme de la tardança que hazía;[1] traía a la memoria el dolor de Leriano; desconfiava de su salud, y visto que no podía cunplir lo que me dispuse a hazer sin mi peligro o su libertad, determiné de seguir mi propósito hasta acabar la vida o levar a Leriano esperança. Y con este acuerdo bolví otro día a palaçio para ver qué rostro hallaría en Laureola, la qual como me vido tratóme de la primera manera, sin que ninguna mudança hiziese, de cuya seguridad tomé grandes sospechas.[2] Pensava si lo hazía por no esquivarme, no aviendo por mal que tornase a la razón començada. Creía que disimulava por tornar al propósito para tomar emienda

---

[3] Es preciso entender estas palabras de Laureola a la luz de una doctrina social y moral en torno al perdón.°

[4] *aparejo*: 'disposición'.

[5] *fea*: 'torpe, deshonesta'.

[6] *lo que te cunple*: 'lo que te conviene'.

[1] *tardança*: 'demora en su negocio'.°

[2] Es decir, Laureola lo trata tan amistosamente como cuando el *auctor* se dio a conocer en la corte (véase cap. 4). Por ello duda de su sinceridad.

de mi atrevimiento,[3] de manera que no sabía a quál de mis pensamientos diese fe.

En fin, pasado aquel día y otros muchos, hallava en sus aparencias más causa para osar que razón para temer,[4] y con este crédito aguardé tienpo convenible y hízele otra habla, mostrando miedo, puesto que no lo tuviese,[5] porque en tal negociación y con semejantes personas conviene fengir turbación, porque en tales partes el desenpacho es havido por desacatamiento,[6] y parece que no se estima ni acata la grandeza y autoridad de quien oye con la desvergüença de quien dize; y por salvarme deste yerro hablé con ella no segund desenpachado mas segund temeroso; finalmente, yo le dixe todo lo que me pareció que convenía para remedio de Leriano. Su respuesta fue de la forma de la primera, salvo que hovo en ella menos saña; y como aunque en sus palabras havía menos esquividad para que deviese callar,[7] en sus muestras hallava licencia para que osase dezir;[8] todas las vezes que tenía lugar le suplicava se doliese de Leriano, y todas las vezes que ge lo dezía, que fueron diversas, hallava áspero lo que respondía y sin aspereza lo que mostrava; y como traía aviso en todo lo que se esperava provecho,[9] mirava en ella algunas cosas en que se conosce el coraçón enamorado: quando estava sola veíala pensativa; quando estava aconpañada, no muy alegre; érale la conpañía aborrecible y la soledad agradable. Más vezes se quexava que estava mal por huir los plazeres; quando era vista, fengía algund dolor; quando la dexavan, dava grandes sospiros; si Leriano se nonbrava en su presencia, desatinava de lo que dezía, bolvíase súpito colorada y después amarilla, tornávase ronca su boz, secávasele la boca;[10] por mucho que encobría sus mudanças, forçávala la pasión piadosa a la disimulación discreta. Digo piadosa porque sin dubda, según lo que después mostró, ella recebía estas alteraciones más de piedad que de amor;[11] pero como yo pensa-

---

[3] 'para cambiar de actitud hacia él'.

[4] *hallava en sus aparencias*: 'hallaba en lo que Laureola manifestaba externamente'.

[5] *puesto que no*: 'aunque no'.

[6] *desenpacho*: 'atrevimiento, excesiva desenvoltura'; *desacatamiento*: 'falta de cortesía'.

[7] *esquividad*: 'actitud desdeñosa'.

[8] *en sus palabras... deviese callar... en sus muestras... osase dezir*: la equivalencia sintáctica se refuerza por el *similiter desinens*.

[9] *traía aviso*: 'estaba prevenido'.

[10] Las *mudanças* de Laureola son los síntomas de la *aegritudo amoris.*

[11] Como narrador consciente, el *auctor* anticipa los hechos.

va otra cosa, viendo en ella tales señales tenía en mi despacho alguna esperança;[12] y con tal pensamiento partíme para Leriano, y después que estensamente todo lo pasado le reconté, díxele que se esforçase a escrevir a Laureola, proferiéndome a dalle la carta,[13] y
puesto que él estava más para hazer memorial de su hazienda que
carta de su pasión,[14] escrivió. Las razones de la qual eran tales:

[8]

Carta de Leriano a Laureola[1]

Si toviera tal razón para escrevirte como para quererte, sin miedo
lo osara hazer; mas en saber que escrivo para ti se turba el seso
y se pierde el sentido, y desta causa antes que lo començase tove
conmigo grand confusión; mi fe dezía que osase; tu grandeza que
temiese; en lo uno hallava esperança y por lo otro desesperava,
y en el cabo acordé esto; mas, guay de mí, que comencé tenprano
a dolerme y tarde a quexarme, porque a tal tienpo soy venido,
que si alguna merced te meresciese, no hay en mí cosa biva para
sentilla, sino sola mi fe; el coraçón está sin fuerça, y el alma sin
poder, y el juizio sin memoria; pero si tanta merced quisieses hazerme que a estas razones te pluguiese responder, la fe con tal
bien podrié bastar para restituir las otras partes que destruiste.[2]
Yo me culpo porque te pido galardón sin haverte hecho servicio,
aunque si recibes en cuenta del servir el penar, por mucho que
me pagues sienpre pensaré que me quedas en deuda. Podrás dezir
que cómo pensé escrevirte; no te maravilles, que tu hermosura
causó el afición, y el afición el deseo, y el deseo la pena, y la
pena el atrevimiento;[3] y si porque lo hize te pareciere que me-

---

[12] *en mi despacho:* 'en mi negocio'.
[13] *proferiéndome:* 'ofreciéndome'.
[14] *puesto que:* 'aunque'; *memorial de
su hazienda:* 'escrito en el que se contiene una relación de bienes y posesiones'. Por tanto, equivale a un testamento. De este modo encarece el *auctor*
el estado de Leriano.º

[1] La carta será el único medio de comunicación entre Leriano y Laurealo.
Es, por tanto, como unidad narrativa,
un excelente informe sobre los aspec-

tos alternativos y contradictorios de los
sentimientos de los comunicantes. En
la poética del género sentimental el
cambio epistolar ocupa un lugar rele-
vante.º
[2] Leriano trata de influir con sus
palabras en la mente de Laureola.
Como en la *dispositio* clásica del discurso
retórico, esta primera sección equivale
a la *captatio benevolentiae*.º
[3] Es el empleo de la *gradatio* recurso repetitivo con el que se encarece la
argumentación.

rezco muerte, mandámela dar, que muy mejor es morir por tu causa que bevir sin tu esperança; y hablándote verdad, la muerte, sin que tú me la dieses yo mismo me la daría, por hallar en ella la libertad que en la vida busco, si tú no hovieses de quedar infamada por matadora; pues malaventurado fuese el remedio que a mí librase de pena y a ti te causase culpa.[4] Por quitar tales in-. convenientes, te suplico que hagas tu carta galardón de mis males, que aunque no me mate por lo que a ti toca, no podré bevir por lo que yo sufro, y todavía quedarás condenada. Si algund bien quisieres hazerme, no lo tardes; si no, podrá ser que tengas tienpo de arrepentirte y no lugar de remediarme.

[9]

El auctor

Aunque Leriano, segund su grave sentimiento, se quisiera más estender, usando de la discreción y no de la pena no escrivió más largamente,[1] porque para hazer saber a Laureola su mal bastava lo dicho; que quando las cartas deven alargarse es quando se cree que hay tal voluntad para leellas quien las rescibe como para escrivillas quien las enbía;[2] y porque él estava libre de tal presunción, no se estendió más en su carta, la qual después de acabada recebí con tanta tristeza de ver las lágrimas con que Leriano me la dava, que pude sentilla mejor que contalla;[3] y despedido de él, partíme para Laureola; y como llegué donde estava, hallé propio tienpo para poderle hablar, y antes que le diese la carta díxele tales razones:

---

[4] Comienza aquí la sección de la *petitio*.

[1] *pena*: 'pluma'. Desde el latín clásico *pinna*, con la acepción de 'almena, cumbre', evolucionó a 'objeto puntiagudo, pluma'.°

[2] En la teoría del arte epistolar la brevedad era requisito de perfección, como proyección de esta cualidad de la *narratio* en la retórica clásica.

[3] Se conjuga aquí el tópico de lo indecible con una manifestación del *pathos*.°

[10]

El auctor a Laureola

Primero que nada te diga, te suplico que recibas la pena de aquel cativo tuyo por descargo de la inportunidad mía;[1] que dondequiera que me hallé sienpre tove por costunbre de servir antes que inportunar. Por cierto, señora, Leriano siente más el enojo que tú recibes que la pasión que él padece, y éste tiene por el mayor mal que hay en su mal, de lo qual quería escusarse; pero si su voluntad por no enojarte desea sufrir, su alma por no padecer querría quexar; lo uno le dize que calle, y lo otro le haze dar bozes; y confiando en tu virtud, apremiado del dolor, quiere poner sus males en tu presencia, creyendo, aunque por una parte te sea pesado, que por otra te causará conpasión. Mira por quántas cosas te merece galardón: por olvidar su cuita pide la muerte; porque no se diga que tú la consentiste, desea la vida; porque tú la hazes, llama bienaventurada su pena; por no sentirla, desea perder el juizio; por alabar tu hermosura, quería tener los agenos y el suyo.[2] Mira quánto le eres obligada, que se precia de quien le destruye; tiene su memoria por todo su bien,[3] y esle ocasión de todo su mal. Si por ventura, siendo yo tan desdichado, pierde por mi intercesión lo que él merece por fe, suplícote recibas una carta suya, y si leella quisieres, a él harás merced por lo que ha sufrido, y a ti te culparás por lo que le has causado, viendo claramente el mal que le queda en las palabras que enbía, las quales, aunque la boca las dezía, el dolor las ordenava.[4] Assí te dé Dios tanta parte del cielo como mereces de la tierra, que la recibas y le respondas, y con sola esta merced le podrás redimir; con ella esforçarás su flaqueza; con ella afloxarás su tormento; con ella favorecerás su firmeza; pornásle en estado que ni quiera más bien ni tema más mal; y si esto no quisieres hazer por quien deves,

---

[1] 'por excusa de mi importunidad'.
[2] Esto es, querría ser capaz de expresarse con las opiniones favorables de todo el mundo sobre la hermosura de Laureola, a las que uniría la suya propia.°

[3] Es decir, 'tiene por todo bien el recuerdo de Laureola'.
[4] La disculpa pone de manifiesto el grado de relación amistosa entre Leriano y su mensajero.°

que es él, ni por quien lo suplica, que so yo, en tu virtud tengo esperança que,[5] segund la usas, no sabrás hazer otra cosa.[6]

[II]

Respuesta de Laureola al auctor

En tanto estrecho me ponen tus porfías,[1] que muchas vezes he dubdado sobre quál haré antes: desterrar a ti de la tierra o a mí de mi fama en darte lugar que digas lo que quisieres; y tengo acordado de no hazer lo uno de conpasión tuya, porque si tu enbaxada es mala, tu intención es buena, pues la traes por remedio del querelloso.[2] Ni tanpoco quiero lo otro de lástima mía, porque no podría él ser libre de pena sin que yo fuese condenada de culpa. Si pudiese remediar su mal sin amanzillar mi onrra,[3] no con menos afición que tú lo pides yo lo haría; mas ya tú conosces quánto las mugeres deven ser más obligadas a su fama que a su vida, la qual deven estimar en lo menos por razón de lo más, que es la bondad.[4] Pues si el bevir de Leriano ha de ser con la muerte desta, tú juzga a quién con más razón devo ser piadosa, a mí o a su mal; y que esto todas las mugeres deven assí tener, en muy más manera las de real nacimiento, en las quales assí ponen los ojos todas las gentes, que antes se vee en ellas la pequeña manzilla que en las baxas la grand fealdad. Pues en tus palabras con la razón te conformas ¿cómo cosa tan injusta demandas? Mucho tienes que agradecerme porque tanto comunico contigo mis pensamientos, lo qual hago porque si me enoja tu demanda me aplaze tu condición, y he plazer de mostrarte mi escusación con justas causas por salvarme de cargo.[5] La carta que dizes que reciba fuera bien escusada, porque no tienen menos fuerça mis defensas que confiança sus porfías; porque tú la traes plázeme de tomarla; respuesta no la esperes ni trabages en pedirla,[6] ni me-

---

[5] *en tu virtud*: 'en tu liberalidad'.
[6] La elocuente defensa que el *auctor* hace de Leriano surtirá efecto en Laureola.°

[1] *estrecho*: 'aprieto'.
[2] *querelloso*: 'quejoso'.°
[3] *amanzillar*: 'manchar', 'mancillar'

con sentido por supuesto moral.
[4] La exigencia de su honor le impediría responder a otros movimientos de su ánimo.°
[5] *cargo*: 'culpa'.
[6] La estrategia del intercambio epistolar es un lugar común en el género sentimental.°

nos en más hablar en esto, porque no te quexes de mi saña como te alabas de mi sofrimiento.[7] Por dos cosas me culpo de haverme tanto detenido contigo: la una porque la calidad de la plática me dexa muy enojada, y la otra porque podrás pensar que huelgo de hablar en ella y creerás que de Leriano me acuerdo; de lo qual no me maravillo, que como las palabras sean imagen del coraçón, irás contento por lo que juzgaste y levarás buen esperança de lo que deseas.[8] Pues por no ser condenada de tu pensamiento, si tal le tovieres, te torno a requerir que sea ésta la postrimera vez que en este caso me hables; si no, podrá ser que te arepientas y que buscando salud agena te falte remedio para la tuya.

[12]

El auctor

Tanta confusión me ponían las cosas de Laureola, que quando pensava que más la entendía, menos sabía de su voluntad; quando tenía más esperança, me dava mayor desvío; quando estava seguro, me ponía mayores miedos; sus desatinos cegavan mi conocimiento.[1] En el recebir la carta me satisfizo; en el fin de su habla me desesperó. No sabía qué camino siguiese en que esperança hallase, y como onbre sin consejo partíme para Leriano con acuerdo de darle algund consuelo, entretanto que buscava el mejor medio que para su mal convenía, y llegado donde estava comencé a dezirle:

[13]

El auctor a Leriano

Por el despacho que traigo se conoce que donde falta la dicha no aprovecha la diligencia; encomendaste tu remedio a mí, que tan contraria me ha sido la ventura que en mis propias cosas la desprecio[1] porque no me puede ser en lo porvenir tan favorable que me satisfaga lo que en lo pasado me ha sido enemiga, puesto

---

[7] 'de lo que Leriano sufre por Laureola'.□

[8] Señala la tensión entre las apariencias y la realidad.

[1] desatinos: 'despropósitos'.

[1] desprecio: 'desestimo'.

que en este caso buena escusa toviera para ayudarte,[2] porque si
yo era el mensajero, tuyo era el negocio. Las cosas que con Laureola he pasado ni pude entenderlas ni sabré dezirlas, porque son
de condición nueva;[3] mill vezes pensé venir a darte remedio y
otras tantas a darte la sepoltura; todas las señales de voluntad vencida vi en sus aparencias; todos los desabrimientos de muger sin
amor vi en sus palabras;[4] juzgándola me alegrava; oyéndola me
entristecía. A las vezes creía que lo hazía de sabida,[5] y a las vezes de desamorada; pero con todo eso, viéndola movible, creía
su desamor, porque quando amor prende, haze el coraçón constante, y quando lo dexa libre, mudable.[6] Por otra parte pensava
si lo hazía de medrosa, segund el bravo coraçón de su padre. ¿Qué
dirás?: que recibió tu carta y recebida me afrentó con amenazas
de muerte si más en tu caso le hablava. Mira qué cosa tan grave
parece en un punto tales dos diferencias.[7] Si por estenso todo lo
pasado te oviese de contar, antes fallecería tienpo para dezir que
cosas para que te dixiese; suplícote que esfuerçe tu seso lo que en-
flaquece tu pasión, que segund estás más has menester sepoltura
que consuelo; si algund espacio no te das,[8] tus huesos querrás
dexar en memoria de tu fe, lo qual no deves hazer, que para satisfación de ti mismo más te conviene bevir para que sufras que
morir para que no penes. Esto digo porque de tu pena te veo
gloriar; segund tu dolor, gran corona es para ti que se diga que
toviste esfuerço para sofrirlo; los fuertes en las grandes fortunas
muestran mayor coraçón;[9] ninguna diferencia entre buenos y malos avría si la bondad no fuese tentada. Cata que con larga vida
todo se alcança; ten esperança en tu fe, que su propósito de Laureola se podrá mudar y tu firmeza nunca.[10] No quiero dezirte
todo lo que para tu consolación pensé, porque segund tus lágrimas, en lugar de amatar tus ansias las enciendo;[11] quanto te pa-

---

[2] *puesto que*: 'aunque'.
[3] Sorprende la ignorancia o confusión que manifiesta el *auctor*.○
[4] *desabrimientos*: 'asperezas'.
[5] *sabida*: 'sabia'.
[6] Este rasgo de volubilidad tiene
aquí una dimensión negativa.○
[7] Por *diferencias* se entienden las dos
manifestaciones contrapuestas de Laureola: actitud emotiva, por un lado,

y palabras destempladas, por otro.
[8] *espacio*: 'sosiego', en sentido traslaticio. Esto es, 'si no te tomas un
tiempo para descansar'.
[9] *en las grandes fortunas*: 'en empre-
sas arriesgadas o en todo tipo de cala-
midades'.
[10] *su propósito de Laureola*: forma expresiva por el pleonasmo.
[11] *amatar*: 'apagar, extinguir'.○

reciere que yo pueda hazer, mándalo, que no tengo menos voluntad de servir tu persona que remediar tu salud.

[14]

Responde Leriano

La dispusición en que estó ya la vees; la privación de mi sentido
ya la conoces; la turbación de mi lengua ya la notas; y por esto
no te maravilles si en mi respuesta oviere más lágrimas que concierto, las quales, porque Laureola las saca del coraçón, son dulce
manjar de mi voluntad. Las cosas que con ella pasaste, pues tú
que tienes libre el juizio no las entiendes,[1] ¿qué haré yo, que para
otra cosa no le tengo bivo sino para alabar su hermosura? Y por
llamar bienaventurada mi fin[2] éstas querría que fuesen las postrimeras palabras de mi vida, porque son en su alabança. ¿Qué
mayor bien puede aver en mi mal que querello ella? Si fuera tan
dichoso en el galardón que merezco como en la pena que sufro,
¿quién me podiera igualar? Mejor me es a mí morir, pues dello
es servida, que bevir, si por ello ha de ser enojada; lo que más
sentiré quando muera será saber que perecen los ojos que la vieron
y el coraçón que la contenpló, lo qual, segund quien ella es, va
fuera de toda razón. Digo esto porque veas que sus obras en lugar
de apocar amor acrecientan fe.[3] Si en el coraçón cativo las con-
solaciones hiziesen fruto, la que tú me has dado bastara para es-
forçarme; pero como los oídos de los tristes tienen ceraduras de
pasión, no hay por donde entren al alma las palabras de consuelo.
Para que pueda sofrir mi mal, como dizes, dame tú la fuerça y
yo porné la voluntad; las cosas de onrra que pones delante conóz-
colas con la razón y niégolas con ella misma.[4] Digo que las conozco y apruevo, si las ha de usar onbre libre de mi pensamiento,
y digo que las niego para comigo, pues pienso, aunque busqué
grave pena, que escogí onrrada muerte. El trabajo que por mí
has recebido y el deseo que te he visto me obligavan a ofrecer
por ti la vida todas las vezes que fuera menester; mas, pues lo

---

[1] Véase la nota 5 del capítulo 3.
[2] *bienaventurada mi fin*: el mantenimiento del femenino para *fin* es latinismo morfológico.

[3] *apocar*: 'entibiar'.
[4] Es otro ejemplo de la tensión entre el honor-opinión y el sentimiento
individual y natural.º

menos della me queda de bevir, séate satisfación lo que quisiera
y no lo que puedo. Mucho te ruego, pues ésta será la final buena
obra que tú me podrás hazer y yo recebir, que quieras levar a
Laureola en una carta mía nuevas con que se alegre, porque della
sepa cómo me despido de la vida y de más dalle enojo; la qual,
en esfuerço que la levarás, quiero començar en tu presencia, y
las razones della sean estas:

[15]

Carta de Leriano a Laureola

Pues el galardón de mis afanes avié de ser mi sepoltura, ya soy
a tienpo de recebirlo; morir no creas que me desplaze,[1] que aquél
es de poco juizio que aborrece lo que da libertad. Mas ¿qué haré,
que acabará comigo el esperança de verte? Grave cosa para sentir. Dirás que cómo tan presto, en un año ha o poco más que
ha que soy tuyo, desfallesció mi sofrimiento; no te deves maravillar, que tu poca esperança y mi mucha pasión podían bastar para
más de quitar la fuerça al sofrir. No pudiera pensar que a tal cosa
dieras lugar si tus obras no me lo certificaran.[2] Sienpre creí que
forçara tu condición piadosa a tu voluntad porfiada, comoquiera
que en esto si mi vida recibe el daño, mi dicha tiene la culpa.
Espantado estó cómo de ti misma no te dueles; dite la libertad,
ofrecíte el coraçón, no quise ser nada mío por sello del todo
tuyo,[3] pues ¿cómo te querrá servir ni tener amor quien sopiere
que tus propias cosas destruyes? Por cierto tú eres tu enemiga;
si no me querías remediar porque me salvara yo, deviéraslo hazer
porque no te condenaras tú; porque en mi perdición oviese algund bien, deseo que te pese della; mas si el pesar te avié de
dar pena, no lo quiero, que pues nunca biviendo te hize servicio,
no sería justo que moriendo te causase enojo. Los que ponen los
ojos en el sol, quanto más lo miran más se ciegan; y assí quanto
yo más contenplo tu hermosura más ciego tengo el sentido; esto
digo porque de los desconciertos escritos no te maravilles; verdad
es que a tal tienpo, escusado era tal descargo,[4] porque segund
quedo, más estó en disposición de acabar la vida que de desculpar

---

[1] *desplaze*: 'disgusta'.
[2] *dieras lugar*: 'dieras motivo'.
[3] Véase la nota 6 del capítulo I.
[4] *descargo*: 'excusa'.

las razones. Pero quisiera que lo que tú avías de ver fuera ordenado, porque no ocuparas tu saber en cosa tan fuera de su condición;[5] si consientes que muera porque se publique que podiste matar, mal te aconsejaste, que sin esperiencia mía lo certificava la hermosura tuya; si lo tienes por bien porque no era merecedor de tus mercedes, pensava alcançar por fe lo que por desmerecer perdiese, y con este pensamiento osé tomar tal cuidado; si por ventura te plaze por parecerte que no se podría remediar sin tu ofensa mi cuita, nunca pensé pedirte merced que te causase culpa. ¿Cómo avía de aprovecharme el bien que a ti te viniese mal? Solamente pedí tu respuesta por primero y postrimero galardón. Dexadas más largas,[6] te suplico, pues acabas la vida, que onrres la muerte, porque si en el lugar donde van las almas desesperadas hay algún bien, no pediré otro sino sentido para sentir que onrraste mis huesos, por gozar aquel poco espacio de gloria tan grande.[7]

[16]

El auctor

Acabada la habla y carta de Leriano, satisfaziendo los ojos por las palabras con muchas lágrimas,[1] sin poderle hablar despedíme dél, aviendo aquella,[2] segund le vi, por la postrimera vez que lo esperava ver; y puesto en el camino, puse un sobrescrito a su carta,[3] porque Laureola en seguridad de aquél la quisiese recebir; y llegado donde estava, acordé de ge la dar, la qual creyendo que era de otra calidad, recebió, y començó y acabó de leer; y como en todo aquel tienpo que la leía nunca partiese de su rostro mi vista, vi que quando acabó de leerla quedó tan enmudecida y turbada como si gran mal toviera; y como su turbación de mirar

---

[5] En consonancia con un contrincante de prestigio, procede Leriano a corroborar y repetir cuanto hasta ahora ha expuesto por medio de la *rationis confirmatio*.°

[6] *dexadas más largas*: 'dejadas más dilaciones'.°

[7] *espacio*: en esta ocasión, con el sentido de 'lugar'.

[1] Es decir, su sentimiento no le permite hablar, sólo llorar.°

[2] *aviendo aquella*: 'teniendo aquella'. El verbo *haber* como transitivo para expresar la posesión contendía con *tener*.

[3] *sobrescrito*: modernamente, 'lo que se escribe en el sobre o en la parte exterior de una carta'.°

la mía no le escusase, por asegurarme hízome preguntas y hablas fuera de todo propósito; y para librarse de la conpañía que en semejantes tienpos es peligrosa, porque las mudanças públicas no descubriessen los pensamientos secretos, retráxose, y assí estuvo aquella noche sin hablarme nada en el propósito. Y otro día de mañana mandóme llamar[4] y después que me dixo quantas razones bastavan para descargarse del consentimiento que dava en la pena de Leriano, díxome que le tenía escrito,[5] pareciéndole inumanidad perder por tan poco precio un onbre tal; y porque con el plazer de lo que le oía estava desatinado en lo que hablava,[6] no escrivo la dulceza y onestad que ovo en su razonamiento.[7] Quienquiera que la oyera pudiera conocer que aquel estudio avié usado poco;[8] ya de enpachada estava encendida;[9] ya de turbada se tornava amarilla; tenía tal alteración y tan sin aliento la habla como si esperara sentencia de muerte; en tal manera le tenblava la voz, que no podía forçar con la discreción al miedo.[10] Mi respuesta fue breve, porque el tienpo para alargarme no me dava lugar; y después de besalle las manos recebí su carta,[11] las razones de la qual eran tales:

[17]

Carta de Laureola a Leriano

La muerte que esperavas tú de penado, merecía yo por culpada si en esto que hago pecase mi voluntad, lo que cierto no es assí, que más te scrivo por redemir tu vida que por satisfazer tu deseo; mas, triste de mí, que este descargo solamente aprovecha para conplir comigo; porque si deste pecado fuese acusada no tengo otro testigo para salvarme sino mi intención, y por ser parte tan

---

[4] *otro día de mañana*: 'al día siguiente'.

[5] *tenía escrito*: aquí *tener* con el significado de 'haber'.

[6] *desatinado*: 'desconcertado'. Porque el mensajero, como en otras ocasiones, no entiende los signos que manifiesta Laureola.

[7] *dulceza*: 'dulzura'; poco frecuente

pero probable italianismo.°

[8] *estudio*: 'empeño'. El *auctor* subraya que Laureola es novicia en el trato amoroso.

[9] *enpachada*: véase la nota 8 del capítulo 1.

[10] Véase la nota 10 del capítulo 7.

[11] *besalle*: véase la nota 6 del capítulo 1.

principal no se tomaría en cuenta su dicho;[1] y con este miedo, la mano en el papel, puse el coraçón en el cielo, haziendo juez de mi fin Aquel a quien la verdad de las cosas es manifiesta.[2] Todas las veces que dudé en responderte fue porque sin mi condenación no podías tú ser asuelto, como agora parece, que puesto que tú solo y el levador de mi carta sepáis que escreví,[3] ¿qué sé yo los juizios que daréis sobre mí?; y digo que sean sanos, sola mi sospecha me amanzilla.[4] Ruégote mucho, quando con mi respuesta en medio de tus plazeres estés más ufano,[5] que te acuerdes de la fama de quien los causó;[6] y avísote desto porque semejantes favores desean publicarse, teniendo más acatamiento a la vitoria dellos que a la fama de quien los da.[7] Quánto mejor me estoviera ser afeada por cruel que amanzillada por piadosa, tú lo conosces; y por remediarte usé lo contrario; ya tú tienes lo que deseavas y yo lo que temía; por Dios te pido que enbuelvas mi carta en tu fe, porque si es tan cierta como confiesas, no se te pierda ni de nadie pueda ser vista;[8] que quien viese lo que te escrivo pensaría que te amo, y creería que mis razones antes eran dichas por disimulación de la verdad que por la verdad. Lo qual es al revés, que por cierto más las digo, como ya he dicho, con intención piadosa que con voluntad enamorada. Por hazerte creer esto querría estenderme, y por no ponerte otra sospecha acabo,[9] y para que mis obras recibiesen galardón justo avía de hazer la vida otro tanto.[10]

---

[1] Parece una observación irónica, no sólo porque su *intención* no sería testimonio objetivo, sino porque Laureola, por su elevada condición, estaría exenta de pesquisas en las que testificasen terceros.°

[2] El uso de la preposición *a* delante del objeto directo era fluctuante.°

[3] *levador*: 'mensajero'. Es derivado raro de *levar*. La forma con *l-* de *llevar* < *levare* es general hasta fines de la Edad Media.°

[4] *me amanzilla*: 'me mancha'. Véase la nota 3 del capítulo 2.°

[5] *ufano*: 'satisfecho'. Véase la nota 3 del capítulo siguiente.

[6] *fama*: aquí con el sentido de 'estimación y crédito de la virtud'.

[7] Laureola encarece el secreto, uno de los componentes del código cortesano amoroso.°

[8] Es insistencia común en este género epistolar.°

[9] Algunos críticos consideran que con estas palabras Laureola declara su amor por Leriano.°

[10] El efecto patético de estas palabras se logra por el empleo de la *conquestio* como figura propia de la conclusión, realzada por disposición trimembre y la repetición relajada por medio de la *disiunctio*.°

[18]

El auctor

Recebida la carta de Laureola acordé de partirme para Leriano, el qual camino quise hazer aconpañado, por levar conmigo quien a él y a mí ayudase en la gloria de mi enbaxada; y por animarlos para adelante llamé los mayores enemigos de nuestro negocio, que eran Contentamiento y Esperança y Descanso y Plazer y Alegría y Holgança;[1] y porque si las guardas de la prisión de Leriano[2] quisiesen por levar conpañía defenderme la entrada,[3] pensé de ir en orden de guerra; y con tal pensamiento, hecha una batalla de toda mi conpañía,[4] seguí mi camino; y allegado a un alto donde se parecía la prisión,[5] viendo los guardadores della mi seña,[6] que era verde y colorada,[7] en lugar de defenderse pusiéronse en huida tan grande, que quien más huía más cerca pensava que iva del peligro.[8] Y como Leriano vido a sobreora tal rebato,[9] no sabiendo qué cosa fuese, púsose a una ventana de la torre, hablando verdad, más con flaqueza de espíritu que con esperança de socorro; y como me vio venir en batalla de tan hermosa gente, conoció lo que era; y lo uno de la poca fuerça y lo otro de súpito bien, perdido el sentido cayó en el suelo de dentro de la casa.[10] Pues yo, que no levava espacio,[11] como llegué al escalera por donde solía sobir, eché a Descanso delante, el qual dio estraña claridad a su tiniebra; y subido a donde estava el ya bienaventura-

[1] *Contentamiento, Esperança* y *Descanso* son las armas que el caminante hubo de abandonar para entrar en la cárcel. *Plazer, Alegría, Holgança* serían sus sinónimos, al servicio del encarecimiento y dispuestos en construcción trimembre.°

[2] *las guardas*: aunque es palabra proveniente del germánico, conservó el femenino como los oficios de varón de la primera declinación latina.

[3] *defenderme la entrada*: 'prohibirme la entrada'.

[4] *batalla*: 'tropa guerrera organizada'.

[5] 'donde se veía la prisión'.

[6] *seña*: 'insignia, bandera'.

[7] *verde y colorada*: son los colores de la esperanza y de la alegría.°

[8] La cobardía se encarece con la *subnexio* de la frase explicativa. Se trata de un entimema demostrativo.°

[9] *sobreora*: 'a deshora'; *rebato*: 'susto o alarma producida por un ataque'.

[10] Es motivo recurrente en la ficción sentimental para desarrollar la fase primera de un encuentro jubiloso.°

[11] *que no levava espacio*: 'que no llevaba sosiego'. Véase la nota 8 del capítulo 3.

do,[12] quando le vi en manera mortal pensé que iva a buen tienpo para llorarlo y tarde para darle remedio; pero socorrió luego
Esperança, que andava allí la más diligente, y echándole un poco
de agua en el rostro tornó en su acuerdo; y por más esforçarle
dile la carta de Laureola; y entretanto que la leía todos los que
levava comigo procuravan su salud: Alegría le alegrava el coraçón, Descanso le consolava el alma, Esperança le bolvía el sentido,
Contentamiento le aclarava la vista, Holgança le restituía la fuerça, Plazer le abivava el entendimiento; y en tal manera le trataron
que quando lo que Laureola le escrivió acabó de leer, estava tan
sano como si ninguna pasión uviera tenido;[13] y como vido que
mi diligencia le dio libertad, echávame muchas vezes los braços
encima ofreciéndome a él y a todo lo suyo, y parecíale poco precio segund lo que merecié mi servicio; de tal manera eran sus
ofrecimientos, que no sabía responderle como yo devía y quien
él era.

Pues después que entre él y mí grandes cosas pasaron acordó
de irse a la corte, y antes que fuesse estuvo algunos días en una
villa suya por rehazerse de fuerças y atavíos para su partida; y
como se vido en disposición de poderse partir, púsolo en obra;
y sabido en la corte como iva, todos los grandes señores y mancebos cortesanos salieron a recebirle; mas como aquellas cerimonias
viejas toviesse sabidas, más ufana le dava la gloria secreta que la
onrra pública,[14] y así fue aconpañado hasta palacio. Quando besó
las manos a Laureola pasaron muchas cosas de notar, en especial
para mí, que savía lo que entre ellos estava; al uno le sobrava
turbación, al otro le faltava color; ni él sabié qué dezir ni ella
qué responder, que tanta fuerça tienen las pasiones enamoradas, que
sienpre traen el seso y discreción debaxo de su vandera, lo que allí
vi por clara esperiencia.[15]

Y puesto que de las mudanças dellos ninguno toviese noticia
por la poca sospecha que de su pendencia havía,[16] Persio, hijo del
señor de Gavia, miró en ellas trayendo el mismo pensamiento que

---

[12] *bienaventurado*: parece expresión
irónica en la línea de la 'religión de
amor'.°
[13] La carta es el galardón que Leriano solicitó. De ahí que tenga la virtud
de restaurarle en su enfermedad.°

[14] *ufana*: 'satisfacción', 'jactancia'.
[15] Esto es, que la pasión enamorada
sojuzga cualquier actitud racional.°
[16] *pendencia*: en consonancia con la
poesía cancioneril, se utiliza aquí un
término bélico para el trato amoroso.

Leriano traía;[17] y como las sospechas celosas escudriñan las cosas secretas, tanto miró de allí adelante las hablas y señales de él, que dio crédito a lo que sospechava, y no solamente dio fe a lo que veía, que no era nada, mas a lo que imaginava, que era el todo;[18] y con este malvado pensamiento, sin más deliberación ni consejo,[19] apartó al rey en un secreto lugar y díxole afirmadamente que Laureola y Leriano se amavan y que se veían todas las noches después que él dormía, y que ge lo hazía saber por lo que devié a la onrra y a su servicio. Turbado el rey de cosa tal,[20] estovo dubdoso y pensativo sin luego determinarse a responder, y después que mucho durmió sobre ello,[21] tóvolo por verdad, creyendo segund la virtud y auctoridad de Persio que no le diría otra cosa; pero con todo esso, primero que deliberase quiso acordar lo que devié hazer, y puesta Laureola en una cárcel,[22] mandó llamar a Persio y díxole que acusase de traición a Leriano segund sus leyes, de cuyo mandamiento fue mucho afrontado,[23] mas como la calidad del negocio le forçava a otorgarlo, respondió al rey que aceutava su mando y que dava gracias a Dios que le ofrecía caso para que fuesen sus manos testimonio de su bondad; y como semejantes autos se acostunbran en Macedonia hazer por carteles y no en presencia del rey,[24] enbió en uno Persio a Leriano las razones siguientes:

---

[17] Nótese que el rival de Leriano es de su misma condición social.°

[18] *que era el todo*: obsérvese que no se trata de amores realizados sino de deseos que no han alcanzado su objeto. Comienza aquí una clase de intriga que enlaza los temas del amor y del honor en el relato. De este modo, la figura de Leriano va a caracterizarse en una doble dimensión cortesana y caballeresca.°

[19] Se subraya la imprudencia de Persio, quien a diferencia del *auctor*, no delibera.

[20] Se han aventurado diversas interpretaciones para la actitud del rey.°

[21] *durmió sobre ello*: 'meditó, consideró'.

[22] Así como Leriano fue trasladado a la cárcel por el Deseo, Laureola lo es por la decisión de su padre, el rey.°

[23] *afrontado*: 'amonestado o requerido jurídicamente'.°

[24] *carteles*: papeles escritos a modo de mensaje que enviaban los caballeros ofendidos, declarando la causa de la ofensa recibida y fijando las circunstancias de tiempo, lugar y armas para el desafío.°

[19]

Cartel de Persio para Leriano

Pues procede de las virtuosas obras la loable fama, justo es que
la maldad se castigue porque la virtud se sostenga; y con tanta
diligencia deve ser la bondad anparada, que los enemigos della
si por voluntad no la obraren, por miedo la usen. Digo esto,
Leriano, porque la pena que recebirás de la culpa que cometiste,
será castigo para que tú pagues y otros teman; que si a tales cosas
se diese lugar, no sería menos favorecida la desvirtud en los malos
que la nobleza en los buenos. Por cierto, mal te has aprovechado
de la linpieza que heredaste; tus mayores te mostraron hazer bondad y tú aprendiste obrar traición; sus huesos se levantarían contra ti si supiesen cómo ensuziaste por tal error sus nobles obras.
Pero venido eres a tienpo que recibieras por lo hecho fin en la
vida y manzilla en la fama.[1] ¡Malaventurados aquellos como tú
que no saben escoger muerte onesta! Sin mirar el servicio de tu rey
y la obligación de tu sangre, toviste osada desvergüença para ena-
morarte de Laureola, con la qual en su cámara, después de acostado el rey, diversas vezes has hablado, escureciendo por seguir tu
condición tu claro linage;[2] de cuya razón te rebto por traidor y
sobre ello te entiendo matar o echar del canpo, o lo que digo
hazer confesar por tu boca; donde quanto el mundo durare seré
en exenplo de lealtad;[3] y atrévome a tanto confiando en tu fal-
sía y mi verdad. Las armas escoge de la manera que querrás, y
el canpo yo de parte del rey lo hago seguro.[4]

[20]

Respuesta de Leriano

Persio: mayor sería mi fortuna que tu malicia si la culpa que me
cargas con maldad, no te diese la pena que mereces por justicia;
si fueras tan discreto como malo, por quitarte de tal peligro antes
devieras saber mi intención que sentenciar mis obras. A lo que

[1] La acusación de traición deja infamado y mancillado el linaje del acusado.°
[2] *condición:* aquí, 'la naturaleza deshonesta de una conducta'.°
[3] *donde:* 'de ello, por lo cual'.
[4] *seguro:* 'cierto, firme'.°

agora conozco de ti, más curavas de parecer bueno que de serlo;[1] teniéndote por cierto amigo, todas mis cosas comunicava contigo,[2] y segund parece yo confiava de tu virtud y tú usavas de tu condición; como la bondad que mostravas concertó el amistad, assí la falsedad que encobría causó la enemiga.[3] ¡O enemigo de ti mismo!, que con razón lo puedo dezir, pues por tu testimonio dexarás la memoria con cargo[4] y acabarás la vida con mengua; ¿por qué pusiste la lengua en Laureola, que sola su bondad bastava, si toda la del mundo se perdiese, para tornarla a cobrar? Pues tú afirmas mentira clara y yo defiendo causa justa, ella quedará libre de culpa y tu onra no de vergüença. No quiero responder a tus desmesuras porque hallo por más onesto camino vencerte con la persona que satisfazerte con las palabras; solamente quiero venir a lo que haze al caso, pues allí está la fuerça de nuestro debate.

Acúsasme de traidor y afirmas que entré muchas vezes en su cámara de Laureola después del rey retraído; a lo uno y a lo otro te digo que mientes, comoquiera que no niego que con voluntad enamorada la miré. Pero si fuerça de amor ordenó el pensamiento, lealtad virtuosa causó la linpieza dél; assí que por ser della favorecido y no por ál lo pensé.[5] Y para más afearte te defenderé no sólo que no entré en su cámara,[6] mas que palabra de amores jamás le hablé;[7] pues quando la intención no peca, salvo está el que se juzga; y porque la determinación desto ha de ser con la muerte del uno y no con las lenguas dentramos, quede para el día del hecho la sentencia, la qual fío en Dios se dará por mí, porque tú reutas con malicia y yo defiendo con razón, y la verdad determina con justicia. Las armas que a mí son de señalar sean a la brida,[8] segund nuestra costunbre; nosotros armados de todas pieças, los cavallos con cubiertas y cuello y testera,[9] lanças iguales y sendas espadas, sin ninguna otra arma de las usadas, con las quales, defendiendo lo dicho, te mataré o haré desdezir o echaré del canpo sobre ello.[10]

---

[1] *curavas*: 'te preocupabas'.

[2] Se deduce que, aunque Leriano practicó el secreto en el caso de Laureola, depositaba su confianza en Persio.

[3] *encobría*: la falsedad que encobría la amistad.

[4] *con cargo*: 'con culpa'.

[5] *por ál*: 'por otra cosa'.

[6] *defenderé*: 'mantendré'.

[7] Sin embargo, Leriano oculta una prueba: el intercambio de cartas.

[8] *a la brida*: 'a caballo con estribos largos'.

[9] *cubiertas y cuello y testera*: piezas de armadura para la caballería.

[10] *sobre ello*: 'por añadidura'.

[21]

El auctor

Como la mala fortuna enbidiosa de los bienes de Leriano usase con él de su natural condición, diole tal revés quando le vido mayor en prosperidad; sus desdichas causavan pasión a quien las vio y conbidavan a pena a quien las oyé. Pues dexando su cuita para hablar en su reuto, después que respondió al cartel de Persio como es escrito, sabiendo el rey que estavan concertados en la batalla, aseguró el canpo,[1] y señalado el lugar donde heziesen y ordenadas todas las cosas que en tal auto se requerían segund las ordenanças de Macedonia,[2] puesto el rey en un cadahalso,[3] vinieron los cavalleros cada uno aconpañado y favorecido como merecía; y guardadas en igualdad las onrras dentramos, entraron en el canpo; y como los fieles los dexaron solos,[4] fuéronse el uno para el otro, donde en la fuerça de los golpes mostraron la virtud de los ánimos, y quebradas las lanças en los primeros encuentros, pusieron mano a las espadas y assí se conbatían que quienquiera oviera enbidia de lo que obravan y conpasión de lo que padecían.

Finalmente, por no detenerme en esto que parece cuento de historias viejas,[5] Leriano le cortó a Persio la mano derecha, y como la mejor parte de su persona le viese perdida, díxole:

—Persio, porque no pague tu vida por la falsedad de tu lengua, déveste desdezir.

El qual respondió:

—Haz lo que has de hazer, que aunque me falta el braço para defender no me fallece coraçón para morir.

Y oyendo Leriano tal respuesta diole tanta priesa que lo puso en la postrimera necesidad; y como ciertos cavalleros sus parientes le viesen en estrecho de muerte, suplicaron al rey mandase echar el bastón,[6]

---

[1] *aseguró el canpo*: 'concedió el reto fijando un lugar para ello'.°

[2] La ceremonia que se describe no es singularidad macedónica sino que se encuentra recogida en fuentes jurídicas hispánicas.°

[3] *cadahalso*: 'tablado desde donde se preside un acto solemne'.

[4] *fieles*: 'jueces del desafío designados por el rey'.

[5] *historias viejas*: esta fórmula de abreviación ha recibido interpretaciones distintas por parte de la crítica.°

[6] *mandase echar el bastón*: 'intervenir con el fin de apaciguar o dar fin al duelo'.°

que ellos le fiavan para que dél hiziese justicia si claramente se
hallase culpado; lo qual el rey assí les otorgó; y como fuesen despartidos,⁷ Leriano de tan grande agravio con mucha razón se sen-
tió, no podiendo pensar por qué el rey tal cosa mandase;⁸ pues
como fueron despartidos sacáronlos del canpo iguales en cerimo-
nia aunque desiguales en fama,⁹ y assí los levaron a sus posadas,
donde estuvieron aquella noche; y otro día de mañana, avido Leriano su consejo, acordó de ir a palacio a suplicar y requerir al
rey en presencia de toda su corte le mandase restituir en su onrra
haziendo justicia de Persio; el qual, como era malino de condición
y agudo de juizio, en tanto que Leriano lo que es contado acordava, hizo llamar tres onbres muy conformes de sus costunbres,
que tenía por muy suyos, y juramentándolos que le guardasen
secreto, dio a cada uno infinito dinero porque dixesen y jurasen
al rey que vieron hablar a Leriano con Laureola en lugares sospe-
chosos y en tienpos desonestos, los quales se profirieron a afir-
marlo y jurarlo hasta perder la vida sobre ello.

No quiero dezir lo que Laureola en todo esto sentía porque
la pasión no turbe el sentido para acabar lo començado,¹⁰ porque no tengo agora menos nuevo su dolor que quando estava
presente. Pues tornando a Leriano, que más de su prisión della
se dolía que de la vitoria dél se gloriava, como supo que el rey
era levantado fuése a palacio, y presentes los cavalleros de su corte, hízole una habla en esta manera:

[22]

Leriano al rey

Por cierto, señor, con mayor voluntad sufriera el castigo de tu
justicia que la vergüença de tu presencia, si ayer no levara lo mejor de la batalla, donde si tú lo ovieras por bien, de la falsa acusación de Persio quedara del todo libre; que puesto que a vista de

---

⁷ 'pacificados'; *despartir* es poner paz
entre los que riñen, apartándolos.
⁸ Puesto que el rey, con una intervención que revela debilidad, no confía en la justicia divina.○
⁹ *desiguales en fama*: la expresión
puede resultar ambigua. Aparentemente

Persio ha sido derrotado pero, debido
a la intervención del rey, Leriano no
puede defenderse de acuerdo con los
privilegios que le corresponden.
¹⁰ Es el procedimiento abreviativo
de la *praeteritio*, situado además al final del bloque narrativo.

todos yo le diera el galardón que merecía, gran ventaja va de hiziéralo a hízolo; la razón por que despartiros mandaste no la puedo pensar,[1] en especial tocando a ti mismo el debate, que aunque de Laureola deseases vengança, como generoso no te faltaría piedad de padre, comoquiera que en este caso bien creo quedaste satisfecho de tu descargo.[2] Si lo heziste por conpasión que avías de Persio, tan justo fuera que la uvieras de mi onrra como de su vida, siendo tu natural;[3] si por ventura lo consentiste por verte aquexado de la suplicación de sus parientes, quando les otorgaste la merced devieras acordarte de los servicios que los míos te hizieron, pues sabes con quánta costança de coraçón quántos dellos en muchas batallas y conbates perdieron por tu servicio las vidas; nunca hueste juntaste que la tercia parte dellos no fuese.[4] Suplícote que por juizio me satisfagas la onrra que por mis manos me quitaste;[5] cata que guardando las leyes se conservan los naturales;[6] no consientas que biva onbre que tan mal guarda las preeminencias de sus pasados porque no corronpa su venino los que con él participaren. Por cierto no tengo otra culpa sino ser amigo del culpado, y si por este indicio merezco pena, dámela, aunque mi inocencia della me asuelva, pues conservé su amistad creyéndole bueno y no juzgándole malo.[7] Si le das la vida por servirte dél, dígote que te será el más leal cizañador que puedas hallar en el mundo.[8] Requiérote contigo mismo, pues eres obligado a ser igual en derecho, que en esto determines con la prudencia que tienes y sentencies con la justicia que usas. Señor, las cosas de onrra deven ser claras, y si a éste perdonas, por ruegos o por ser principal en tu reino o por lo que te plazerá, no quedaré en los juizios de las gentes por desculpado del todo, que si unos

[1] Según el contenido de los dos carteles de desafío, el duelo representaba una forma de ordalía, por lo que la conducta del rey, no garantizando la justicia esperada, es objeto de la extrañeza de Leriano.°

[2] de tu descargo: 'de tu ausencia de culpa'. Al rey alcanzaría, como padre, la falta de Laureola.

[3] tu natural: 'tu súbdito'.°

[4] Una de las obligaciones sociales de la nobleza era colaborar en las campañas guerreras, responsabilizándose de la instrucción militar, armamento y mantenimiento de las propias tropas.

[5] Al quedar vencedor en la batalla con Persio, Leriano es quien dejaba sin tacha su honor.

[6] Leriano apela al cumplimiento de un deber real recogido en fuentes jurídicas y tratados políticos.°

[7] La culpa de Persio se agrava por su transgresión a las leyes de la amistad.

[8] leal cizañador: recurso del oxímoron al servicio de una ironía del narrador.

creyeren la verdad por razón, otros la turbarán con malicia; y digo que en tu reino lo cierto se sepa, nunca la fama leva lexos lo cierto; ¿cómo sonará en los otros lo que es pasado si queda sin castigo público? Por Dios, señor, dexa mi onrra sin disputa, y de mi vida y lo mío ordena lo que quisieres.

[23]

El auctor

Atento estuvo el rey a todo lo que Leriano quiso dezir, y acabada su habla respondióle que él avría su consejo sobre lo que deviese hazer,[1] que en cosa tal, con deliberación se avié de dar la sentencia. Verdad es que la respuesta del rey no fue tan dulce como deviera, lo qual fue porque si a Laureola dava por libre segund lo que vido, él no lo estava de enojo, porque Leriano pensó de servilla, aviendo por culpado su pensamiento, aunque no lo fuese su entención;[2] y así por esto como por quitar el escándalo que andava entre su parentela y la de Persio, mandóle ir a una villa suya que estava dos leguas de la corte, llamada Susa, entretanto que acordava en el caso; lo que luego hizo con alegre coraçón, teniendo ya a Laureola por desculpada, cosa que él tanto deseava.

Pues como del rey fue despedido, Persio, que sienpre se trabajava en ofender su onrra por condición[3] y en defenderla por malicia, llamó los conjurados antes que Laureola se delibrase,[4] y díxoles que cada uno por su parte se fuese al rey y le dixese, como de suyo, por quitarle de dubdas, que él acusó a Leriano con verdad, de lo qual ellos eran testigos, que le vieron hablar diversas vezes con ella en soledad; lo que ellos hizieron de la manera que él ge lo dixo; y tal forma supieron darse y assí afirmaron su testimonio, que turbaron al rey, el qual, después de aver sobre ello mucho pensado, mandólos llamar, y como vinieron, hizo a cada uno por sí preguntas muy agudas y sotiles para ver si los hallaría mudables o desatinados en lo que respon-

[1] *avría su consejo*: 'tendría su consejo'.
[2] El *auctor* emite aquí una opinión sobre la interioridad del rey, adoptando una perspectiva omnisciente.°
[3] *condición*: aquí con el mismo sentido señalado en la nota 25 del capítulo 1.
[4] *se delibrase*: 'se le diese libertad'.

diesen; y como devieran gastar su vida en estudio de falsedad,[5] quanto más hablavan mejor sabién concertar su mentira, de manera quel rey les dio entera fe; por cuya información, teniendo a Persio por leal servidor, creía que más por su mala fortuna que por su poca verdad havía levado lo peor de la batalla.[6] ¡O Persio, quánto mejor te estoviera la muerte una vez que merecella tantas![7]

Pues queriendo el rey que pagase la inocencia de Laureola por la traición de los falsos testigos, acordó que fuese sentenciada por justicia; lo qual como viniese a noticia de Leriano, estovo en poco de perder el seso, y con un arrebatamiento y pasión desesperada acordava de ir a la corte a librar a Laureola y matar a Persio o perder por ello la vida; y viendo yo ser aquel consejo de más peligro que esperança, puesto con él en razón desviélo dél, y como estava con la aceleración desacordado, quiso servirse de mi parecer en lo que oviese de delibrar,[8] el qual me plogo dalle porque no dispusiese con alteración para que se arrepintiese con pesar; y después que en mi flaco juizio se representó lo más seguro, díxele lo que se sigue:

[24]

El auctor a Leriano

Assí, señor, querría ser discreto para alabar tu seso como poderoso para remediar tu mal, porque fueses alegre como yo deseo y loado como tú mereces. Digo esto por el sabio sofrimiento que en tal tienpo muestras, que como viste tu juizio enbargado de pasión, conociste que sería lo que obrases no segund lo que sabes, mas segund lo que sientes; y con este discreto conocimiento quesiste antes errar por mi consejo sinple y libre que acertar por el tuyo natural y enpedido; mucho he pensado sobre lo que en esta tu grande fortuna se deve hazer,[1] y hallo segund mi pobre jui-

---

[5] Hay una cierta dosis de ironía amarga por parte del *auctor*, que continuará en esta misma sección.

[6] En la actitud del rey se observa que no confía en la prueba de las ordalías.

[7] El epifonema es una muestra de la cercanía del *auctor* a los hechos que narra.

[8] El *auctor* expone con expresiones modestas su participación en las gestiones que siguen.

[1] *tu grande fortuna*: 'tu gran adversidad'.

zio que lo primero que se cunple ordenar es tu reposo, el qual te desvía el caso presente.

De mi voto el primer acuerdo que tomaste será el postrero que obres,[2] porque como es gran cosa la que has de enprender, assí como gran pesadunbre se deve determinar;[3] sienpre de lo dubdoso se ha de tomar lo más seguro, y si te pones en matar a Persio y librar a Laureola, deves antes ver si es cosa con que podrás salir, que como es de más estima la onrra della que la vida tuya, si no pudieses acabarlo dexarías a ella condenada y a ti desonrrado; cata que los onbres obran y la ventura juzga; si a bien salen las cosas son alabadas por buenas, y si a mal, avidas por desvariadas; si libras a Laureola diráse que heziste osadía, y si no, que pensaste locura; pues tienes espacio de aquí a nueve días que se dará la sentencia, prueva todos los otros remedios que muestran esperança, y si en ellos no la hallares, dispongas lo que tienes pensado, que en tal demanda, aunque pierdas la vida la darás a tu fama. Pero en esto hay una cosa que deve ser proveída primero que lo cometas,[4] y es ésta: estemos agora en que ya has forçado la prisión y sacado della a Laureola; si la traes a tu tierra, es condenada de culpa; dondequiera que allá la dexes no la librarás de pena; cata aquí mayor mal que el primero. Paréceme a mí, para sanear esto obrando tú esto otro,[5] que se deve tener tal forma: yo llegaré de tu parte a Galio, hermano de la reina, que en parte desea tanto la libertad de la presa como tú mismo, y le diré lo que tienes acordado, y le suplicaré, porque sea salva del cargo y de la vida, que esté para el día que fueres con alguna gente, para que, si fuere tal tu ventura que la puedas sacar, en sacándola la pongas en su poder a vista de todo el mundo, en testimonio de su bondad y tu linpieza, y que recebida, entretanto que el rey sabe lo uno y provee en lo otro, la ponga en Dala, fortaleza suya donde podrá venir el hecho a buen fin; mas como te tengo dicho, esto se ha de tomar por postrimero partido; lo que antes se conviene negociar es esto: yo iré a la corte y juntaré con el cardenal de Gausa todos los cavalleros y perlados que ahí se hallaren, el qual con voluntad alegre suplicará al rey le otorgue a Laureola

---

[2] *de mi voto*: 'a mi juicio'.
[3] *como gran pesadunbre*: 'como cosa que debe ponderarse'.□□
[4] *que lo cometas*: 'que lo emprendas'.

[5] *sanear*: 'hacer reparación o enmienda de perjuicio seguido a tercero'. Es término legal apropiado para la acción que el *auctor* propone a Leriano.□□

la vida; y si en esto no hallare remedio, suplicaré a la reina que con
todas las onestas y principales mugeres de su casa y cibdad le pida
la libertad de su hija, a cuyas lágrimas y petición no podrá, a mi creer,
negar piedad; y si aquí no hallo esperança, diré a Laureola que le es-
criva certificándole su inocencia; y quando todas estas cosas me fue-
ren contrarias, proferirme he al rey que darás una persona tuya que
haga armas con los tres malvados testigos; y no aprovechando nada
de esto,[6] provarás la fuerça en la que, por ventura, hallarás la piedad que en el rey yo buscava. Pero antes que me parta, me parece
que deves escrevir a Laureola esforçando su miedo con seguridad de
su vida,[7] la qual enteramente le puedes dar, que pues se dispone en
el cielo lo que se obra en la tierra, no puede ser que Dios no reciba
sus lágrimas inocentes y tus peticiones justas.

[25]

El auctor

Solo un punto no salió Leriano de mi parecer, porque le pareció aquél
propio camino para despachar su hecho más sanamente;[1] pero con
todo esso no le asegurava el coraçón, porque temía, segund la saña
del rey, mandaría dar antes del plazo la sentencia, de lo qual no me
maravillava, porque los firmes enamorados lo más dudoso y contrario creen más aína, y lo que más desean tienen por menos cierto.[2]
Concluyendo, él escrivió para Laureola con mucha duda que no querría recebir su carta, las razones de la qual dezían assí:

[26]

Carta de Leriano a Laureola

Antes pusiera las manos en mí para acabar la vida que en el papel
para començar a escrevirte, si de tu prisión uvieran sido causa
mis obras como lo es mi mala fortuna; la qual no pudo serme
tan contraria que no me puso estado de bien morir, segund lo

---

[6] Es decir, en el caso de que no sur-
tan efecto suficiente las propuestas anteriores.
[7] Es decir, tratando de tranquilizar-
la, asegurándole que conseguirá su libertad.

[1] Es evidente la importancia de la
mediación del auctor.°
[2] La opinión del auctor no supone crítica a una posible injusticia del rey sino
que señala el estado enajenado y común,
según subraya, de los enamorados.

que para salvarte tengo acordado; donde si en tal demanda murie-
re, tú serás libre de la prisión y yo de tantas desaventuras, assí
que será una muerte causa de dos libertades. Suplícote no me tengas enemiga por lo que padeces,[1] pues como tengo dicho no tiene la culpa dello lo que yo hize, mas lo que mi dicha quiere.[2]
Puedes bien creer, por grandes que sean tus angustias, que siento
yo mayor tormento en el pensamiento dellas que tú en ellas mismas; pluguiera a Dios que no te uviera conocido, que aunque fuera perdidoso del mayor bien desta vida, que es averte visto, fuera
bienaventurado en no oír ni saber lo que padeces. Tanto he usado
bevir triste, que me consuelo con las mismas tristezas por causa-
llas tú; mas lo que agora siento ni recibe consuelo ni tiene reposo,
porque no dexa el coraçón en ningún sosiego; no acreciente la
pena que sufres la muerte que temes, que mis manos te salvarán
della. Yo he buscado remedios para tenplar la ira del rey; si en
ellos faltare esperança, en mí la puedes tener, que por tu libertad
haré tanto que será mi memoria, en quanto el mundo durare,
en exenplo de fortaleza; y no te parezca gran cosa lo que digo,
que sin lo que tú vales, la injusticia de tu prisión haze justa mi
osadía. ¿Quién podrá resistir mis fuerças, pues tú las pones? ¿Qué
no osará el coraçón enprender estando tú en él? Sólo un mal hay
en tu salvación: que se conpra por poco precio, segund lo que
mereces, aunque por ella pierda la vida; y no solamente esto es
poco, mas lo que se puede desear perder no es nada. Esfuerça
con mi esperança tu flaqueza, porque si te das a los pensamientos
della podría ser que desfallecieses, de donde dos grandes cosas se
podrían recrecer; la primera y más principal sería tu muerte; la
otra, que me quitarías a mí la mayor onrra de todos los onbres,
no podiendo salvarte. Confía en mis palabras; espera en mis pro-
metimientos; no seas como las otras mugeres que de pequeñas
causas reciben grandes temores; si la condición mugeril te causare
miedo, tu discreción te dé fortaleza, la qual de mis seguridades
puedes recebir; y porque lo que haré será prueva de lo que digo,
suplícote que lo creas. No te escrivo tan largo como quisiera por
proveer lo que a tu vida cunple.

---

[1] *enemiga*: 'enemistad'.
[2] *dicha*: 'desdicha'.

[27]

El auctor

En tanto que Leriano escrevía ordené mi camino, y recebida su
carta partíme con la mayor priesa que pude, y llegado a la corte,
trabajé que Laureola la recibiese, y entendí primero en dárgela
que ninguna otra cosa hiziesse, por dalle algún esfuerço; y como
para vella me fuese negada licencia, informado de una cámara donde
dormía, vi una ventana con una rexa no menos fuerte que cerra-
da; y venida la noche, doblada la carta muy sotilmente, púsela
en una lança, y con mucho trabajo echéla dentro en su cámara;
y otro día en la mañana, como desimuladamente por allí me an-
duviese, abierta la ventana, vila, y vi que me vido,[1] comoquiera
que por la espesura de la rexa no la pude bien devisar; finalmente
ella respondió, y venida la noche, quando sintió mis pisadas echó
la carta en el suelo, la qual recebida, sin hablarle palabra por el
peligro que en ello para ella avía, acordé de irme, y sintiéndome
ir dixo: «Cataquí el gualardón que recibo de la piedad que
tuve».[2] Y porque los que la guardavan estavan junto comigo, no
le pude responder. Tanto me lastimó aquella razón que me dixo,
que si fuera buscado, por el rastro de mis lágrimas pudieran ha-
llarme.[3] Lo que respondió a Leriano fue esto:

[28]

Carta de Laureola a Leriano

No sé, Leriano, que te responda, sino que en las otras gentes
se alaba la piedad por virtud y en mí se castiga por vicio; yo
hize lo que devía segund piadosa, y tengo lo que merezco segund
desdichada.[1] No fue por cierto tu fortuna ni tus obras causa de
mi prisión, ni me querello de ti ni de otra persona en esta vida,

---

[1] *vila, y vi que me vido*: el recurso del
políptoton da cuenta de una apreciación
escrupulosa del narrador.°
[2] *cataquí*: 'mira aquí'.
[3] Hipérbole, falacia emotiva con la

que el *auctor* expresa su sentimiento.°

[1] Laureola ha practicado una virtud:
la piedad; pero desde una perspectiva
social ha faltado a su honor.°

sino de mí sola, que por librarte de muerte me cargué de culpa, comoquiera que en esta conpasión que te uve más hay pena que cargo, pues remedié como inocente y pago como culpada; pero todavía me plaze más la prisión sin yerro que la libertad con él; y por esto, aunque pene en sofrilla descanso en no merecella.[2] Yo soy entre las que biven la que menos deviera ser biva; si el rey no me salva, espero la muerte; si tú me delibras, la de ti y de los tuyos; de manera que por una parte o por otra se me ofrece dolor; si no me remedias, he de ser muerta; si me libras y lievas, seré condenada; y por esto te ruego mucho te trabajes en salvar mi fama y no mi vida, pues lo uno se acaba y lo otro dura. Busca, como dizes que hazes, quien amanse la saña del rey, que de la manera que dizes no puedo ser salva sin destruición de mi onrra. Y dexando esto a tu consejo, que sabrás lo mejor, oye el galardón que tengo por el bien que te hize: las prisiones que ponen a los que han hecho muertes me tienen puestas porque la tuya escusé;[3] con gruesas cadenas estoy atada; con ásperos tormentos me lastiman; con grandes guardas me guardan, como si tuviese fuerças para poderme salir; mi sofrimiento es tan delicado y mis penas tan crueles, que sin que mi padre dé la sentencia, tomara la vengança, muriendo en esta dura cárcel. Espantada estó cómo de tan cruel padre nació hija tan piadosa; si le pareciera en la condición no le temiera en la justicia, puesto que injustamente la quiera hazer.[4] A lo que toca a Persio no te respondo porque no ensuzie mi lengua como ha hecho mi fama; verdad es que más querría que de su testimonio se desdixese que no que muriese por él; mas aunque yo digo, tú determina, que segund tu juizio no podrás errar en lo que acordares.

[29]

El auctor

Muy dudoso estuve quando recebí esta carta de Laureola, sobre envialla a Leriano o esperar a levalla yo, y en fin hallé por mejor seso no enbiárgela, por dos inconvenientes que hallé; el uno era porque nuestro secreto se ponía a peligro en fiarla de nadie; el

---

[2] La idea así expresada da a entender que no se movió por amor sino por piedad.

[3] Laureola liberó a Leriano de su prisión alegórica.

[4] *puesto que*: 'aunque'.

otro, porque las lástimas della le pudieran causar tal aceleración
que errara sin tienpo lo que con él acertó,[1] por donde se pudiera todo perder. Pues bolviendo al propósito primero, el día que
llegué a la corte tenté las voluntades de los principales della para
poner en el negocio a los que hallase conformes a mi opinión,
y ninguno hallé de contrario deseo, salvo a los parientes de Persio; y como esto uve sabido, supliqué al cardenal que ya dixe,[2] le
pluguiese hazer suplicación al rey por la vida de Laureola, lo qual
me otorgó con el mismo amor y conpasión que yo ge lo pedía;
y sin más tardança, juntó con él todos los perlados y grandes
señores que allí se hallaron, y puesto en presencia del rey, en su
nonbre y de todos los que ivan con él, hízole una habla en esta
forma:

[30]

El cardenal al rey

No a sinrazón los soberanos príncipes pasados ordenaron consejo
en lo que uviesen de hazer, segund quantos provechos en ello
hallaron, y puesto que fuesen diversos, por seis razones aquella
ley deve ser conservada. La primera, porque mejor aciertan los
honbres en las cosas agenas que en las suyas propias, porque el
coraçón de cuyo es el caso no puede estar sin ira o cobdicia o
afición o deseo o otras cosas semejantes, para determinar como
deve. La segunda, porque platicadas las cosas sienpre quedan en
lo cierto. La tercera, porque si aciertan los que aconsejan, aunque
ellos dan el voto,[1] del aconsejado es la gloria. La quarta, por lo
que se sigue del contrario: que si por ageno seso se cierra el negocio, el que pide el parecer queda sin cargo, y quien ge lo da no
sin culpa. La quinta, porque el buen consejo muchas vezes asegura las cosas dudosas. La sexta, porque no deja tan aína caer la
mala fortuna[2] y sienpre en las adversidades pone esperança. Por
cierto, señor, turbio y ciego consejo puede ninguno dar a sí mis-

---

[1] Es decir, que se precipitase a libe-
rarla sin antes intentar las soluciones
recomendadas.
[2] Esto es, el cardenal de Gausa, tal
y como indicó a Leriano. El *auctor*
muestra aquí su doble caracterización
de personaje y narrador.

[1] 'la opinión, el parecer'.°
[2] *tan aína*: 'tan pronto'.

mo siendo ocupado de saña o pasión, y por esto no nos culpes si en la fuerça de tu ira te venimos a enojar, que más queremos que airado nos reprehendas porque te dimos enojo, que no que arepentido nos condenes porque no te dimos consejo.

Señor, las cosas obradas con deliberación y acuerdo procuran provecho y alabança para quien las haze, y las que con saña se hazen con arepentimiento se piensan; los sabios como tú quando obran, primero delibran que disponen, y sonles presentes todas las cosas que pueden venir, assí de lo que esperan provecho como de lo que temen revés. Y si de qualquiera pasión enpedidos se hallan, no sentencian en nada fasta verse libres; y aunque los hechos se dilaten hanlo por bien, porque en semejantes casos la priesa es dañosa y la tardança segura; y como han sabor de hazer lo justo, piensan todas las cosas, y antes que las hagan, siguiendo la razón, establécenles secución honesta;[3] propriedad es de los discretos provar los consejos y por ligera creencia no disponer, y en lo que parece dubdoso tener la sentencia en peso; porque no es todo verdad lo que tiene semejança de verdad. El pensamiento del sabio, agora acuerde, agora mande, agora ordene, nunca se parta de lo que puede acaecer; y sienpre como zeloso de su fama se guarda de error; y por no caer en él tiene memoria en lo pasado, por tomar lo mejor dello y ordenar lo presente con tenplança y contenplar lo porvenir con cordura por tener aviso de todo.

Señor, todo esto te avemos dicho porque te acuerdes de tu prudencia y ordenes en lo que agora estás no segund sañudo, mas segund sabidor; assí, buelve en tu reposo; que fuerce lo natural de tu seso al accidente de tu ira.[4] Avemos sabido que quieres condenar a muerte a Laureola; si la bondad no merece ser justiciada, en verdad tú eres injusto juez; no quieras turbar tu gloriosa fama con tal juizio, que puesto que en él uviese derecho,[5] antes serías, si lo dieses, infamado por padre cruel que alabado por rey justiciero. Diste crédito a tres malos onbres; por cierto tanta razón avía para pesquisar su vida como para creer su testimonio;[6] cata que son en tu corte mal infamados; confórmanse con toda maldad; sienpre se alaban de las razones que dizen en los engaños

---

[3] *secución honesta*: 'ejecución honesta'. En estos consejos del cardenal se hallan nociones senequistas sobre la actitud que conviene adoptar en casos de extrema gravedad.°

[4] La moderación que el cardenal aconseja se hace necesaria porque la ira es afecto desordenado.°

[5] *puesto que*: 'aunque'.

[6] *pesquisar*: 'averiguar'.

que hazen. Pues ¿por qué das más fe a la información dellos que al juizio de Dios, el qual en las armas de Persio y Leriano se mostró claramente?[7] No seas verdugo de tu misma sangre, que serás entre los honbres muy afeado; no culpes la inocencia por consejo de la saña; y si te pareciere que por las razones dichas Laureola no deve ser salva, por lo que deves a tu virtud, por lo que te obliga tu realeza, por los servicios que te avemos hecho,[8] te suplicamos nos hagas merced de su vida; y porque menos palabras de las dichas bastavan segund tu clemencia para hazello, no te queremos dezir sino que pienses quánto es mejor que perezca tu ira que tu fama.

[31]
Respuesta del rey

Por bien aconsejado me tuviera de vosotros, si no tuviese sabido ser tan devido vengar las desonrras como perdonar las culpas; no era menester dezirme las razones por que los poderosos deven recebir consejo, porque aquellas y otras que dexastes de dezir tengo yo conocidas; mas bien sabéis quando el coraçón está enbargado de pasión que están cerrados los oídos al consejo, y en tal tienpo, las frutuosas palabras en lugar de amansar acrecientan la saña,[1] porque reverdecen en la memoria la causa della; pero digo que estuviese libre de tal enpedimento, yo creería que dispongo y ordeno sabiamente la muerte de Laureola, lo qual quiero mostraros por causas justas, determinadas segund onrra y justicia.

Si el yerro de esta muger quedase sin pena, no sería menos culpante que Leriano en mi desonrra. Publicado que tal cosa perdoné, sería de los comarcanos despreciado[2] y de los naturales desobedecido, y de todos mal estimado; y podría ser acusado que supe mal conservar la generosidad de mis antecesores; y a tanto se estendería esta culpa si castigada no fuese, que podrié amanzillar la fama de los pasados y la onrra de los presentes y la sangre

[7] Para el rey no puede por menos que resultar duro que ante toda la corte el cardenal ponga de manifiesto no sólo su imprudencia y credulidad, sino también su rechazo de la justicia divina.°

[8] *por lo que deves... por lo que te obliga... por los servicios*: fórmula de *petitio* dispuesta anafóricamente.

[1] *frutuosas palabras*: 'provechosas palabras, buenos consejos'.°
[2] *comarcanos*: 'habitantes de los países vecinos'.

de los por venir; que sola una mácula en el linage cunde toda la generación.[3] Perdonando a Laureola sería causa de otras mayores maldades que en esfuerço de mi perdón se harían;[4] pues más quiero poner miedo por cruel que dar atrevimiento por piadoso, y seré estimado como conviene que los reyes lo sean.[5] Según justicia, mirad quántas razones hay para que sea sentenciada. Bien sabéis que establecen nuestras leyes que la muger que fuere acusada de tal pecado muera por ello;[6] pues ya veis quánto más me conviene ser llamado rey justo que perdonador culpado, que lo sería muy conocido si en lugar de guardar la ley la quebrase, pues a sí mismo se condena quien al que yerra perdona. Igualmente se deve guardar el derecho, y el coraçón del juez no se ha de mover por favor ni amor ni cobdicia, ni por ningún otro accidente; siendo derecha, la justicia es alabada, y si es favorable, aborrecida. Nunca se deve torcer, pues de tantos bienes es causa: pone miedo a los malos; sostiene los buenos; pacifica las diferencias; ataja las questiones; escusa las contiendas; abiene los debates; asegura los caminos; onra los pueblos; favorece los pequeños; enfrena los mayores; es para el bien común en gran manera muy provechosa.[7] Pues para conservar tal bien, porque las leyes se sostengan, justo es que en mis proprias cosas la use. Si tanto la salud de Laureola queréis y tanto su bondad alabáis, dad un testigo de su inocencia como hay tres de su cargo, y será perdonada con razón y alabada con verdad. Dezís que deviera dar tanta fe al juizio de Dios como al testimonio de los onbres; no os maravilléis de assí no hazello, que veo el testimonio cierto y el juizio no acabado; que puesto que Leriano levase lo mejor de la batalla,[8] podemos juzgar el medio y no saber el fin. No respondo a todos los apuntamientos de vuestra habla[9] por no hazer largo proceso y en el fin enbiaros sin esperança; mucho quisiera aceutar vuestro ruego por vuestro merecimiento; si no lo hago, aveldo por bien, que no menos devéis desear la onrra del padre que la salvación de la hija.

---

[3] *mácula*: 'mancha'.

[4] Es decir, 'mi perdón daría osadía a los malvados'.

[5] El rey hace suyos axiomas senequistas.°

[6] Conviene observar que el castigo del adulterio sólo recae en la mujer.°

[7] La alabanza a la justicia se encarece por medio de la *congeries*.°

[8] *puesto que*: 'aunque'.

[9] *apuntamientos*: 'advertencias'. En lo forense es resumen y extracto. Acaso aquí es alusión a las seis razones expuestas de antemano en el habla del cardenal.

[32]

El auctor

La desesperança del responder del rey fue para los que la oían causa de grave tristeza; y como yo, triste, viese que aquel remedio me era contrario,[1] busqué el que creía que me era muy provechoso, que era suplicar a la reina le suplicase al rey por la salvación de Laureola; y yendo a ella con este acuerdo, como aquella que tanto participava en el dolor de la hija, topéla en una sala, que venía a hazer lo que yo quería dezille,[2] aconpañada de muchas generosas dueñas y damas cuya auctoridad bastava para alcançar qualquiera cosa por injusta y grave que fuera, quanto más aquella, que no con menos razón el rey deviera hazella que la reina pedilla; la qual, puestas las rodillas en el suelo, le dixo palabras assí sabias para culpalle como piadosas para amansallo. Dezíale la moderación que conviene a los reyes; reprehendíale la perseverança de su ira; acordávale que era padre; hablávale razones tan discretas para notar como lastimadas para sentir; suplicávale que si tan cruel juizio dispusiese, se quisiese satisfazer con matar a ella, que tenía los más días pasados, y dexase a Laureola, tan dina de la vida; provávale que la muerte de la salva matarié la fama del juez[3] y el bevir de la juzgada y los bienes de la que suplicava;[4] mas tan endurecido estava el rey en su propósito, que no pudieron para con él las razones que dixo ni las lágrimas que derramó; y assí se bolvió a su cámara con poca fuerça para llorar y menos para bevir. Pues viendo que menos la reina hallava gracia en el rey, llegué a él como desesperado sin temer su saña, y díxele, porque su sentencia diese con justicia clara,[5] que Leriano daría una persona que hiziese armas con los tres falsos testigos, o que él por sí lo haría, aunque abaxase su merecer, porque mostrase Dios lo que justamente deviese obrar.[6] Respondióme que me dexase de enbaxadas de Leriano, que en oír su nonbre le crecía la pasión. Pues

---

[1] Se refiere el *auctor* al fracaso de la gestión del cardenal, el cual intervino en el conflicto a instancias del propio *auctor*.°
[2] Es decir, la reina se adelanta a solicitar clemencia del rey.
[3] *salva*: 'inocente'.°
[4] La súplica se organiza de modo adecuado a los deberes de justicia del monarca y padre.°
[5] *porque... diese*: 'para que... diese'.
[6] El proceder de Leriano siempre conduce a un debate por armas, no a buscar pruebas contrarias a las de los falsos testigos.

bolviendo a la reina, como supo que en la vida de Laureola no avía remedio, fuése a la prisión donde estava y besándola diversas vezes dezíale tales palabras:

[33]

La reina a Laureola

¡O bondad acusada con malicia! ¡O virtud sentenciada con saña! ¡O hija nacida para dolor de su madre![1] Tú serás muerta sin justicia y de mí llorada con razón; más poder ha tenido tu ventura para condenarte[2] que tu inocencia para hazerte salva; beviré en soledad de ti y en conpañía de los dolores que en tu lugar me dexas, los quales, de conpasión, viéndome quedar sola, por aconpañadores me diste; tu fin acabará dos vidas, la tuya sin causa y la mía por derecho, y lo que beviere después de ti me será mayor muerte que la que tú recibirás, porque muy más atormenta desealla que padecella. Pluguiera a Dios que fueras llamada hija de la madre que murió y no de la que te vido morir; de las gentes serás llorada en quanto el mundo durare; todos los que de ti tenían noticia avían por pequeña cosa este reino que aviés de heredar, segund lo que merecías; podiste caber en la ira de tu padre, y dizen los que te conoscen que no cupiera en toda la tierra tu merecer. Los ciegos deseavan vista por verte, y los mudos habla por alabarte, y los pobres riqueza por servirte. A todos eras agradable y a Persio fuiste odiosa; si algund tienpo bivo, él recebirá de sus obras galardón justo; y aunque no me queden fuerças para otra cosa sino para desear morir, para vengarme dél, tomallas he prestadas de la enemistad que le tengo,[3] puesto que esto no me satisfaga,[4] porque no podrá sanar el dolor de la manzilla la secución de la vengança.[5] ¡O hija mía!, ¿por qué, si la onestad es prueva de la virtud, no dio el rey más crédito a tu presencia que al testimonio? En la habla, en las obras, en los pensamientos, sienpre mostraste coraçón virtuoso; pues ¿por qué consiente Dios que mueras? No hallo por cierto otra causa sino que puede más

---

[1] El motivo del lamento materno tiene su equivalente al final de la obra en el planto de la madre de Leriano.°

[2] *ventura*: 'desventura'.

[3] *tomallas he*: 'las tomaré'.□

[4] *puesto que*: 'aunque'.

[5] *la secución de la vengança*: 'la ejecución de la venganza'.

la muchedunbre de mis pecados que el merecimiento de tu juste-
dad, y quiso que mis errores conprehendiesen tu innocencia.[6]
Pon, hija mía, el coraçón en el cielo; no te duela dexar lo que
se acaba por lo que permanece; quiere el Señor que padezcas como
mártir porque gozes como bienaventurada. De mí no leves deseo,
que si fuera dina de ir do fueres, sin tardança te sacare de él.[7]
¡Qué lástima tan cruel para mí que suplicaron tantos al rey por
tu vida y no pudieron todos defendella, y podrá un cuchillo acaballa, el qual dexará el padre culpado y la madre con dolor y la
hija sin salud y el reino sin eredera!

Deténgome tanto contigo, luz mía, y dígote palabras tan lastimeras que te quiebren el coraçón, porque deseo que mueras en
mi poder de dolor, por no verte morir en el del verdugo por
justicia, el qual, aunque derrame tu sangre, no terná tan crueles
las manos como el rey la condición; pero pues no se cunple mi
deseo, antes que me vaya recibe los postrimeros besos de mí, tu
piadosa madre; y assí me despido de tu vista y de tu vida y de
más querer la mía.

[34]

El auctor

Como la reina acabó su habla, no quiso esperar la respuesta de
la innocente por no recebir doblada manzilla;[1] y assí ella y las
señoras de quien fue aconpañada se despidieron della con el mayor
llanto de todos los que en el mundo son hechos; y después que
fue ida, enbié a Laureola un mensajero suplicándole escriviese al
rey, creyendo que avría más fuerça en sus piadosas palabras que
en las peticiones de quien avía trabajado su libertad; lo qual luego
puso en obra con mayor turbación que esperança.[2] La carta dezía en esta manera:

---

[6] Es decir, Laureola es fatalmente
víctima de las culpas de su madre.○
[7] Puesto que la madre, por su sufrimiento, está tan cercana a la muerte, la reunión de ambas libraría a la
hija del deseo de ver a la madre.□○

[1] *doblada manzilla*: 'doble lástima'.
[2] El esmero con que el *auctor* procede a gestionar la clemencia del rey
refuerza la sospecha de que se quiere
subrayar la injusta conducta de
éste.○

[35]

Carta de Laureola al rey

Padre: he sabido que me sentencias a muerte y que se cunple de aquí a tres días el término de mi vida, por donde conozco que no menos deven temer los inocentes la ventura que los culpados la ley, pues me tiene mi fortuna en el estrecho que me podiera tener la culpa que no tengo, lo qual conocerías si la saña te dexase ver la verdad. Bien sabes la virtud que las corónicas pasadas publican de los reyes y reinas donde yo procedo; pues ¿por qué, nacida yo de tal sangre, creíste más la información falsa que la bondad natural?[1] Si te plaze matarme por voluntad, óbralo, que por justicia no tienes por qué; la muerte que tú me dieres, aunque por causa de temor la rehúse, por razón de obedecer la consiento, aviendo por mejor morir en tu obediencia que bevir en tu desamor; pero todavía te suplico que primero acuerdes que determines,[2] porque como Dios es verdad, nunca hize cosa por que mereciese pena; mas digo, señor, que la hiziera, tan convenible te es la piedad de padre como el rigor de justo; sin dubda yo deseo tanto mi vida por lo que a ti toca como por lo que a mí cunple, que al cabo so hija. Cata, señor, que quien crueza haze su peligro busca; más seguro de caer estarás siendo amado por clemencia que temido por crueldad;[3] quien quiere ser temido, forçado es que tema; los reyes crueles de todos los honbres son desamados, y estos, a las vezes, buscando cómo se venguen hallan cómo se pierdan: los súbditos de los tales más desean la rebuelta del tienpo que la conservación de su estado; los salvos temen su condición y los malos su justicia; sus mismos familiares les tratan y buscan la muerte, usando con ellos lo que dellos aprendieron. Dígote, señor, todo esto porque deseo que se sostente tu onrra y tu vida; mal esperança ternán los tuyos en ti viéndote cruel contra mí; temiendo otro tanto les darás en exenplo de cualquier osadía, que quien no está seguro nunca asegura.[4] ¡O quánto están libres de

---

[1] Laureola reclama el reconocimiento de una virtud innata que es transmitida por linaje.○

[2] *acuerdes*: 'que tomes consejo y concuerdes los dictámenes'.

[3] *más seguro de caer*: 'más protegido de una caída'.○

[4] Son nociones de clara raigambre senequista las que sostienen la argumentación.○

semejantes ocasiones los príncipes en cuyo coraçón está la clemencia! Si por ellos conviene que mueran sus naturales, con voluntad se ponen por su salvación al peligro; vélanlos de noche, guárdanlos de día; más esperança tienen los beninos y piadosos reyes en el amor de las gentes que en la fuerça de los muros de sus fortalezas; quando salen a las plaças, el que más tarde los bendize y alaba, más tenprano piensa que yerra. Pues mira, señor, el daño que la crueldad causa y el provecho que la mansedunbre procura; y si todavía te pareciere mejor seguir antes la opinión de tu saña quel consejo propio, malaventurada sea hija que nació para poner en condición la vida de su padre,[5] que por el escándalo que pornás con tan cruel obra nadie se fiará de ti ni tú de nadie te deves fiar,[6] porque con tu muerte no procure alguno su seguridad; y lo que más siento sobre todo es que darás contra mí la sentencia y harás de tu memoria la justicia, la qual será sienpre acordada más por la causa della que por ella misma;[7] mi sangre ocupará poco lugar, y tu crueza toda la tierra; tú serás llamado padre cruel y yo seré dicha hija innocente, que pues Dios es justo, él aclarará mi verdad; assí quedaré libre de culpa quando haya recebido la pena.

[36]

El auctor

Después que Laureola acabó de escrevir, enbió la carta al rey con uno de aquellos que la guardavan; y tan amada era de aquél y todos los otros guardadores, que le dieran libertad si fueran tan obligados a ser piadosos como leales. Pues como el rey recibió la carta, después de avella leído, mandó muy enojadamente que al levador della le tirasen delante;[1] lo qual yo viendo, comencé de nuevo a maldezir mi ventura, y puesto que mi tormento fuese grande, ocupava el coraçón de dolor mas no la memoria de olvido para lo que hazer convenía; y a la hora, porque avía más espacio para la pena que para el remedio, hablé con Galio, tío de Laureo-

[5] en condición: 'en pleito'.
[6] Es un lugar común de la doctrina senequista.°
[7] Parece una acusación directa de Laureola a la injusticia del rey.

[1] le tirasen delante: 'le quitasen de delante'.

la, como es contado,[2] y díxele como Leriano quería sacalla por
fuerça de la prisión, para lo qual le suplicava mandase juntar alguna gente para que, sacada de la cárcel, la tomase en su poder y
la pusiese en salvo, porque si él consigo la levase[3] podría dar lugar al testimonio de los malos onbres y a la acusación de Persio;
y como no le fuese menos cara que a la reina la muerte de Laureola, respondióme que aceutava lo que dezía; y como su voluntad
y mi deseo fueron conformes, dio priesa en mi partida, porque
antes que el hecho se supiese se despachase, la qual puse luego
en obra, y llegado donde Leriano estava, dile cuenta de lo que
hize y de lo poco que acabé; y hecha mi habla, dile la carta de
Laureola,[4] y con la conpasión de las palabras della y con pensamiento de lo que esperava hazer, traía tantas rebueltas en el
coraçón[5] que no sabía qué responderme; llorava de lástima; no
sosegava de sañudo; desconfiava segund su fortuna; esperava segund su justicia; quando pensava que sacarié a Laureola alegráva-
se; quando dubdava si lo podrié hazer enmudecía; finalmente, dexadas las dubdas, sabida la respuesta que Galio me dio, començó
a proveer lo que para el negocio conplía; y como honbre proveí-
do, en tanto que yo estava en la corte juntó quinientos honbres
de armas suyos sin que pariente ni persona del mundo lo supiese;
lo qual acordó con discreta consideración,[6] porque si con sus deu-
dos lo comunicara, unos por no deservir al rey dixieran que era
mal hecho, y otros, por asegurar su hazienda, que lo devía dexar,
y otros por ser el caso peligroso, que no lo devía enprender, assí
que por estos inconvenientes y porque allí pudiera saberse el hecho, quiso con sus gentes solas acometello; y no quedando sino
un día para sentenciar a Laureola, la noche antes juntó sus cavalleros y díxoles quánto eran más obligados los buenos a temer la
vergüença que el peligro; allí les acordó cómo por las obras que
hizieron aún bivía la fama de los pasados; rogóles que por cobdicia de la gloria de buenos no curasen de la de bivos; tráxoles a
la memoria el premio de bien morir, y mostróles quánto era locu-

[2] Es referencia a los consejos que el *auctor* dio a Leriano, recurriendo al hermano de la reina como 'postrimero partido'. Véase el capítulo 24.

[3] Es decir, si la llevase Leriano.

[4] Es decir, la carta que la princesa había escrito a Leriano desde la prisión

y que el *auctor* había decidido entonces no entregar. Véase el capítulo 29.

[5] *rebueltas*: 'turbaciones'.

[6] *acordó*: 'determinó'. En esta ocasión Leriano no toma consejo de nadie, ni siquiera del propio *auctor*, puesto que ya ha reclutado su gente.

ra temello no podiendo escusallo; prometióles muchas merzedes, y después que les hizo un largo razonamiento díxoles para qué los avía llamado, los quales a una boz juntos se profirieron a morir con él.[7]

Pues conociendo Leriano la lealtad de los suyos, túvose por bien aconpañado y dispuso su partida en anocheciendo, y llegado a un valle cerca de la ciudad, estuvo allí en celada toda la noche, donde dio forma en lo que avía de hazer. Mandó a un capitán suyo con cient onbres darmas que fuese a la posada de Persio y que matase a él y a quantos en defensa se le pusiesen. Ordenó que otros dos capitanes estuviesen con cada cincuenta cavalleros a pie en dos calles principales que salían a la prisión, a los quales mandó que tuviesen el rostro contra la cibdad, y que a quantos viniesen defendiesen la entrada de la cárcel, entretanto que él con los trezientos que le quedavan trabajava por sacar a Laureola; y al que dio cargo de matar a Persio, díxole que en despachando se fuese a ayuntar con él; y creyendo que a la buelta, si acabase el hecho, avía de salir peleando, porque al salir en los cavallos no recibiese daño, mandó aquel mismo caudillo[8] que él y los que con él fuesen se adelantasen a la celada a cavalgar,[9] para que hiziesen rostro a los enemigos en tanto que él y los otros tomavan los cavallos, con los quales dexó cincuenta honbres de pie para que los guardasen.

Y como, acordado todo esto, començase amanecer, en abriendo las puertas movió con su gente, y entrados todos dentro en la cibdad, cada uno tuvo a su cargo lo que avía de hazer; el capitán que fue a Persio, dando la muerte a quantos topava no paró hasta él, que se começava a armar,[10] donde muy cruelmente sus maldades y su vida acabaron; Leriano, que fue a la prisión, acrecentando con la saña la virtud del esfuerço, tan duramente peleó con las guardas, que no podía pasar adelante sino por encima de los muertos que él y los suyos derribavan, y como en los peligros más la bondad se acrecienta por fuerça de armas, llegó hasta donde estava Laureola, a la qual sacó con tanto acatamiento y cerimo-

---

[7] El narrador ofrece las partes fundamentales de la arenga, el discurso con el que se debe animar a los hombres al combate.

[8] *caudillo*: 'el que rige y manda gente de guerra'.°

[9] Es decir, que sorprendiesen a los enemigos, tomándoles desprevenidos, con el fin de cubrir la retirada de Leriano.

[10] Persio muere sin llegar a combatir.

nia como en tienpo seguro lo pudiera hazer, y puesta la rodilla en
el suelo, besóle las manos como a hija de su rey. Estava ella con
la turbación presente tan sin fuerça, que apenas podía moverse; des-
mayávale el coraçón, fallecíale la color, ninguna parte de biva tenía; pues como Leriano la sacava de la dichosa cárcel que tanto bien
mereció guardar,[11] halló a Galio con una batalla de gente que la
estava esperando y en presencia de todos ge la entregó, y comoquiera que sus cavalleros peleavan con los que al rebato venían,[12]
púsola en una hacanea que Galio tenía adereçada,[13] y después de besalle las manos otra vez fue a ayudar y favorecer su gente bolviendo sienpre a ella los ojos hasta que de vista la perdió, la qual sin
ningún contraste levó su tío a Dala,[14] la fortaleza dicha.

Pues tornando a Leriano, como ya ell alboroto llegó a oídos
del rey, pidió las armas[15] y tocadas las trompetas y atabales[16] ar-
móse toda la gente cortesana y de la cibdad; y como el tienpo
le ponía necesidad para que Leriano saliese al canpo, començólo
a hazer, esforçando los suyos con animosas palabras, quedando
sienpre en la reçaga,[17] sufriendo la multitud de los enemigos con
mucha firmeza de coraçón; y por guardar la manera honesta que
requiere el retraer,[18] iva ordenado con menos priesa que el caso
pedía,[19] y assí, perdiendo algunos de los suyos y matando a muchos de los contrarios, llegó a donde dexó los cavallos, y guarda-
da la orden que para aquello avié dado, sin recebir revés ni peligro
cavalgaron él y todos sus cavalleros, lo que por ventura no hiziera
si antes no proveyera el remedio.[20] Puestos todos, como es dicho, a caballo, tomó delante los peones y siguió la vía de Susa,
donde avié partido; y como se le acercavan tres batallas del rey,[21]

---

[11] Con la hipálage (dichosa cárcel) el
auctor parece acentuar el afecto de Leriano hacia Laureola.

[12] 'los que llegaban al ruido del asalto'.

[13] hacanea: 'jaca'.

[14] sin ningún contraste: 'sin ninguna
oposición'.

[15] Aunque el narrador parece volver
a la perspectiva de Leriano, el sujeto
de la acción de pedir las armas es el rey.

[16] atabales: 'instrumentos de percu-
sión utilizados por la caballería'. El ata-
bal es una caja de metal en forma de

media esfera; el sonido se produce sobre una cubierta de pergamino. Fue introducido en nuestra península por el
ejército musulmán.

[17] reçaga: 'retaguardia'.

[18] el retraer: 'el retirarse, el huir'.

[19] Se expresa así el decoro con el
que Leriano se pone en retirada. □

[20] La estrategia ha surtido efecto. Se
encarece así el buen juicio además del
valor de Leriano.

[21] batallas: 'tropas guerreras organizadas'.

salido de paso, apresuró algo ell andar con tal concierto y orden
que ganava tanta onrra en el retraer como en el pelear; iva sienpre
en los postreros haziendo algunas bueltas quando el tienpo las
pedía, por entretener los contrarios para levar su batalla más sin
congoxa; en el fin, no aviendo sino dos leguas, como es dicho,
hasta Susa, pudo llegar sin que ningún suyo perdiese, cosa de gran
maravilla, porque con cinco mill honbres de armas venía ya el
rey enbuelto con él; el qual, muy encendido de coraje, puso a
la hora cerco sobre el lugar con propósito de no levantarse de
allí hasta que de él tomase vengança; y viendo Leriano que el
rey asentava real, repartió su gente por estancias segund sabio guerrero.[22] Donde estava el muro más flaco, ponía los más rezios
cavalleros; donde avía aparejo para dar en el real,[23] ponía los más
sueltos; donde veía más dispusición para entralle por traición o
engaño, ponía los más fieles; en todo proveía como sabidor y en
todo osava como varón.

El rey, como aquel que pensava levar el hecho a fin, mandó
fortalecer el real y proveó en las provisiones; y ordenadas todas
las cosas que a la hueste cunplía, mandó llegar las estancias cerca
de la cerca de la villa,[24] las quales guarneció de muy bona gente; y pareciéndole, segund le acuciava la saña, gran tardança esperar a tomar a Leriano por hanbre, puesto que la villa fuese muy
fuerte, acordó de conbatilla, lo qual provó con tan bravo coraçón
que uvo el cercado bien menester el esfuerço y la diligencia;[25] andava sobresaliente con cient cavalleros que para aquello tenía diputados;[26] donde veía flaqueza esforçava; donde veía coraçón alabava; donde veía mal recaudo proveía;[27] concluyendo, porque me
alargo, el rey mandó apartar el conbate con pérdida de mucha
parte de sus cavalleros, en especial de los mancebos cortesanos,
que sienpre buscan el peligro por gloria. Leriano fue herido en
el rostro, y no menos perdió muchos onbres principales. Pasado
assí este conbate, diole el rey otros cinco en espacio de tres meses,
de manera que le fallecían ya las dos partes de su gente, de cuya

[22] *estancias*: 'campamentos'. Pero en
este caso se trata de los grupos de hombres dispuestos estratégicamente.
[23] *real*: 'lugar donde está acampado
el ejército'.
[24] *cerca de la cerca de la villa*: uno de
los escasos ejemplos de *traductio*.

[25] Se entiende que el que demuestra *bravo coraçón* es Leriano.
[26] *diputados*: 'destinados'.
[27] *donde... donde... donde...*: Otra vez
una construcción anafórica para encarecer las dotes de organización del caudillo.

razón hallava dudoso su hecho, comoquiera que en el rostro ni palabras ni obras nadie ge lo conosciese,[28] porque en el coraçón del caudillo se esfuerçan los acaudillados; finalmente, como supo que otra vez ordenavan de le conbatir, por poner coraçón a los que le quedavan, hízoles una habla en esta forma:

[37]

Leriano a sus cavalleros

Por cierto, cavalleros, si como sois pocos en número no fuésedes muchos en fortaleza, yo ternía alguna duda en nuestro hecho, según nuestra mala fortuna; pero como sea más estimada la virtud que la muchedunbre, vista la vuestra, antes temo necesidad de ventura que de cavalleros, y con esta consideración en solos vosotros tengo esperança; pues es puesta en nuestras manos nuestra salud, tanto por sustentación de vida como por gloria de fama nos conviene pelear; agora se nos ofrece causa para dexar la bondad que eredamos a los que nos han de eredar, que malaventurados seríamos si por flaqueza en nosotros se acabasse la eredad; assí pelead que libréis de vergüença vuestra sangre y mi nonbre; hoy se acaba o se confirma nuestra honrra; sepámosnos defender y no avergonçar, que muy mayores son los galardones de las vitorias que las ocasiones de los peligros; esta vida penosa en que bevimos no sé por qué se deva mucho querer, que es breve en los días y larga en los trabajos, la qual ni por temor se acrecienta ni por osar se acorta, pues quando nascemos se limita su tienpo, por donde es escusado el miedo y devida la osadía. No nos pudo nuestra fortuna poner en mejor estado que en esperança de onrrada muerte o gloriosa fama; cudicia de alabança, avaricia de onrra, acaban otros hechos mayores que el nuestro; no temamos las grandes conpañas llegadas al real, que en las afrentas los menos pelean; a los sinples espanta la multitud de los muchos, y a los sabios esfuerça la virtud de los pocos. Grandes aparejos tenemos para osar; la bondad nos obliga, la justicia nos esfuerça, la necesidad nos apremia; no hay cosa por que devamos temer y hay mill para que devamos morir. Todas las razones, cavalleros leales, que os he dicho, eran escusadas para creceros fortaleza, pues con ella na-

[28] *comoquiera que*: 'aunque'.

cistes, mas quíselas hablar porque en todo tienpo el coraçón se deve ocupar en nobleza; en el hecho con las manos; en la soledad con los pensamientos; en conpañía con las palabras, como agora hazemos; y no menos porque recibo igual gloria con la voluntad amorosa que mostráis como con los hechos fuertes que hazéis; y porque me parece, segund se adereça el conbate, que somos costreñidos a dexar con las obras las hablas, cada uno se vaya a su estancia.

[38]

El auctor

Con tanta constancia de ánimo fue Leriano respondido de sus cavalleros, que se llamó dichoso por hallarse dino dellos; y porque estava ya ordenado el conbate fuése cada uno a defender la parte que le cabía; y poco después que fueron llegados, tocaron en el real los atavales y tronpetas y en pequeño espacio estavan juntos al muro cincuenta mill honbres, los quales con mucho vigor começaron el hecho, donde Leriano tuvo lugar de mostrar su virtud, y segund los de dentro defendían creía el rey que ninguno dellos faltava. Duró el conbate desde mediodía hasta la noche que los despartió;[1] fueron heridos y muertos tres mill de los del real y tantos de los de Leriano, que de todos los suyos no le avían quedado sino ciento y cincuenta, y en su rostro, segund esforçado, no mostrava haber perdido ninguno, y en su sentimiento, segund amoroso, parecía que todos le avían salido del ánima; estuvo toda aquella noche enterrando los muertos y loando los bivos, no dando menos gloria a los que enterrava que a los que veía; y otro día, en amaneciendo, al tienpo que se remudan las guardas, acordó que cincuenta de los suyos diesen en una estancia que un pariente de Persio tenía cercana al muro, porque no pensase el rey que le faltava coraçón ni gente; lo qual se hizo con tan firme osadía, que quemada la estancia mataron muchos de los defendedores della, y como ya Dios tuviese por bien que la verdad de aquella pendencia se mostrase, fue preso en aquella buelta uno de los damnados[2] que condenaron a Laureola; y puesto en

---

[1] *que los despartió*: 'que los separó'.
[2] *damnados*: 'condenados'. Es expresión peyorativa por parte del *auctor*.

poder de Leriano, mandó que todas las maneras de tormento fuesen obradas en él hasta que dixese por qué levantó el testimonio; el qual sin premia ninguna confesó todo el hecho como pasó;[3] y después que Leriano de la verdad se informó, enbióle al rey suplicándole que salvase a Laureola de culpa y que mandase justiciar aquél y a los otros que de tanto mal avién sido causa; lo qual el rey, sabido lo cierto, aceutó con alegre voluntad por la justa razón que para ello le requería;[4] y por no detenerme en las prolixidades que en este caso pasaron, de los tres falsos honbres se hizo tal la justicia como fue la maldad.

El cerco fue luego alçado, y el rey tuvo a su hija por libre y a Leriano por desculpado, y llegado a Suria, enbió por Laureola a todos los grandes de su corte, la qual vino con igual onrra de su merecimiento; fue recebida del rey y la reina con tanto amor y lágrimas de gozo como se derramaran de dolor; el rey se desculpava; la reina la besava; todos la servían, y assí se entregavan con alegría presente de la pena pasada. A Leriano mandóle el rey que non entrase por estonces en la corte hasta que pacificase a él y a los parientes de Persio, lo que recibió a graveza[5] porque no podría ver a Laureola, y no podiendo hazer otra cosa, sintiólo en estraña manera; y viéndose apartado della, dexadas las obras de guerra, bolvióse a las congoxas enamoradas;[6] y deseoso de saber en lo que Laureola estava, rogóme que le fuese a suplicar que diese alguna forma onesta para que la pudiese ver y hablar; que tanto deseava Leriano guardar su onestad, que nunca pensó hablalla en parte donde sospecha en ella se pudiese tomar, de cuya razón él era merecedor de sus mercedes.[7]

Yo, que con plazer aceutava sus mandamientos, partíme para Suria, y llegado allá, después de besar las manos a Laureola supliquéle lo que me dixo, a lo qual me respondió que en ninguna manera lo haría, por muchas causas que me dio para ello; pero no contento con dezírgelo aquella vez, todas las que la veía ge lo suplicava; concluyendo, respondióme al cabo que si más en aquello

---

[3] *sin premia ninguna*: 'sin violencia ninguna'. Esto es, antes de ser torturado ya confiesa, lo que prueba su cobardía.
[4] Porque la verdad que el rey solicitaba se pone de manifiesto por el testimonio del prisionero.

[5] 'como una forma de castigo'.
[6] Al dejar de luchar por el honor y la justicia, Leriano vuelve al estado del enfermo apasionado.
[7] Este juicio del *auctor* resalta la honestidad y cortesía de Leriano.

le hablava que causaría que se desmesurase contra mí. Pues visto
su enojo y responder, fui a Leriano con grave tristeza, y quando
le dixe que de nuevo se començavan sus desaventuras, sin duda
estuvo en condición de desesperar; lo qual yo viendo, por entretenelle díxele que escriviese a Laureola acordándole lo que hizo por
ella y estrañándole su mudança en la merced que en escriville le
començó a hazer. Respondióme que avía acordado bien, mas que
no tenía que acordalle lo que avía hecho por ella, pues no era
nada segund lo que merecía, y tanbién porque era de onbres baxos repetir lo hecho; y no menos me dixo que ninguna memoria
le haría del galardón recebido, porque se defiende en ley enamorada escrevir qué satisfación se recibe,[8] por el peligro que se puede recrecer si la carta es vista; así que sin tocar en esto escrivió
a Laureola las siguientes razones:

[39]
Carta de Leriano a Laureola

Laureola: segund tu virtuosa piedad, pues sabes mi pasión, no
puedo creer que sin alguna causa la consientas, pues no te pido
cosa a tu onrra fea ni a ti grave; si quieres mi mal ¿por qué lo
dudas?; a sinrazón muero, sabiendo tú que la pena grande assí
ocupa el coraçón, que se puede sentir y no mostrar; si lo has
por bien pensado que me satisfazes con la pasión que me das,
porque dándola tú es el mayor bien que puedo esperar, justamente lo harías si la dieses a fin de galardón;[1] pero ¡desdichado yo!
que la causa tu hermósura y no haze la merced tu voluntad; si
lo consientes juzgándome desagradecido porque no me contento
con el bien que me heziste en darme cuenta de tan ufano pensamiento, no me culpes, que aunque la voluntad se satisfaze, el sentimiento se querella; si te plaze porque nunca te hize servicio,
no pude sobir los servicios a la alteza de lo que mereces.[2] Quando todas estas cosas y otras muchas pienso, hállome que dexas
de hazer lo que te suplico porque me puse en cosa que no pude
merecer; lo qual yo no niego, pero atrevíme a ello pensando que

---

[8] *se defiende*: 'se prohíbe'.

[1] Es decir, 'si de grado consintieses en

mi sufrimiento, en vez de ignorarlo'.

[2] Leriano confiesa la distancia moral y social que les separa.

me harías merced no segund quien lo pedía, mas segund tú que
la aviés de dar;[3] y tanbién pensé que para ello me ayudaran virtud y conpasión y piedad, porque son acetas a tu condición,[4] que
quando los que con los poderosos negocian para alcançar su gracia, primero ganan las voluntades de sus familiares; y paréceme
que en nada hallé remedio; busqué ayudadores para contigo y ha-
llélos por cierto leales y firmes, y todos te suplican que me hayas
merced: el alma por lo que sufre, la vida por lo que padece, el
coraçón por lo que pasa, el sentido por lo que siente; pues no
niegues galardón a tantos que con ansia te lo piden y con razón
te lo merecen.[5] Yo soy el más sin ventura de los más desaven-
turados; las aguas ¿everdecen la tierra y mis lágrimas nunca tu
esperança, la qual cabe en los canpos y en las yervas y árboles,
y no puede caber en tu coraçón.[6] Desesperado avría,[7] segund lo
que siento, si alguna vez me hallase solo, pero como sienpre me
aconpañan el pensamiento que me das y el deseo que me ordenas
y la contenplación que me causas, viendo que lo vo a hazer, con-
suélanme acordándome que me tienen conpañía de tu parte, de
manera que quien causa las desesperaciones me tiene que no deses-
pere; si todavía te plaze que muera, házmelo saber, que gran bien
harás a la vida, pues no será desdichada del todo; lo primero della
se pasó en inocencia y lo del conocimiento en dolor;[8] a lo menos el fin será en descanso, porque tú lo das, el qual, si ver no
me quieres, será forçado que veas.

[40]

El auctor

Con mucha pena recibió Laureola la carta de Leriano, y por despedirse de él onestamente respondióle desta manera, con determinación de jamás recebir enbaxada suya:

---

[3] Como benefactora, como persona
principal y que, por ello, con el menor gesto hace beneficio.

[4] Da la impresión de que Leriano
invoca estos sentimientos no por la condición social de Laureola sino por su
sexo.

[5] A pesar de la distancia moral y social antes confesada, Leriano insiste.○

[6] Es otro caso de falacia patética,
como alguno de los extremos manifes-
tados por el *auctor*.

[7] *desesperado avría*: 'me habría quita-
do la vida'.

[8] Alude a las dos etapas biológicas:
puericia y adolescencia.○

[41]
Carta de Laureola a Leriano

El pesar que tengo de tus males te sería satisfación dellos mismos
si creyeses quánto es grande, y él solo tomarías por galardón
sin que otro pidieses, aunque fuese poca paga segund lo que
me tienes merecido, la qual yo te daría como devo si la quisieses
de mi hazienda y no de mi onrra. No responderé a todas las
cosas de tu carta, porque en saber que te escrivo me huye la
sangre del coraçón y la razón del juizio; ninguna causa de las
que dizes me haze consentir tu mal, sino sola mi bondad, porque
cierto no estó dudosa dél, porque el estrecho a que llegaste fue
testigo de lo que sofriste; dizes que nunca me hiziste servicio; lo que por mí has hecho me obliga a nunca olvidallo y
sienpre desear satisfazerlo, no segund tu deseo, mas segund mi
onestad; la virtud y piedad y conpasión que pensaste que te ayu-
darían para comigo, aunque son aceptas a mi condición, para
en tu caso son enemigos de mi fama, y por esto las hallaste
contrarias. Quando estava presa salvaste mi vida, y agora que
estó libre quieres condenalla; pues tanto me quieres, antes devrías querer tu pena con mi onrra que tu remedio con mi culpa;
no creas que tan sanamente biven las gentes que, sabido que
te hablé, juzgasen nuestras linpias intenciones, porque tenemos
tienpo tan malo, que antes se afea la bondad que se alaba la
virtud; assí que es escusada tu demanda, porque ninguna esperança hallarás en ella, aunque la muerte que dizes te viese recebir, aviendo por mejor la crueldad onesta que la piedad culpada.
Dirás, oyendo tal desesperança, que so movible, porque te comencé a hazer merced en escrevirte y agora determino de no
remediarte; bien sabes tú quán sanamente lo hize, y puesto que
en ello uviera otra cosa, tan convenible es la mudança en las
cosas dañosas como la firmeza en las onestas. Mucho te ruego
que te esfuerces como fuerte y te remedies como discreto. No
pongas en peligro tu vida y en disputa mi onrra, pues tanto
la deseas, que se dirá muriendo tú que galardono los servicios
quitando las vidas; lo que, si al rey venço de días, se dirá al
revés; ternás en el reino toda la parte que quisieres; creceré tu
honrra, doblaré tu renta, sobiré tu estado, ninguna cosa ordena-

rás que revocada te sea;[1] assí que biviendo causarás que me juzguen agradecida, y muriendo que me tengan por mal acondicionada; aunque por otra cosa no te esforçases sino por el cuidado
que tu pena me da, lo devrías hazer. No quiero más dezirte porque no digas que me pides esperança y te do consejo; pluguiera
a Dios que fuera tu demanda justa porque vieras que como te
aconsejo en lo uno te satisfiziera en lo otro; y assí acabo para
sienpre de más responderte ni oírte.

[42]

El auctor

Quando Laureola huvo escrito, díxome con propósito determinado que aquella fuese la postrimera vez que pareciese en su presencia, porque ya de mis pláticas andava mucha sospecha y porque
en mis idas avía más peligro para ella que esperança para mi despacho; pues vista su determinada voluntad, pareciéndome que de
mi trabajo sacava pena para mí y no remedio para Leriano, despedíme della con más lágrimas que palabras, y después de besalle
las manos salíme de palacio con un nudo en la garganta, que pensé ahogarme por encobrir la pasión que sacava; y salido de la cibdad, como me vi solo, tan fuertemente comencé a llorar que de
dar bozes no me podía contener; por cierto yo tuviera por mejor
quedar muerto en Macedonia que venir bivo a Castilla; lo que
deseava con razón, pues la mala ventura se acaba con la muerte
y se acrecienta con la vida.[1] Nunca por todo el camino sospiros y
gemidos me fallecieron; y quando llegué a Leriano dile la carta,
y como acabó de leella díxele que ni se esforçase, ni se alegrase,
ni recibiese consuelo, pues tanta razón avía para que deviese morir; el qual me respondió que más que hasta allí me tenía por
suyo, porque le aconsejava lo propio; y con boz y color mortal
començó a condolerse.[2] Ni culpava su flaqueza, ni avergonçava

[1] Para cumplir con las leyes del decoro social y para dejar intacta su honestidad, lo único que puede dispensarle Laureola es un afecto de
beneficio.°

[1] Otra flagrante manifestación de la
falacia patética y el grado de familiaridad del extranjero con los protagonistas de la historia.

[2] Finalmente, es el propio auctor el
que sucumbe ante la negativa de Laureola, llegando a sugerir a su amigo
la idea de la muerte.°

su desfallecimiento; todo lo que podié acabar su vida alabava; mos-
trávase amigo de los dolores; recreava con los tormentos; amava
las tristezas; aquellos llamava sus bienes por ser mensajeros de
Laureola; y porque fuesen tratados segund de cuya parte venían,
aposentólos en el coraçón, festejólos con el sentimiento, conbidó-
los con la memoria, rogávales que acabasen presto lo que venían
a hazer porque Laureola fuese servida; y desconfiado ya de ningún
bien ni esperança, aquexado de mortales males, no podiendo sus-
tenerse ni sofrirse, uvo de venir a la cama, donde ni quiso comer
ni bever ni ayudarse de cosa de las que sustentan la vida, llamán-
dose sienpre bienaventurado porque era venido a sazón de hazer
servicios a Laureola quitándola de enojos.[3]

Pues como por la corte y todo el reino se publicase que Leriano
se dexava morir, ívanle a ver todos sus amigos y parientes, y
para desvialle su propósito dezíanle todas las cosas en que pensavan provecho; y como aquella enfermedad se avía de curar con
sabias razones, cada uno aguzava el seso lo mejor que podía; y
como un cavallero llamado Tefeo fuese grande amigo de Leriano,
viendo que su mal era de enamorada pasión, puesto que quien
la causava él ni nadie lo savía,[4] díxole infinitos males de las mugeres; y para favorecer su habla truxo todas las razones que en
disfamia de ellas pudo pensar, creyendo por allí restituille la
vida;[5] lo qual oyendo Leriano, acordándose que era muger Laureola, afeó mucho a Tefeo porque en tal cosa hablava; y puesto
que su constitución no le consintiese mucho hablar,[6] esforçando
la lengua con la pasión de la saña, començó a contradezille en
esta manera:

<hr/>

[3] Leriano se entrega a la muerte
adoptando la imagen de un mártir por
amor.°

[4] *puesto que*: 'aunque'. Estas palabras
parecen totalmente incongruentes en la
narración, pues nadie podría ignorar
la causa del duelo. Si a ello se añade la
conmoción que supuso la prisión de
Laureola y la rebelión de Leriano, se
trata de un fallo narrativo bastante notable.

[5] Lo que Tefeo ofrece es una de las
variedades de remedios para el amor,
tratamiento aconsejado incluso en ciertos tratados de medicina.°

[6] *su constitución*: 'su estado de salud'.

[43]

Leriano contra Tefeo y todos los que dizen mal de mugeres[1]

Tefeo: para que recibieras la pena que merece tu culpa, onbre que te tuviera menos amor te avié de contradezir, que las razones mías más te serán en exenplo para que calles que castigo para que penes; en lo qual sigo la condición de verdadera amistad, porque pudiera ser si yo no te mostrara por bivas causas tu cargo,[2] que en cualquiera plaça te deslenguaras como aquí has hecho; así que te será más provechoso emendarte por mi contradición que avergonçarte por tu perseverança; el fin de tu habla fue segund amigo, que bien noté que la dexiste porque aborreciese la que me tiene qual vees, diziendo mal de todas mugeres; y comoquiera que tu intención no fue por remediarme por la vía que me causaste remedio, tú por cierto me lo has dado, porque tanto me lastimaste con tus feas palabras, por ser muger quien me pena, que de pasión de averte oído beviré menos de lo que creía;[3] en lo qual señalado bien recebí, que pena tan lastimada mejor es acaballa presto que sostenella más; assí que me truxiste alivio para el padecer y dulce descanso para ell acabar, porque las postrimeras palabras mías sean en alabança de las mugeres, porque crea mi fe la que tuvo merecer para causalla y no voluntad para satisfazella; y dando comienço a la intención tomada, quiero mostrar quinze causas por que yerran los que en esta nación ponen lengua;[4] y veinte razones por que les somos los onbres obligados; y diversos exenplos de su bondad.

Y quanto a lo primero, que es proceder por las causas que hazen yerro los que mal las tratan, fundo la primera por tal razón: todas las cosas hechas por la mano de Dios son buenas necesariamente, que según el obrador han de ser las obras: pues siendo las mugeres sus criaturas, no solamente a ellas ofende quien las afea, mas blasfema de las obras del mismo Dios.

La segunda causa es porque delante de él y de los honbres no ay pecado más abominable ni más grave de perdonar que el des-

---

[1] Este largo discurso entronca con la tradición literaria en torno a la controversia sobre las *mugeres*.°

[2] *tu cargo*: 'tu culpa'.
[3] *de pasión*: 'de perturbación'.
[4] *esta nación*: 'las mujeres'.°

conocimiento;[5] ¿pues quál lo puede ser mayor que desconocer el bien que por Nuestra Señora nos vino y nos viene? Ella nos libró de pena y nos hizo merecer la gloria; ella nos salva; ella nos sostiene; ella nos defiende; ella nos guía; ella nos alumbra; por ella, que fue muger, merecen todas las otras corona de alabança.

La tercera es porque a todo honbre es defendido segund virtud mostrarse fuerte contra lo flaco,[6] que si por ventura los que con ellas se deslenguan pensasen recebir contradición de manos, podría ser que tuviesen menos libertad en la lengua.

La quarta es porque no puede ninguno dezir mal dellas sin que a sí mismo se desonrre, porque fue criado y traído en entrañas de muger y es de su misma sustancia, y después desto por el acatamiento y reverencia que a las madres deven los hijos.[7]

La quinta es por la desobediencia de Dios, que dixo por su boca que el padre y la madre fuesen onrrados y acatados, de cuya causa los que en las otras tocan merecen pena.[8]

La sesta es porque todo noble es obligado a ocuparse en autos virtuosos, assí en los hechos como en las hablas, pues si las palabras torpes ensuzian la linpieza, muy a peligro de infamia tienen la onrra de los que en tales pláticas gastan su vida.

La sétima es porque quando se estableció la cavallería, entre las otras cosas que era tenudo a guardar el que se armava cavallero era una que a las mugeres guardase toda reverencia y onestad, por donde se conosce que quiebra la ley de nobleza quien usa el contrario della.

La otava es por quitar de peligro la onrra; los antiguos nobles tanto adelgazavan las cosas de bondad[9] y en tanto las tenían, que no avían mayor miedo de cosa que de memoria culpada, lo que no me parece que guardan los que anteponen la fealdad a la virtud, poniendo mácula con su lengua en su fama, que qualquiera se juzga lo que es en lo que habla.

La novena y muy principal es por la condenación del alma; todas las cosas tomadas se pueden satisfazer, y la fama robada tiene dudosa la satisfación, lo que más conplidamente determina nuestra fe.

---

[5] *desconocimiento*: 'ingratitud'.
[6] *defendido*: 'prohibido'.
[7] Ésta es idea fundamental en la defensa.°

[8] Siguiendo el pensamiento anterior, acude a la doctrina de los mandamientos.°
[9] *adelgazavan*: 'encarecían'.

La dezena es por escusar enemistad; los que en ofensa de las mugeres despienden el tienpo,[10] házense enemigos dellas y no menos de los virtuosos, que como la virtud y la desmesura diferencian en propiedad, no pueden estar sin enemiga.

La onzena es por los daños que de tal auto malicioso se recreçían, que como las palabras tienen licencia de llegar a los oídos rudos tan bien como a los discretos, oyendo los que poco alcançan las fealdades dichas de las mugeres, arrepentidos de haverse casado, danles mala vida o vanse dellas, o por ventura las matan.

La dozena es por las murmuraciones que mucho se deven temer, siendo un honbre infamado por disfamador en las plaças y en las casas y en los canpos y dondequiera es retratado su vicio.

La trezena es por razón del peligro, que quando los maldizientes que son avidos por tales, tan odiosos son a todos, que qualquier les es más contrario, y algunos por satisfazer a sus amigas, puesto que ellas no lo pidan ni lo quieran,[11] ponen las manos en los que en todas ponen la lengua.

La catorzena es por la hermosura que tienen, la qual es de tanta ecelencia que, aunque copiesen en ellas todas las cosas que los deslenguados les ponen, más hay en una que loar con verdad que no en todas que afear con malicia.

La quinzena es por las grandes cosas de que han sido causa; dellas nacieron honbres virtuosos que hizieron hazañas de dina alabança; dellas procedieron sabios que alcançaron a conocer qué cosa era Dios, en cuya fe somos salvos; dellas vinieron los inventivos que hizieron cibdades y fuerças y edeficios de perpetual ecelencia;[12] por ellas huvo tan sotiles varones que buscaron todas las cosas necesarias para sustentación del linage humanal.

[44]

Da Leriano veinte razones porque los onbres son obligados a las mugeres

Tefeo: pues has oído las causas por que sois culpados tú y todos los que opinión tan errada seguís, dexada toda prolixidad,[1] oye veinte razones por donde me proferí a provar que los honbres a las mugeres somos obligados; de las quales la primera es porque

---

[10] 'gastan el tiempo, lo malbaratan'.
[11] *puesto que*: 'aunque'.
[12] *inventivos*: 'inventores'.

[1] Es un recurso propio de la *brevitas* pero que aquí funciona con matiz reticente por la *praeteritio*.

a los sinples y rudos disponen para alcançar la virtud de la prudencia, y no solamente a los torpes hazen discretos, mas a los mismos
discretos más sotiles, porque si de la enamorada pasión se cativan,
tanto estudian su libertad, que abivando con el dolor el saber,
dizen razones tan dulces y tan concertadas, que alguna vez, de
conpasión que les an, se libran della; y los sinples, de su natural
inocentes, quando en amar se ponen entran con rudeza y hallan
el estudio del sentimiento tan agudo, que diversas vezes salen sabios, de manera que suplen las mugeres lo que naturaleza en ellos
faltó.

La segunda razón es porque de la virtud de la justicia tan bien
nos hazen suficientes,[2] que los penados de amor, aunque desigual
tormento reciben, hanlo por descanso, justificándose porque justamente padecen; y no por sola esta causa nos hazen gozar desta
virtud, mas por otra tan natural: los firmes enamorados, para abonarse con las que sirven,[3] buscan todas las formas que pueden,
de cuyo deseo biven justificadamente sin eceder en cosa de toda
igualdad, por no infamarse de malas costunbres.[4]

La tercera, porque de la tenplança nos hazen dinos, que por
no selles aborrecibles para venir a ser desamados, somos tenplados
en el comer y en el bever y en todas las otras cosas que andan
con esta virtud; somos tenplados en la habla; somos tenplados
en la mesura; somos tenplados en las obras, sin que un punto
salgamos de la onestad.[5]

La quarta es porque al que fallece fortaleza ge la dan, y al que
tiene ge la acrecientan; háseennos fuertes para sofrir; causan osadía
para cometer; ponen coraçón para esperar; quando a los amantes
se les ofrece peligro se les apareja la gloria, tienen las afrentas
por vicio, estiman más ell alabança del amiga quel precio del largo
bevir; por ellas se comiençan y acaban hechos muy hazañosos;
ponen la fortaleza en el estado que merece; si les somos obligados, aquí se puede juzgar.[6]

---

[2] *suficientes*: se trata de expresar que
los enamorados, tendentes a la perfección, buscan el justo medio, lo cual
es un eco de la aplicación de la justicia.

[3] *para abonarse... sirven*: 'para congra-
ciarse'.

[4] Esto es, saben distribuir justamente. Por ello, me parece que la lección

de arriba es 'suficientes'. Se caracteriza aquí una modalidad de la justicia
según Aristóteles: la particular.

[5] Es doctrina que recoge Diego de
Valera en su *Breviloquio de virtudes*.○

[6] Para San Pedro, pues, las mujeres son impulsoras de grandes hazañas.○

La quinta razón es porque no menos nos dotan de las virtudes teologales que de las cardinales dichas,[7] y tratando de la primera, que es la fe, aunque algunos en ella dudasen, siendo puestos en pensamiento enamorado creerían en Dios y alabarían su poder, porque pudo hazer a aquella que de tanta ecelencia y hermosura les parece; junto con esto los amadores tanto acostunbran y sostienen la fe, que de usalla en el coraçón conocen y creen con más firmeza la de Dios; y porque no sea sabido de quien los pena que son malos cristianos,[8] que es una mala señal en el honbre, son tan devotos católicos que ningún apóstol les hizo ventaja.

La sesta razón es porque nos crían en el alma la virtud del esperança, que puesto que los sugetos a esta ley de amores mucho penen, sienpre esperan: esperan en su fe, esperan en su firmeza, esperan en la piedad de quien los pena, esperan en la condición de quien los destruye, esperan en la ventura; pues quien tiene esperança donde recibe pasión, ¿cómo no la terná en Dios que le promete descanso? Sin duda, haziéndonos mal, nos aparejan el camino del bien, como por esperiencia de lo dicho parece.

La setena razón es porque nos hazen merecer la caridad, la propiedad de la qual es amor: ésta tenemos en la voluntad, ésta ponemos en el pensamiento, ésta traemos en la memoria, ésta firmamos en el coraçón; y comoquiera que los que amamos la usemos por el provecho de nuestro fin, de él nos redunda que con biva contrición la tengamos para con Dios, porque trayéndonos amor a estrecho de muerte, hazemos limosnas, mandamos dezir misas, ocupámosnos en caritativas obras porque nos libre de nuestros crueles pensamientos;[9] y como ellas de su natural son devotas, participando con ellas es forçado que hagamos las obras que hazen.

La otava razón, porque nos hazen contenplativos, que tanto nos damos a la contenplación de la hermosura y gracias de quien amamos y tanto pensamos en nuestras pasiones, que quando queremos contenplar la de Dios, tan tiernos y quebrantados tenemos

[7] En esta quinta razón la referencia a las virtudes teologales fue suprimida de algunas ediciones del siglo XVI así como de las bilingües.°

[8] *de quien los pena*: 'de la amada', por supuesto.

[9] La caridad —amor divino— tiene aquí su influjo en el amor profano.°

los coraçones, que sus llagas y tormentos parece que recebimos en nosotros mismos;[10] por donde se conosce que tanbién por aquí nos ayudan para alcançar la perdurable holgança.

La novena razón es porque nos hazen contritos, que como siendo penados pedimos con lágrimas y sospiros nuestro remedio, acostunbrados en aquello, yendo a confesar nuestras culpas, así gemimos y lloramos que el perdón dellas merecemos.

La dezena es por el buen consejo que sienpre nos dan, que a las vezes acaece hallar en su presto acordar lo que nosotros con muy largo estudio y diligencias buscamos; son sus consejos pacíficos sin ningún escándalo; quitan muchas muertes, conservan las pazes, refrenan la ira y aplacan la saña; sienpre es muy sano su parecer.

La onzena es porque nos hazen onrrados; con ellas se alcançan grandes casamientos con muchas haziendas y rentas,[11] y porque alguno podría responderme que la onrra está en la virtud y no en la riqueza, digo que tan bien causan lo uno como lo otro; pónennos presunciones tan virtuosas que sacamos dellas las grandes onrras y alabanças que deseamos; por ellas estimamos más la vergüença que la vida; por ellas estudiamos todas las obras de nobleza; por ellas las ponemos en la cunbre que merecen.

La dozena razón es porque apartándonos del avaricia nos juntan con la libertad,[12] de cuya obra ganamos las voluntades de todos; que como largamente nos hazen despender lo que tenemos,[13] somos alabados y tenidos en mucho amor, y en qualquier necesidad que nos sobrevenga recebimos ayuda y servicio; y no sólo nos aprovechan en hazernos usar la franqueza como devemos, mas ponen lo nuestro en mucho recaudo, porque no hay lugar donde la hazienda esté más segura que en la voluntad de las gentes.

La trezena es porque acrecientan y guardan nuestros averes y rentas, las quales alcançan los onbres por ventura y consérvanlas ellas con diligencia.

La catorzena es por la linpieza que nos procuran, así en la persona como en el vestir, como en el comer, como en todas las cosas que tratamos.[14]

---

[10] Es idea repetida en la corriente poética religiosa que se hará presente en las primeras composiciones del *Cancionero general* y a la que no es ajena San Pedro cuando asocia la experiencia de la pasión amorosa a la contemplación de la Pasión de Cristo.°

[11] Véase la nota 18 del capítulo 17.

[12] *libertad*: 'liberalidad'.

[13] *despender*: 'gastar'.

[14] Sobreentiende San Pedro este influjo de la honestidad femenina.°

La quinzena es por la buena criança que nos ponen, una de las principales cosas de que los onbres tienen necesidad; siendo bien criados usamos de la cortesía y esquivamos la pesadunbre; sabemos honrrar los pequeños, sabemos tratar los mayores; y no solamente nos hazen bien criados, mas bienquistos, porque como tratamos a cada uno como merece, cada uno nos da lo que merecemos.

La razón deziséis es porque nos hazen ser galanes; por ellas nos desvelamos en el vestir, por ellas estudiamos en el traer,[15] por ellas nos ataviamos de manera que ponemos por industria en nuestras personas la buena disposición que naturaleza a algunos negó; por artificio se endereçan los cuerpos, pidiendo las ropas con agudeza,[16] y por el mismo se pone cabello donde fallece, y se adelgazan o engordan las piernas si conviene hazello; por las mugeres se inventan los galanes entretalles,[17] las discretas bordaduras, las nuevas invenciones; de grandes bienes por cierto son causa.

La dezisiete razón es porque nos conciertan la música y nos hazen gozar de las dulcedunbres della: ¿por quién se asuenan las dulces canciones? ¿por quién se cantan los lindos romances? ¿por quién se acuerdan las bozes? ¿por quién se adelgazan y sotilizan todas las cosas que en el canto consisten?[18]

La deziochena es porque crecen las fuerças a los braceros,[19] y la maña a los luchadores, y la ligereza a los que boltean[20] y coren y saltan y hazen otras cosas semejantes.

La dezinueve razón es porque afinan las gracias; los que, como es dicho, tañen y cantan, por ellas se desvelan tanto, que suben a lo más perfeto que en aquella gracia se alcança; los trobadores ponen por ellas tanto estudio en lo que troban,[21] que lo bien dicho hazen parecer mejor, y en tanta manera se adelgazan, que propiamente lo que sienten en el coraçón ponen por nuevo y galán estilo en la canción o invención o copla que quieren hazer.

La veintena y postrimera razón es porque somos hijos de mu-

---

[15] 'seguimos la moda actual'.°
[16] *pidiendo las ropas con agudeza*: 'eligiendo la ropa apropiada'.
[17] *entretalles*: término propio de bordadores. En lenguaje moderno: 'labor de sobrepuestos'.

[18] *se adelgazan*: 'ejercitan el ingenio en cuestiones sutiles'.
[19] *braceros*: 'los que tiran lanza, barra u otra arma arrojadiza'.
[20] *boltean*: 'dan saltos en el aire'.
[21] *tanto estudio*: 'tanto empeño'.

geres, de cuyo respeto les somos más obligados que por ninguna razón de las dichas ni de quantas se puedan dezir.

Diversas razones avía para mostrar lo mucho que a esta nación somos los onbres en cargo,[22] pero la dispusición mía no me da lugar a que todas las diga. Por ellas se ordenaron las reales justas y los ponposos torneos y las alegres fiestas; por ellas aprovechan las gracias y se acaban y comiençan todas las cosas de gentileza; no sé causa por que de nosotros devan ser afeadas. ¡O culpa merecedora de grave castigo, que porque algunas hayan piedad de los que por ellas penan, les dan tal galardón! ¿A qué muger deste mundo no harán conpasión las lágrimas que vertemos, las lástimas que dezimos, los sospiros que damos? ¿Quál no creerá las razones juradas? ¿quál no creerá la fe certificada? ¿a quál no moverán las dádivas grandes? ¿en quál coraçón no harán fruto las alabanças devidas? ¿en quál voluntad no hará mudança la firmeza cierta? ¿quál se podrá defender del continuo seguir?[23] Por cierto, segund las armas con que son conbatidas, aunque las menos se defendiesen no era cosa de maravillar, y antes devrían ser las que no pueden defenderse alabadas por piadosas que retraídas por culpadas.[24]

[45]
Prueva por enxenplos la bondad de las mugeres

Para que las loadas virtudes desta nación fueran tratadas segund merecen,[1] aviése de poner mi deseo en otra plática porque no turbase mi lengua ruda su bondad clara, comoquiera que ni loor pueda crecella ni malicia apocalla segund su propiedad. Si uviese de hazer memoria de las castas y vírgines pasadas y presentes, convenía que fuese por divina revelación, porque son y an sido tantas que no se pueden con el seso humano conprehender; pero diré de algunas que he leído, assí cristianas como gentiles y judías, por enxenplar con las pocas la virtud de las muchas. En las autorizadas por santas, por tres razones no quiero hablar. La primera, porque lo que a todos es manifiesto parece sinpleza repetillo. La

[22] *esta nación*: 'las mujeres'.
[23] Es una frase formularia para la queja ante la recuesta.°

[24] *retraídas*: 'censuradas'.

[1] *desta nación*: 'de las mujeres'.°

segunda, porque la Iglesia les da devida y universal alabança. La tercera, por no poner en tan malas palabras tan ecelente bondad, en especial la de Nuestra Señora, que quantos dotores y devotos y contenplativos en ella hablaron no pudieron llegar al estado que merecía la menor de sus ecelencias; assí que me baxo a lo llano donde más libremente me puedo mover.

De las castas gentiles començaré en Lucrecia, corona de la nación romana, la qual fue muger de Colatino, y siendo forçada de Tarquino hizo llamar a su marido, y venido donde ella estava, díxole: «Sabrás, Colatino, que pisadas de onbre ageno ensuziaron tu lecho, donde, aunque el cuerpo fue forçado quedó el coraçón inocente, porque soy libre de la culpa; mas no me asuelvo de la pena, porque ninguna dueña por enxenplo mío pueda ser vista errada»; y acabando estas palabras acabó con un cuchillo su vida.[2]

Porcia fue hija del noble Catón y muger de Bruto, varón virtuoso, la qual, sabiendo la muerte dél, aquexada de grave dolor, acabó sus días comiendo brasas por hazer sacrificio de sí misma.[3]

Penélope fue muger de Ulixes, y ido él a la guerra troyana, siendo los mancebos de Itaca aquexados de su hermosura,[4] pidiéronla muchos dellos en casamiento, y deseosa de guardar castidad a su marido, por defenderse dellos dixo que le dexasen conplir una tela, como acostunbravan las señoras de aquel tienpo esperando a sus maridos, y que luego haría lo que le pedían, y como le fuese otorgado, con astucia sotil lo que texía de día deshazía de noche, en cuya lavor pasaron veinte años, después de los quales, venido Ulixes, viejo, solo, destruido, así lo recibió la casta dueña como si viniera en fortuna de prosperidad.

Julia, hija del César, primero enperador en el mundo, siendo muger de Ponpeo, en tanta manera lo amava, que trayendo un día sus vestiduras sangrientas, creyendo ser muerto, caída en tierra súpitamente murió.[5]

Artemisa, entre los mortales tan alabada, como fue casada con Mausol, rey de Icaria, con tanta firmeza lo amó que después de

[2] Entre los ejemplos de suicidas famosas ocupa el de *Lucrecia* el primer lugar.○

[3] La historia de la hija de *Catón* es otro ejemplo de proverbial fidelidad.○

[4] *Penélope* es modelo de castidad y fidelidad en la espera.□○

[5] *Julia* ocupó un puesto en los catálogos medievales como ejemplo de fidelidad conyugal, acrecentada porque Pompeyo fue el adversario de su padre.○

muerto le dio sepoltura en sus pechos, quemando sus huesos en ellos,[6] la ceniza de los quales poco a poco se bevió, y después de acabados los oficios que en el auto se requerían, creyendo que se iva para él, matóse con sus manos.

Argia fue hija del rey Adrasto y casó con Pollinices, hijo de Edipo, rey de Tebas, y como Pollinices en una batalla a manos de su hermano muriese, sabido della, salió de Tebas sin temer la inpiedad de sus enemigos ni la braveza de las fieras bestias ni la ley del enperador, la qual vedava que ningún cuerpo muerto se levantase del canpo, fue por su marido en las tiniebras de la noche, y hallándolo ya entre otros muchos cuerpos levólo a la cibdad, y haziéndole quemar segund su costunbre, con amargosas lágrimas hizo poner sus cenizas en una arca de oro, prometiendo su vida a perpetua castidad.[7]

Ypo la greciana,[8] navegando por la mar, quiso su mala fortuna que tomasen su navío los enemigos, los quales queriendo tomar della más parte que les dava, conservando su castidad hízose a la una parte del navío, y dexada caer en las ondas, pudieron ahogar a ella, mas no la fama de su hazaña loable.

No menos dina de loor fue su muger de Amed,[9] rey de Tesalia, que sabiendo que era profetizado por el dios Apolo que su marido recebiría muerte si no huviese quien voluntariamente la tomase por él, con alegre voluntad, porque el rey biviese, dispuso de se matar.

De las judías, Sarra, muger del padre Abraham, como fuese presa en poder del rey Faraón, defendiendo su castidad con las armas de la oración rogó a Nuestro Señor la librase de sus manos, el qual como quisiese acometer con ella toda maldad, oída en el cielo su petición, enfermó el rey, y conocido que por su mal pensamiento adolecía, sin ninguna manzilla la mandó librar.[10]

Délbora,[11] dotada de tantas virtudes, mereció aver espíritu de profecía y no solamente mostró su bondad en las artes mugeriles, mas en las feroces batallas, peleando contra los enemigos con vir-

---

[6] Esta lectura ofrece dificultades de interpretación.□○

[7] San Pedro es en este ejemplo mucho más conciso que Valera.○

[8] Para algunos ejemplificó la virtud de la templanza.□○

[9] Eurípides dedicó a esta historia una de sus tragedias *Alcestis*.□○

[10] En Génesis 12, 10-20, no se hace mención a la oración de *Sarra*, pero el faraón y su pueblo son castigados con plagas.

[11] *Délbora*: Débora. Su historia figura en Jueces 4-5.

tuoso ánimo; y tanta fue su excelencia, que juzgó quarenta años el pueblo judaico.

Ester, siendo levada a la cativad de Babilonia, por su virtuosa hermosura fue tomada para muger de Asuero, rey que señoreava a la sazón ciento y veinte y siete provincias, la qual por sus méritos y oración libró los judíos de la cativad que tenían.[12]

Su madre de Sansón, deseando aver hijo, mereció por su virtud que el ángel le revelase su nascimiento de Sansón.[13]

Elisabel, muger de Zacarías, como fuese verdadera sierva de Dios, por su merecimiento huvo hijo santificado antes que naciese, el qual fue San Juan.[14] De las antiguas cristianas más podría traer que escrevir, pero por la brevedad alegaré algunas modernas de la castellana nación.

Doña María Cornel, en quien se començó el linaje de los Corneles, porque su castidad fuese loada y su bondad no escurecida, quiso matarse con fuego, haviendo menos miedo a la muerte que a la culpa.[15]

Doña Isabel, madre que fue del maestre de Calatrava don Rodrigo Téllez-Girón y de los dos condes de Hurueña, don Alonso y don Juan, siendo biuda enfermó de una grave dolencia, y como los médicos procurasen su salud, conocida su enfermedad, hallaron que no podía bivir si no casase, lo qual como de sus hijos fuese sabido, deseosos de su vida dixéronle que en todo caso recibiese marido, a lo qual ella respondió: «Nunca plega a Dios que tal cosa yo haga, que mejor me es a mí muriendo ser dicha madre de tales hijos, que biviendo muger de otro marido»; y con esta casta consideración assí se dio al ayuno y disciplina, que quando murió fueron vistos misterios de su salvación.[16]

Doña Mari García, la beata, siendo nacida en Toledo del mayor linaje de toda la cibdad, no quiso en su vida casar, guardando

---

[12] La historia de *Ester* se halla en el libro de su nombre, una escritura deuterocanónica incluida en el canon bíblico desde la época patrística.
[13] La historia de *Sansón* figura en Jueces 4.°
[14] La fuente evangélica, Lucas 1, 5, indica que la oración del marido es la que fue escuchada.
[15] *Doña María Cornel* fue mujer de

don Juan de la Cerda, y al ser condenado éste a muerte por Pedro I, se retiró a un convento.°
[16] *Doña Isabel de las Casas* fue amante de don Pedro Girón y madre de sus hijos. Don Pedro, maestre de Calatrava y fraile profeso de San Benito, solamente pidió dispensa papal para casarse cuando planeó el enlace con la princesa Isabel.°

en ochenta años que bivió la virginal virtud, en cuya muerte fueron conocidos y averiguados grandes miraglos, de los quales en Toledo hay agora y avrá para sienpre perpetua recordança.[17]

O pues de las vírgines gentiles ¿qué podría dezir? Atrisilia,[18] sevila nacida en Babilonia,[19] por su mérito profetizó por revelación divina muchas cosas adveniras, conservando linpia virginidad hasta que murió. Palas o Minerva,[20] vista primeramente cerca de la laguna de Tritonio, nueva inventora de muchos oficios de los mugeriles y aun de algunos de los onbres, virgen bivió y acabó. Atalante,[21] la que primero hirió el puerco de Calidón, en la virginidad y nobleza le pareció. Camila, hija de Metabo,[22] rey de los bolsques, no menos que las dichas sostuvo entera virginidad. Claudia, bestal,[23] Cloelia,[24] romana, aquella misma ley hasta la muerte guardaron. Por cierto, si el alargar no fuese enojoso, no me fallecerían de aquí a mill años virtuosos enxenplos que pudiese dezir.

En verdad, Tefeo, segund lo que has oído, tú y los que blasfemáis de todo linage de mugeres sois dinos de castigo justo, el qual, no esperando que nadie os lo dé, vosotros mismos lo tomáis, pues usando la malicia condenáis la vergüença.

[46]

Buelve el auctor a la estoria

Mucho fueron maravillados los que se hallaron presentes oyendo el concierto que Leriano tuvo en su habla, por estar tan cercano a la muerte, en cuya sazón las menos vezes se halla sentido; el qual quando acabó de hablar tenía ya turbada la lengua y la vista

[17] *Mari García* fue probablemente la fundadora de un beaterio en Toledo en los primeros años del siglo xv.°

[18] *Atrisilia*: para Whinnom se trata de la sibila Eritrea.°

[19] *sevila*: 'sibila'.

[20] *Palas*, diosa de la Atenas helénica; *Minerva*, diosa romana identificada con Palas.°

[21] *Atalante* fue hija de Iaso y madre de Partenopeo. Cuando era compañera de Diana fue llamada por Meleagro para matar al jabalí de Calidonia, ocasión en la que se distinguió por ser la primera que hirió al animal. A causa de su hermosura fue amada por Meleagro.

[22] Así destacada por su piedad filial.□□

[23] *Claudia* defendió públicamente a su padre del deshonor provocado por su enemigo;° *bestal*: 'vestal'.

[24] *Cloelia* es la lección correcta. Valera recoge la historia de la joven romana llevada en rehén por el rey de Persia, la cual avisa a los romanos de la traición planeada por los persas.

casi perdida; ya los suyos, no podiéndose contener, davan bozes;
ya sus amigos començavan a llorar; ya sus vasallos y vasallas grita-
van por las calles; ya todas las cosas alegres eran bueltas en dolor.
Y como, su madre siendo absente, sienpre le fuese el mal de Leriano negado, dando más crédito a lo que temía que a lo que
le dezían, con ansia de amor maternal, partida de donde estava
llegó a Susa en esta triste coyuntura; y entrada por la puerta todos quantos la veían le davan nuevas de su dolor más con bozes
lastimeras que con razones ordenadas, la qual, oyendo que Leriano estava en ell agonía mortal, falleciéndole la fuerça, sin ningún
sentido cayó en el suelo, y tanto estuvo sin acuerdo[1] que todos
pensavan que a la madre y al hijo enterrarían a un tienpo. Pero
ya que con grandes remedios le restituyeron el conoscimiento,
fuése al hijo, y después que con traspasamiento de muerte, con
muchedunbre de lágrimas le vivió el rostro,[2] començó en esta
manera a dezir:

[47]

Llanto de su madre de Leriano

¡O alegre descanso de mi vegez, o dulce hartura de mi voluntad!
Hoy dexas de dezirte hijo y yo de más llamarme madre, de lo
qual tenía temerosa sospecha por las nuevas señales que en mí
vi de pocos días a esta parte; acaescíame muchas vezes, quando
más la fuerça del sueño me vencía, recordar con un tenblor súpito
que hasta la mañana me durava;[1] otras vezes, quando en mi oratorio me hallava rezando por tu salud, desfallecido el coraçón,
me cobría de un sudor frío en manera que dende a gran pieça
tornava en acuerdo;[2] hasta los animales me certificavan tu mal;
saliendo un día de mi cámara vínose un can para mí y dio tan
grandes aullidos que assí me corté el cuerpo y la habla,[3] que de
aquel lugar no podía moverme; y con estas cosas dava más crédito
a mi sospecha que a tus mensajeros, y por satisfazerme acordé
de venir a veerte, donde hallo cierta la fe que di a los agüeros.

---

[1] *sin acuerdo*: 'sin sentido'.
[2] Cuesta aceptar la lección *vivió*.°

[1] *recordar*: 'despertar'.

[2] *tornava en acuerdo*: 'recobraba el
sentido'.
[3] *me corté... habla*: 'me espanté, me
turbé'.°

¡O lunbre de mi vista, o ceguedad della misma, que te veo morir
y no veo la razón de tu muerte; tú, en edad para bevir; tú, temeroso de Dios; tú, amador de la virtud; tú, enemigo del vicio;
tú, amigo de amigos; tú, amado de los tuyos! Por cierto oy quita
la fuerça de tu fortuna los derechos a la razón, pues mueres sin
tienpo y sin dolencia;[4] bienaventurados los baxos de condición
y rudos de engenio, que no pueden sentir las cosas sino en el
grado que las entienden; y malaventurados los que con sotil juizio
las trascenden, los quales con el entendimiento agudo tienen el
sentimiento delgado;[5] pluguiera a Dios que fueras tú de los torpes en el sentir, que mejor me estuviera ser llamada con tu vida,
madre del rudo, que no a ti, por tu fin, hijo que fue de la sola.
¡O muerte, cruel enemiga, que ni perdonas los culpados ni asuel-
ves los inocentes! Tan traidora eres, que nadie para contigo tiene
defensa; amenazas para la vejez y lievas en la mocedad; a unos
matas por malicia y a otros por enbidia; aunque tardas, nunca
olvidas; sin ley y sin orden te riges. Más razón havía para que
conservases los veinte años del hijo moço que para que dexases
los sesenta de la vieja madre. ¿Por qué bolviste el derecho al revés?[6] Yo estava harta de ser biva y él en edad de bevir. Perdó-
name porque assí te trato, que no eres mala del todo, porque
si con tus obras causas los dolores, con ellas mismas los consuelas
levando a quien dexas con quien levas; lo que si comigo hazes,
mucho te seré obligada; en la muerte de Leriano no hay esperança, y mi tormento con la mía recebirá consuelo. ¡O hijo mío!
¿qué será de mi vejez contenplando en el fin de tu joventud? Si
yo bivo mucho, será porque podrán más mis pecados que la razón que tengo para no bivir. ¿Con qué puedo recebir pena más
cruel que con larga vida? Tan poderoso fue tu mal que no tuviste
para con él ningund remedio; ni te valió la fuerça del cuerpo, ni la
virtud del coraçón, ni el esfuerço del ánimo; todas las cosas de
que te podías valer te fallecieron; si por precio de amor tu vida
se pudiera conprar, más poder tuviera mi deseo que fuerça la muerte;
mas para librarte della, ni tu fortuna quiso, ni yo, triste, pude;

---

[4] Es la formulación del tópico de la
muerte prematura.°
[5] Es una idea divulgada en la Edad
Media que sólo los individuos de alta
condición social alcanzan a experimen-

tar profundamente el amor.°
[6] Todos los editores advierten de la
coincidencia de estas palabras con las
de Pleberio, padre de Melibea, en *La
Celestina*, XXI.

con dolor será mi bevir y mi comer y mi pensar y mi dormir, hasta que su fuerça y mi deseo me lieven a tu sepoltura.

[48]

El auctor

El lloro que hazía su madre de Leriano crecía la pena a todos los que en ella participavan,[1] y como él sienpre se acordase de Laureola, de lo que allí pasava tenía poca memoria,[2] y viendo que le quedava poco espacio para gozar de ver las dos cartas que della tenía,[3] no sabía qué forma se diese con ellas. Quando pensava rasgallas, parecíale que ofendería a Laureola en dexar perder razones de tanto precio; quando pensava ponerlas en poder de algún suyo, temía que serían vistas, de donde para quien las enbió se esperava peligro. Pues tomando de sus dudas lo más seguro, hizo traer una copa de agua, y hechas las cartas pedaços écholas en ella, y acabado esto, mandó que le sentasen en la cama, y sentado, bevióselas en el agua y assí quedó contenta su voluntad; y llegada ya la hora de su fin, puestos en mí los ojos, dixo: «Acabados son mis males», y assí quedó su muerte en testimonio de su fe.[4]

Lo que yo sentí y hize, ligero está de juzgar;[5] los lloros que por él se hizieron son de tanta lástima que me parece crueldad escrivillos; sus onrras fueron conformes a su merecimiento, las quales acabadas, acordé de partirme. Por cierto con mejor voluntad caminara para la otra vida que para esta tierra; con sospiros caminé; con lágrimas partí; con gemidos hablé; y con tales pasatienpos llegué aquí a Peñafiel, donde quedo besando las manos de vuestra merced.

Acabóse esta obra intitulada Cárcel de amor,
*en la muy noble y muy leal cibdad de Sevilla,
a tres días de março, año de 1492,
por quatro conpañeros alemanes.*

---

[1] *su madre de Leriano*: la afectividad se acrecienta por la figura del pleonasmo.

[2] 'tenía escasa percepción de lo que le rodeaba'.°

[3] En realidad Laureola escribió tres cartas a Leriano. Una de ellas, la que escribe desde la prisión, el *auctor* decide en cierto momento no dársela a Leriano para no hacerlo sufrir aunque posteriormente se la entrega. Véanse capítulos 29 y 36.

[4] Se pone de manifiesto el carácter sacroprofano de la escena.°

[5] *ligero*: 'fácil'.

TRATADO
QUE HIZO NICOLÁS NÚÑEZ
SOBRE EL QUE SANT PEDRO
COMPUSO DE
LERIANO Y LAUREOLA
LLAMADO «CÁRCEL DE AMOR»

TÍTULO. La obra poética de Nicolás Núñez, autor cancioneril de origen probablemente valenciano, se recoge principalmente en el *Cancionero general*.°

[I]

Muy virtuosos señores:

Porque si, conosciendo mi poco saber, culpáredes mi atrevimiento en verme poner en acrescentar lo que de suyo está crescido, quiero, si pudiere, con mi descargo satisfazer lo que fize, ahunque mi intención me descarga.

Leyendo un día el tratado del no menos virtuoso que discreto de Diego de San Pedro que fizo de *Cárcel de amor*, en la estoria de Leriano y Laureola, que endereçó al muy virtuoso señor, el señor Alcaide de los Donzeles, parecióme que quando en el cabo de él dixo que Leriano, por la respuesta sin esperança que Laureola avía enbiado, se dexava morir, y que se partió desque lo vido muerto para Castilla a dar la cuenta de lo passado, que deviera venirse por la corte, a dezir a Laureola de cierto como ya era muerto Leriano. Y ahunque le pareciera que al muerto no le aprovechava, a lo menos satisfiziérase a sí, si viera en ella alguna muestra del pesar por lo que havía hecho; pues sabía que si Leriano pudiera alcançar a saber el arrepentimiento de Laureola, diera su muerte por bien empleada. Y porque me parecía que lo dexava en aquello corto, con ocupación de algunos negocios, o por se desocupar para entender en otros que más le cumplían, no lo fize yo por dezillo mejor;[1] mas por saber si a la firmeza de Leriano en la muerte dava algún galardón, pues en la vida se lo havía negado, acordé fazer este tratado[2] (que para la publicación de mi falta fuera muy mejor no hazello), en el qual quise dezir: que desque el autor lo vido morir, y vido que se fizieron sus honras según sus merecimientos, y los llantos según el dolor, se fue por do Laureola estava y le contó la muerte del injustamente muerto, lo qual fenece en el cabo que él le dio.[3] Y comiença en esta manera.

---

[1] *por dezillo mejor*: si no se inserta aquí un punto o punto y coma, habría que insertar una cópula antes de *acordé*, dos líneas más abajo, para evitar el anacoluto.

[2] En Nicolás Núñez tenemos el testimonio de un lector activo que colabora en la difusión de la obra de San Pedro, dando a conocer en un breve relato los hechos sucedidos después de la muerte de Leriano.°

[3] *lo qual fenece... le dio*: entiéndase 'el qual muere al final de la historia que contó San Pedro'.°

83

[2]

El *auctor*

Pues después que vi que a la muerte del sin piadad consintido morir no podía remediar, ni a mí consolarme, acordé de me partir para mi tierra, debaxo de la qual antes quisiera morar que en la memoria de mi pensamiento; y por ver y oír las cosas que en la corte de su muerte se dezían y Laureola por él fazía, pensé de me ir por allí, assí por esto como por me despedir de algunos amigos que en ella tenía, y por dezir a Laureola, si en dispusición de arrepentida la viesse, quánto a mal le era contado entre las leales amadoras la crueldad que usó contra quien tan merecido el galardón le tenía.

Yo, que en mi partida no poca priessa me dava por huir de aquel lugar donde le vide morir, por ver si fuyendo pudiera partirme de pensar en él, llegué a la corte más acompañado de tristeza que de gana de bivir, membrándome cómo el que de su conoscimiento me dio principio havía ya hecho fin. Y después de reposar (no que el pensar reposasse) fueme a palacio,[1] donde con mucha tristeza de muchos que su muerte sabían fue recibido; y después de contalles la secreta muerte del amigo suyo y enemigo de sí, fueme a la sala donde solía Laureola fablarme, por ver si la viera. Pero yo, que la vista de las lágrimas que por él llorava tenía quasi perdida, mirándola no la veía; y como ella tan enbaraçado me viesse y, como discreta sospechando que le querría fablar, creyendo que no la havía visto, se buelve a la cámara do avía salido:[2] pero yo, que el sentir tan perdido como el ver no tenía,[3] sentí que se iva, y buelto en mí vi que era la que a Leriano sin vida y a mí sin mí havía fecho; a la qual con muchas lágrimas y penados sospiros en esta manera comencé a dezir.

---

[1] *fueme*: Núñez, o el compositor, siempre emplea 'fue' (y 'fuemos') en vez de 'fui' (y 'fuimos'), nada inusitado en la lengua literaria de esta época y forma todavía conservada en los dialectos de Asturias y Salamanca.°

[2] *se buelve a la cámara*: se trata del empleo del llamado presente histórico, pero mezclado al azar con el pretérito y el imperfecto.°

[3] Núñez dota al *auctor* de una acusada sensibilidad, como ya había empleado San Pedro.°

[3]

Prosigue el auctor a Laureola

¡O quánto me estoviera mejor perder la vida que conoscer tu mucha crueza y poca piadad![1] Digo esto, señora, porque assí quisiera con razón alabarte de generosa en verte satisfazer los servicios con tanta fe fechos, como la tengo en loar tu mucha hermosura y gran merecer, y no que dieras la muerte a quien tantas vezes con mucha voluntad por tu servicio quería tomalla.

Y pues esto speravas fazer, no engañaras a él, ni cansaras a mí, ni turbaras la limpieza de tu linaje. Cata que las de tan alta sangre como tú son obligadas a satisfazer al menor servicio del mundo, si de él son consintidoras, y a guardar su mayor honra;[2] que cierta te hago que si su muerte vieras, siempre tu vida lloraras, mira quánto le eres en cargo. Y en el tiempo de su morir, que más memoria de su alma y de su cuerpo avía de tener, se membró de tus cartas, las quales, hechos pedaços,[3] en agua bevió, porque nadi dellas memoria oviesse, y por llevar consigo alguna cosa tuya; y porque más compassión ayas de él en la muerte que oviste en la vida, te hago saber que si como yo le vieras morir, de compassión fizieras en presencia lo que en absencia tu poco amor y mucho olvido hizieron que no hizistes.

¡O quántos su muerte lloravan y la causa no sabían![4] Pero a mí el secreto no se me abscondía; con más razón más que a nadi me pesava, membrándome cómo en tu mano estava su vida, viendo tu mucha crueldad y su poco remedio. A él hiziste morir, y a su madre porque no muere, y a mí que biviendo muero. No creo que codicias la vida, conociendo lo que has fecho, sino en

---

[1] *mucha crueza y poca piadad*: se trata de una antítesis conceptual porque los sustantivos se oponen, pero su reunión con unidades léxicas antónimas —*mucha/poca*— proporciona el mismo significado básico.

[2] *y a guardar su mayor honra*: las ediciones posteriores cambian el 'y' por 'que', pero el sentido de la lección primitiva parece más aceptable que el de la enmendada.

[3] Parecidos casos de la atracción del adjetivo (en este caso participio) al género del sustantivo siguiente no escasean en los textos medievales ni del Siglo de Oro.

[4] Nadie podía ignorar lo que había hecho Leriano y las razones que lo habían movido a ello, por lo que, como sucede en *Cárcel de amor*, esta exclamación resulta bastante incongruente.°

que sabes que pocos lo sabían. Y agora temerás menos la fama de tu mala fama que vees clara mi muerte, do, ahunque quiera, no quedará quien tu crueza publicare.

No pensé tan poco dezirte ni tanto miedo mostrarte; y si con la qualidad te enojo, con la quantidad te contento,[5] pues si gran razón avía de osar,[6] mas no acabar tan aína. Y si por atrevido algo merezco, mándame matar, que más merced me farás en darme la muerte que en dexarme tal vida.

[4]

Sigue el auctor

Muy asossegada estuvo Laureola a todo quanto le dixe, no porque el rostro no mostrava las alteraciones del coraçón, pero como discreta, sufriendo las lágrimas, disimulando el enojo, no culpando mi atrevimiento, con mucha muestra de pesar començó a responder en esta manera:

[5]

Respuesta de Laureola al auctor

Tanto saber quisiera tener para satisfazerte como tengo razón para desculparme. Y si esto assí fuera, por tan desculpada me toviera como a ti tengo por diligente. Dízesme que quisieras tener causa para alabarme de piadosa, como la tienes para culparme de cruel. Si ésta tuvieras, ni yo más biviera, ni tú te quexaras. Cúlpasme que pues le esperava matar, por qué engañava a él y cansava a ti. Ya tú sabes que yo nunca tal esperança le di, que faziendo lo que dizes que he fecho nada quebrantaste. ¿Pues yo, qué devía a ti? pues no era yo por quien tú trabajavas, ni tampoco tú con intención de ser satisfecho lo fazías; assí que a él sin deuda y a ti sin cargo mi poco cargo me faze. Dizes que deviera mirar a la limpieza de mi linage: mirando lo que dizes, fizo fazer lo que

---

[5] *te contento*: se podría interpretar el *te contenta* del original como imperativo, pero tanto la construcción paralela como la lógica de la frase parecen exigir el indicativo de la primera persona.

[6] *pues si gran razón avía de osar*: parece necesaria esta disculpa, pero no hay que olvidar que la frase se ajusta a los *loci* propios de la *peroratio* de un discurso.°

he fecho,[1] porque ya tú sabes quánto más son obligadas las mugeres a su honra que a cumplir ninguna voluntad enamorada.[2] Pues quando todas son obligadas a esto, ¿quánto más y con más razón lo deven ser las del linaje real? No creas que de su muerte recibo plazer; ni creo que a ti tanto puede pesar como a mí me duele; pero el temor de mi honra y el miedo del rey mi padre pudieron más que la voluntad que le tenía.[3] Ni creas que el conoscimiento que yo de sus servicios tengo desconozco ni menos desagradezco; y si con otro galardón pudiera pagallos que la honra no costara, tú me tuvieras por tan gradecida quanto agora me culpas por desamorada; y pues en la vida sin costarme la muerte no se lo pude pagar, quiero agora que conozcas que la muerte de él haze que mi vida biva muerta. Agora verás quánto me duele; agora conoscerás si dello me plugo; agora juzgarás si amor le tenía; agora sabrás si hizo bien en dexarse morir; que ya tú sabes que con la vida se puede alcançar lo que con la muerte se desespera.[4] Y pues a él no puedo pagar, a ti satisfago y do por testigo, que si servicios le devían, con durable esperança se los pagavan.[5]

[6]

El auctor

Con tanta tristeza acabó su fabla que apenas podía acabar de fablar, y sin de mí despedirse, desatinada de mucho llorar, turbada la lengua y mudada la color, se buelve a la cámara do antes se iva, con tan rezios gemidos que, assí de miedo que no la oyessen como del dolor de lo que fazía,[1] sin me despedir me fue a mi

[1] *mirando lo que dizes, fizo fazer lo que he fecho*: es decir, la consideración de lo que tú dices ocasionó que yo no fuese tan piadosa con Leriano como él esperaba.°

[2] Idea muy extendida y, por tanto, coincidente con San Pedro.°

[3] Laureola responde al *auctor* recurriendo a un recurso de la argumentación, un *locus* de persona ajustado a los movimientos del ánimo.°

[4] La estructura anafórica de la primera parte de este período se acentúa por la intensificación de verbos de

entendimiento. Al reconocer la magnitud de los servicios prestados por Leriano, Laureola trata de ganar para su causa a su interlocutor y, al tiempo, acusador, promoviendo estos afectos en la *peroratio* de su parlamento.

[5] Parece querer decir 'si sus servicios le hacían acreedor'.°

[1] Por parte de Núñez hay una diferencia de grado, una rectificación en el carácter de Laureola en orden a mostrar su afectividad.°

posada con tanta tristeza que muchas vezes de mi desesperada vida con la muerte tomara vengança, si pudiera fazello sin que por desesperado me pudiera culpar. Y como tan solo de plazer como de amigos con quien lo fablasse me fallava, acostéme en mi retraimiento;[2] y en esta manera, como si bivo delante de mí stoviera, contra el desdichado de Leriano comencé a dezir.[3]

[7]

El auctor a Leriano

¡O enemigo de tu ventura, amigo de tu desdicha! ¡Quién pudiera ser causa de tu vida con su embaxada, como lo fue de tu muerte con mi mensaje![1] Si tú supiesses el arrepentimiento de Laureola, trocarías la gloria celestial, si por dicha la tienes, por la temporal que por darte la muerte perdiste; o si tan arrebatada no la tomaras, con tu vida no dudo podieras alcançar lo que con perdella perdiste.[2] No sé quién me turbó mi entendimiento y robó mi juizio, que en el tiempo de tu morir, no te dexiesse cómo con la muerte se pierde lo que con la vida a vezes se gana.[3] ¡O desdichado de mí![4] ¡Quién te tuviesse en lugar donde pudiesse dezirte todo lo que Laureola me dixo y lo que muestra de pesar por perderte! Pero si con la muerte ganaste la voluntad que agora muestra, por bien empleada la deves dar. Mucho descanso recibiera si troxiesse que me oyes o me crees,[5] porque vieres, si con solo arrepentirse bastaría pagarte, quánto más que muy más quexosa está de sí que tú della deves estar. Agora si biviesses no ter-

---

[2] *retraimiento*: 'lugar de descanso, posada'.

[3] *contra el desdichado*: 'hacia el desdichado'.

[1] *como lo fue*: 'como lo fui'.

[2] *perdella perdiste*: Núñez parece interpretar la muerte de Leriano como un suicidio.°

[3] *dexiesse*: 'dijese'. El que la vocal temática se conserve como 'e' es inusitado en castellano; a no ser que se trate de un simple error tipográfico, hay que pensar en un orientalismo y

no conviene olvidar que es posible que Núñez fuese valenciano.°

[4] Ésta y otras exclamaciones anteriores del *auctor* denotan la responsabilidad que Núñez achaca al intermediario.°

[5] *troxiesse*: Está claro que Núñez quiere decir 'creyese', y vuelve a emplear 'traher' por 'creer' más abajo. Esta acepción de traer no consta en los diccionarios españoles, aunque en los latinos uno de los sentidos de 'trahere' es 'meditar', 'considerar', de manera que puede ser un latinismo.°

nías de que quexarte; agora sería tu pena con sperança sufrida; agora ni de la vida pudieras quexar, ni de la muerte tomaras por abogada.[6] ¡O quánto bien me haría Dios si pudiesse perdiendo mi vida cobrar la tuya! ¿Para qué me dexó sin ti, mi verdadero amigo? ¿Quién pudo perderte que más pudiesse vivir? ¡O pluguiesse a Dios que la voluntad que te tengo y la que en tu vida tove en rogar por mi muerte me la pagasses! Lo qual assí espero que fagas si tanta voluntad de verme tienes como yo tengo desseo de servirte. Y assí me despido de más enojarte, lo que de la vida quería fazer.[7]

[8]

El auctor

Tan cansado de enojo y menguado de consuelo quedé de mi fabla que, de desatinado, sin sentir que hazía, me traspassé;[1] y entre muchas cosas que comencé a soñar, que más pesar que plazer me davan, soñava que veía a Leriano delante de mí en esta manera vestido.[2]

Traía un bonete de seda morada muy encendida, con una veta de seda verde de mala color que apenas se podía determinar, y con una letra bordada que dezía:

> Ya está muerta la esperança
> y su color
> mató un vuestro desamor.[3]

---

[6] En la forma y en el sentido lo que aquí transmite el *auctor* parece un eco de lo dicho por Laureola en la sección final de su última carta.

[7] Es decir, despedirme, a mi vez, de la vida: morir.

[1] *me traspassé*: 'me desvanecí' o, más bien, según lo que sigue, 'me quedé dormido'.

[2] La secuencia del sueño abre la posibilidad de multiplicar la fuerza expresiva por medio de las 'imágenes parlantes' que van a ser Leriano y Laureola, transmitiendo desde su indumentaria toda una información sensorial garantizada y descifrada por la 'letra', que constituye un subgénero poético característico de la poesía cancioneril finisecular.°

[3] La descripción de la figura comienza por la parte superior. El *bonete* es un gorro cilíndrico de poca altura, principal adorno de cabeza de los que seguían la moda. El que sea de *seda* da cuenta de que es un bonete lujoso. El color *morado* simboliza la penitencia y también la nostalgia. El *verde*, característico de la *esperança* amorosa, se encuentra aquí apagado.°

Llegando más cerca de mí, vi que traía una camisa labrada de seda negra, con unas crecederas y unas letras que desta manera dezían:

> Fue cresciendo mi firmeza
> de tal suerte
> que en el fin falló la muerte.[4]

Traía más un jubón de seda amarilla y colorada, con una letra que dezía:

> Mi passión a mi alegría
> satisfaze
> en fazella quien la haze.[5]

Traía más un sayo de terciopelo negro, con una cortadura de razo de la mesma color,[6] con una letra que dezía:

> En la firmesa se muestra
> mi mal y la culpa vuestra.[7]

[4] En el simbolismo heráldico, el negro (o sable) representa la fidelidad y la lealtad (o sea, *firmeza*); las *crecederas* son las alforzas que se solían incorporar en la ropa de los niños para luego permitirse ensanchar la prenda a medida que iba creciendo la criatura. La fidelidad y constancia de Leriano han ido creciendo de tal manera que ni siquiera sirven las *crecederas* para acomodarlas.°

[5] El *jubón* era una prenda corta, de medio cuerpo para arriba, que se ponía por encima de la camisa y ceñía el cuerpo modelando las formas y ajustándose en la cintura a las calzas. Su nombre viene del árabe. Un caballero en calzas y jubón estaba a medio vestir, necesitaba ponerse encima, al menos, otra prenda. Normalmente, los colores se repartían entre el torso y las mangas y cuello. Aunque es moda que se extendió también por Europa, los vestidos a dos colores son característicos de los moros granadinos en los últimos años del siglo XV.°

Dado que el amarillo representa la desesperanza y el dolor (o sea, *passión*), mientras el colorado significa alegría, la letra no necesita más explicaciones.

[6] *razo*: 'raso'. He conservado los varios casos de confusión de 'z' y 's' en este texto, como 'firmeza', 'pezar', 'camiza', etc., fenómeno que también se da en la *Cárcel* de San Pedro, pues es posible y hasta probable que constituyan testimonio de los principios del seseo en Andalucía. Recuérdese que tanto *Cárcel* de San Pedro de 1492 como la edición de 1496 con el *tratado* de Núñez se imprimieron en Sevilla.°

[7] Parece que Núñez está jugando con el diferente significado del negro en tres concepciones distintas; en la heráldica representa la firmeza; en el arte y la religión simboliza alternativamente el dolor y el luto (*mi mal*), y el pecado, la mentira y la culpa (*la culpa vuestra*). En general las *cortaduras* de los vestidos del cuatrocientos revelaban una tela de un color distinto del de la prenda. El *sayo* era una especie de túnica larga y amplia, sin botones, que se vestía directamente sobre el jubón. La *cortadura* era una pieza de tela de otra clase o color que se introducía normalmente en las costuras del *sayo*. En la interpretación del color de la prenda se reúnen atribuciones simbólicas distintas.

Traía más un cinto de filo de oro con una letra que dezía:

> Muy más rica fue mi muerte
> que mi vida,
> si della quedáys servida.[8]

Traía más un puñal, los cabos y la cuchilla de azero dorado, con una letra que dezía:

> Más fuerte fue la passión
> que me distes
> y nunca os arrepentistes.[9]

Vile más una espada con la vaina y correas de seda azeitunada, con unas letras bordadas que dezían:

> Dio a mi vida mi tristura
> tal tormento
> que muerto bivo contento.[10]

Vile más unas calças francesas, la una blanca y la otra azul, con una letra bordada por la una, que dezía:

> Castidad quedó celosa
> de la vida
> por no dexaros servida.[11]

Traía más unas agujetas de seda leonada, con unos nudos ciegos, con unas letras que dezían:

[8] Es bastante común el empleo del *oro* en la vestimenta de las letras e invenciones.°

[9] Aunque la acepción de *cabo* como 'mango' es corriente y es probable que Núñez quiera referirse tanto al puño como al pomo, faltan explicaciones precisas en los diccionarios antiguos. [La letra indica que el objeto descrito (*el puñal*) se significa más por la dureza del metal (*el acero*) que por el sobredorado.

[10] El verde oliva (*azeitunado*) simboliza la tristeza y el dolor (*tristura y tormento*).

[11] Las calzas francesas eran como medias, y en esta época constituían una novedad, pues las *calças* antiguas estaban unidas como bragas. Nótese que es el azul, no el blanco, el color que representa la castidad; el blanco simboliza la vida. La letra se podría parafrasear: «Lo casto de mi amor, que no me permitió servirte, acabó haciendo daño a mi salud». No quiero volver a entrar en el discutido terreno del doble sentido de la poesía amorosa cuatrocentista, pero cabe recordar que según todos los tratados médicos era la consumación física del amor el principal y obvio remedio de sus nefastas consecuencias.°

> Vedes aquí mi congoxa
> que en vida mi muerte afloxa.[12]

Vi que traía más encima de todo esto una capa negra, bordada de una seda pardilla escura, con una letra bordada que dezía:

> No pudo tanto trabajo
> ni tristeza
> que muden la mi firmeza.[13]

Miréle más que traía calçados unos çapatos de punta, con unas letras en ellos muy menudas que dezían:

> Acabados son mis males
> por servicio
> de quien negó el beneficio.[14]

Miréle más las manos, y vile que traía unos guantes con unas eles y aes, y unas letras que dezían:

> Assí comiença y finece
> el nombre que más merece.[15]

Después de bien mirado lo que traía vestido, y lo que las letras dezían, y la firmeza y pezar que señalavan, miréle a la cara y vile el gesto tan hermoso que parecía que nunca pesar avía pasado; y con amoroso semblante, después de muy cortésmente saludarme, con el mesmo tono que antes me solía fablar, comencó a dezirme en esta manera.

[9]

Leriano al auctor

¡O mi verdadero amigo! Bien pensaras tu que mi presencia estava de ti tan lexos que no podiesse saber lo que fazías ni oír lo que fablavas. No lo creas, que nunca de ti tan apartado me fallasse

---

[12] Las *agujetas* eran cintas de seda de hilo trenzado que rematavan en puntas de cuero o de metal. que funcionaban eomo tope de los nudos. Según la letra, sólo la muerte es capaz de desatar los nudos de la angustia que Leriano sufre en vida. Nótese que el *leonado*, color heráldico, era un naranja vivo que simbolizava tristeza y angustia.

[13] Continúa el significado de firme-za por medio del color *negro*, mientras que el *pardillo* representa la tristeza indicada en la letra.°

[14] Nótese que es parte de la expresión que dice Leriano en la *Cárcel de amor* al tiempo de morir.°

[15] Esto es, las dos letras con que comienza y acaba el nombre de Laureola. Era habitual adornar las invenciones con anagramas.

que junto contigo no estoviesse, porque después que ventura en la vida de ti me partió, nunca en la muerte de ti me partí. Junto contigo siempre he andado, y a todo lo que Laureola de mi parte y de la tuya dezías estava presente. Sabe Dios que si pudiera, quisiera entonces fablarte; pero ni yo podía ni su miedo me dexava, que antes te certifico por esto que fago, aunque es poca la habla, espero mucho el tormento. Y porque desto, según la confiança tengo de tu gran virtud, no recibas la pena que yo, dexo de más fablar en ello, y vengo a lo que haze el caso de tu fabla y mi respuesta.

Dízesme, señor, que quisieras poderme dar la vida como me diste la muerte; no creas que tu mensaje me la dio; ni yo, según el principio levava, podía escusar de llegar a este fin;[1] que dizes que quesieras que estoviera en dispusición que pudiera gozar del arrepentimiento de Laureola. No te lo quiero gradecer, pues no te lo puedo pagar, que el mayor servicio que te pude ni puedo hazer no es tan grande que la menor merced que de ti he recebido no sea mayor; pues sus mercedes ya no las quiero ni puedo gozar dellas aunque quiera; y si con arrepentimiento me satisfiziesse, de su crueza quedé tan quexoso que aunque más fiziesse no serié pagado. Dixísteme, mi buen amigo, que dé mi muerte por bien empleada, pues con ella gané lo que sin ella perdía; luego lo faría yo, si de la vida quedara algo con que pudiera gozallo; pero ¿qué me aprovecha a mí traher lo que dize si no ver lo que faze?[2] Y creo que si pudiera otra vez verme bivo, tornaría a darme más pena y menos esperança, y pues esto al mejor librar de bivir se esperava,[3] más quise suffrir buenamente que passar mala vida. No creas que si creyera que era más servida biviendo que dexándome morir, me matara; pero como con la vida no me podía aprovechar, pensé con la muerte remediarme; que no me tengas por tan vencido de seso que no sé que fuera bien vivir para serville

---

[1] Esta respuesta de Leriano conecta con el lamento del *auctor* a propósito de su responsabilidad en la muerte del enamorado.°

[2] *traher*: de nuevo se trata, probablemente, de un latinismo.°

traher lo que dize si no ver lo que faze: la sintaxis de este pasaje es muy confusa por la insistencia del autor en el paralelismo de *traher* y *ver*. Es posible que el *ver* se deba cambiar por *veo*, pero lo más probable es que se trate de un anacoluto.°

[3] *pues esto... se esperava*: 'y pues, de vivir, no se podría esperar mejor resultado'. De 'libertar', *librar* pasó a significar 'despachar', 'resolver' y 'acabar'.

aunque no para gozalla. Pero como nunca de su respuesta supe de lo que más se servía, como tú sabes, dexéme morir, pues ya la vida quería dexarme. Dixísteme, señor, que querrías poder cobrarme aunque supiesses perderte; yo te lo creo, que en esto lo pago, pues en otra cosa no puedo. Dixiste que quisieras que rogasse por tu muerte, porque en ella de nuestra amistad gozássemos, pues en la vida no podimos; no tengas tal esperança, que más quiero oír dezir que bives sin verte que saber que comigo bives muerto, aunque en tu muerte muera tu vida y biva tu fama. Y assí te dexo, no porque de ti me alexe, suplicándote que no hayas por mal que más no te fable, pues aunque quiera, no puedo.

[10]

El auctor

Después que Leriano acabó de fablarme, quando yo ya quería respondelle, sin aver de mi sueño recordado,[1] soñava que veía a Laureola entrar por la cámara, tan visiblemente como si verdaderamente estoviera despierto, con dessimulada ropa y nueva compañía;[2] y embaraçado de ver cosa tan grave, dexé de respondelle y comencé a notar la galana manera de que venía vestida. Y también me pareció que no mirava a Leriano si avía recebido alteración de verla venir.[3] Venía tocada en cabello con una tira labrada de seda encarnada, con una letra que dezía:

> No da muerte por servicio
> mi crueza y condición,
> ni menos da galardón.[4]

---

[1] *recordado*: 'despertado'.

[2] Debía querer decir una acompañante a la que el Autor no había visto antes; pero si es así, no vuelve a aludir a esta compañera.

[Laureola viene también ataviada con atuendo artificioso, esto es, *dessimulada ropa*, como se verá a continuación. En la descripción de la figura se comienza por la cabeza pero después no se sigue un orden lógico como, por ejemplo, de dentro a fuera.

[3] Nótense las percepciones que escrupulosamente proporciona el *auctor*.

[4] El encarnado, color heráldico, simbolizaba la crueldad, ferocidad, salvajismo, encarnizamiento (*crueza*). [Normalmente la mujer llevaba la cabeza cubierta, pero las doncellas podían no seguir esta costumbre, limitándose, como en este caso, a adornarse con una cinta bordada.○

Traía más una camiza labrada de seda blanca con unas cerraduras y con una letra que dezía:

Cerró tu muerte a mi vida
de tal suerte,
que no saldrá sin la muerte.[5]

Traía más un brial de seda negra con un follaje de seda leonada, con unas letras que dezían:

Tu firmeza y mi congoxa
pudieron tanto penarme
que en el fin han de acabarme.[6]

Traía más una cinta de caderas labrada de hilo de oro, con una letra que dezía:

Más rica sería mi gloria,
si el bivir
consintiesse en mi morir.[7]

Traía más una faldilla de dos sedas, la una azezitunada y la otra colorada, y con una letra que dezía:

No puede ya el alegría
alegrar
sin más pesar.[8]

Traía más una taverdeta francesa azul y amarilla, y dezía la letra con que venía bordada:

[5] Otra vez el blanco simboliza la vida. Las *cerraduras* eran los lazos que abrochaban la camisa y que se podían atar, como los cordones de un zapato, más o menos estrechamente. [Aunque la camisa es una prenda interior, el *auctor* la describe porque la ve prácticamente en su totalidad, según la moda vigente en la segunda mitad del siglo XV, que autorizaba a exhibir la prenda, artística y lujosamente labrada, siguiendo el estilo de la camisa morisca.]°

[6] El *follaje* era 'la guarnición que va entretexida de hojas con algunos ramos, troncos y lazos, quadros y compartimientos' (Cavarrubias), pero aquí, puesto que es de seda, hay que suponer que se trata de un adorno de hojas

bordadas. Como antes, el negro representa la *firmeza* de Leriano, y el leonado la *congoxa* de Laureola. [El *brial* era un traje ajustado al cuerpo y, normalmente, tan largo que arrastraba por el suelo. El *follaje* sería un brocado, esto es, una especie de relieve sobre la seda.

[7] La *cinta de caderas* descrita es suntuosa por el hilo de oro con que está bordada. Pero este tipo de cinturones llegaron a hacerse con piezas de orfebrería articulada.]°

[8] Los colores aquí representados denotan tristeza y alegría respectivamente. Las *faldillas* eran faldas interiores, a modo de enaguas. Como el brial solía llevar aberturas, las faldillas eran vistosas para lucirlas al andar.]°

> Con tu muerte mi memoria
> se concierta
> que biva mi gloria muerta.[9]

Más traía un manto de aletas verde y morado, bordado con unas matas de yerbabuena, con una letra que dezía:

> Si no tuviera la vida
> en tu muerte,
> no me mostrara tan fuerte.[10]

Traía más unos guantes, escritas en ellos unas eles y oes, y una letra que dezía:

> Con lo que acaba y comiença
> fenesció
> quien muerte no mereció.[11]

Traía más unos alcorques con unas nemas, y unas letras que dezían:

> ¡Qué pena, más en tu pena
> que en la mía!
> Más mereció mi porfía.[12]

Acabado de mirar cómo venía vestida y lo que las letras significavan, vi que con mucha tristeza y poco plazer, más con semblante

[9] *taverdeta*: la tabardeta francesa era un tabardo corto; se puede dudar de la forma *taverdeta*, pues no se registra en ninguna otra parte y todas las formas de *tabardo*, así como de sus derivados, conservan la segunda *a*; es posible, pues, que se trate de un error tipográfico por *tavardete*, palabra que Corominas no documenta hasta 1590. Los colores azul y amarillo, que simbolizaban la castidad y la desesperanza, parecen tener que ver muy poco con la letra.°

[10] Esta letra presenta mayores dificultades que las demás. El verde y el morado (esperanza, e imperio, sangre real) no parecen ayudarnos nada, si bien Laureola es de sangre real. San Pedro usa el morado en los cuatro pilares que resultan ser las cuatro facultades del alma, el Entendimiento, la Razón, la Memoria y la Voluntad, pero esto tampoco viene al caso. No es imposible que la *yerbabuena* sea alusión al mito de Minthe (*Metamorfosis*, X, 729), quien, a punto de morir por ser la amada de Plutón (la muerte), fue salvada por Proserpina (que también estaba celosa), que la metamorfoseó en menta (*yerbabuena*). Por lo que aventuro la siguiente interpretación: 'Si yo no hubiese estado viva (tuviera la vida) cuando tú moriste, la vida ahora no me sería tan amarga'.°

[11] Los *guantes*, como los de Leriano, van cubiertos de letras; el contenido de los versos es muy similar.

[12] *alcorques*: calzado con plataforma de corcho. El empleo de este material para el calzado es transmitido por los musulmanes españoles. Las mujeres llevaban plataformas considerablemente altas. Las *nemas* son las correas que cierran el calzado.

de muerta que con fuerça de biva, buelta la cara a do estava Leriano, comiença a hablalle en esta manera.

[11]

Laureola a Leriano

Nunca pensé, Leriano, que la fuerça de tu esfuerço por tan poco inconveniente consintieras perder; porque si, como dizes, servirme desseavas, más honra me fazías en bivir que en darte la muerte; y cierto te fago que más tu flaqueza que tu mucha pena, ni menos amor, me heziste creer; y si claro quieres veer quán mal lo feziste, piensa si yo por burlar o por provarte, lo fiziera, quán errado avía sido tu propósito. Pues si los leales amadores los desconciertos del amor no saben soffrir, ¿quién será para padecellos? Pues quien no sabe sofrillos, no piense gozallos, y pocas vezes espere su gloria; pues no está la virtud sino en saber forçar la pena, que en gozar la bienaventurança, quienquiera, quando le viene, sabe della aprovecharse. Assí que tú más culpado deves ser, siendo discreto, por lo que feziste que loado por enamorado por lo que passaste; y no creas que si de tu fe no estoviera segura, que diera crédito a tu fingida firmeza: y no dando principio, no deviera llegar a tan errado fin. Y más para dezirte verdad que para pagar tu pena, te hago cierto que si tu muerte creyera, antes la mía tomara que la tuya consintiera, porque me parece que fuera consciencia sofrillo. Pero si la confiança de lo que por mi servicio fazías me hazía creerlo, la seguridad de tu buen seso me fazía dudarlo; y desta manera dava más crédito a tu discreción que a tu arrebatada muerte.[1]

Bastarte deviera a ti, Leriano, membrarte en la desputa que estovo mi honra y peligro mi vida, y contentaríaste tú con saber que te quería y que tu mal más que el mío me penava aunque no te lo dezía.[2] Y si esto me niegas, miembrate quién yo era y la poca necessidad que de tus servicios tenía, y como con sólo

[1] Exige Laureola a Leriano una conducta digna de un perfecto amador. La discreción era, por ejemplo, la garantía de una correcta relación, pero Laureola la destaca como una virtud personal de Leriano, un atributo de persona por el que el caballero es reconocido.°

[2] La expresión es inequívoca: Laureola estaba enamorada. Pero la declaración del sentimiento se hace dentro del sueño del *auctor*.°

escrivirte bastava para desto asegurarte y para que conoscas que
no procedía de la deuda sino de mi voluntad. Y pues está el testigo delante, no me negarás que, quando con mi mensaje te deses-
peraste y dexaste morir, no te dava esperança, pues te dezía que
esperaras vencer al rey mi señor por días, para que vieras si ante
no mereciera ser loada por de buen conoscimiento que culpada
por desgradecida.[3] Y porque de más fablarte, pues no espero verte, no recibas la passión que de tu muerte recibo, acorto la fabla,
aunque es larga la pena, faziéndote cierto que pagaré a tu alma
lo que a tu cuerpo, tu muerte y mi poca dicha no me dexaron
quanto la muerte me dexa.

[12]

El auctor

Quando Laureola fablava estas cosas a Leriano, estava yo en estraña manera espantado, viendo su mucha piadad, juzgando su seso,
conosciendo su voluntad; y tanto sus amorosas razones mi fuerça
vencían que, aunque comigo no fablava, muchas vezes, si no fuera
descortesía, le respondiera, gradeciéndole mucho lo que dezía, ahunque aprovechava poco. Pero como sus razones a mi pensar parecían
justas, nunca creí que Leriano tuviera ninguna cosa que le responder, ni con que le satisfazer, no por la poca confiança de su seso
mas por la mucha turbación de su alma, en ver delante de sí la
que más que a sí quería; a la qual, los ojos en el suelo, con mucha
cortesía y acatamiento començó a respondelle en esta manera.

[13]

Leriano a Laureola

¡O quién tuviesse, señora, tanto saber para quexarte mi mal como
tengo razón para padecello![1] Yo sabría tan bien responderte
como, si pudiera vivir, supiera servirte. Dizes, señora, que nunca
creíste que la fuerça de mi morir pudiera más que mi esfuerço;

---

[3] El mensaje de Laureola iba en la
última carta que ella había enviado a
Leriano y cuyo contenido es, como en
otras ocasiones, bien conocido por el
auctor.°

[1] No quiere decir que su sufrimiento esté justificado por razón de alguna
culpa propia. Más bien creo que opone un conocimiento externo: 'saber
quejarse', lo cual se mostraría por la

no te maravilles, que como yo sin mí me fallava, no tenía con
qué defenderme; assí que de lo que me culpas mereces la pena,
pues tú, que podías remediallo, consintiste fazello. Y si dizes que
erré en no defenderme, affirmándote todavía que pudiera fazello,
si tú por provarme o por burlar lo fizieras, juzga lo que dizes,
y mira quál estava, y verás que el coraçón lastimado nunca toma
la buena nueva por cierta ni la mala por dudosa.[2] Y con esto,
todo lo que de tu parte me dezían, creía, conosciendo tu mucha
crueza y mi poca dicha. Y no pienses que tan poco trabajo puse
en defender mi vida para servir la tuya, que más pena no me dava
defenderme de la muerte que padecella, y en membrándome como
no codiciava bivir sino para servirte, veía que era yerro no querer
lo que quisiste, pues de aquello te servías. Y no pienses que tan
poco gané en ella que la do en mí por mal empleada, pues en
ella descobriste la piedad que en la vida siempre negaste. Y si
dizes que me bastava el esperança que me davas, no te lo niego
según quien tú eres, que con solo mirarme quanto te pudiera servir me pagavas, quánto más con lo que dizes;[3] porque quanto
menos el esperança parecía cierta, tanto más de lo mucho que
merescías se me membrava y de merecerte estava dudoso; porque
quanto mayor era la merced tanto menos la creía, y con esto hize
la obra que vees. Y a lo que me dizes de la ventura en que tu
honrra y vida se puso, bien sabes, si lo cierto no olvidas, a quán
poco cargo te era; y la esperiencia de lo que me pesava, tú lo
sabes, y las obras son testigos. Y si dizes que en lo primero esta-
vas sin cargo, y en tanto peligro te viste que más aparejado estoviera dando ocasión para que algo se sospechasse, pues andavan
sobre el aviso, no te engañes, que pues ya tu limpieza se havía
mostrado, nunca nadi dixera lo cierto que por dudoso no se toviera, viendo la paga que a los otros havían dado; de quien menos
el secreto se fiava, más lo temieran. Y por esto verás que con
lo que te escusas, más te condenas.

Y pues no te puedo servir, no quiero enojarte ni más te hablar,

---

elocuencia, con un conocimiento interno: 'saber sentirlo', que es, justamente, clave de la caracterización psicológica en la ficción sentimental.°
    [2] Se apunta aquí el grado de enaje-
namiento a que puede estar sometido
el sujeto amante.

[3] Esto es, con los dones de beneficio que ella, como princesa podía dispensarle. Este reconocimiento y aceptación por parte de Leriano de la
dispensa de tal grado de afecto parece
señalar la imposibilidad de otro tipo
de amor.

salvo pedirte, en galardón de mi fe, que me des las manos que
te bese, porque desta gloria goze en la muerte, pues en la vida
no pude ni tú me dexaste.[4] Y assí me despido, suplicándote que
del alma, como dizes, tengas memoria, pues el cuerpo posiste en
olvido. Y por más enojoso no serte ni con mis razones importu-
narte, acabo, pidiéndote por merced que si alguno presumiere aprovecharse de la riqueza de servirte, la fe de mi voluntad te acuerdes, la qual delante tus ojos pongo, porque de mi muerte hayas
la compassión que de la vida no huviste.

[14]

El auctor

Quando estas cosas entre ambos passavan, estava mirando la cortesía y mucha firmeza con que Leriano fablava, y quán poco pesar
de su muerte mostrava, porque conoscía que a Laureola no menos
que a él le dolía; y por no le enojar, suffría su pena callando su
muerte; y quanto me alegrava de vellos juntos, tanto me entristecía membrándome de la muerte de Leriano. Y según sus razones
me parecían, aunque yo de las menos dellas gozava, nunca quisiera vellas acabar; y porque yo conoscía que si Leriano recibía gloria
de vella, que Laureola no recebía pena sino de ver que era muerto, quisiera que nunca su fabla toviera cabo ni su vista aparta-
miento; pero como nunca las cosas que dan plazer suelen mucho
durar, antes más aína se pierden, yo, estando en esto contemplan-
do, soñava que oía una boz muy triste que dezía: «¡Ven, Leriano,
que tardas!».[1] Y con un rezio y dolorido sospiro, el bonete en
la mano, se fue a Laureola por le besar las manos; la qual, por
alguna gloria dalle en la muerte, pues en la vida no quiso, se
las dio. Y besándogelas dixo estas palabras muy rezio y desapareció:

> ¡O si la morte matasse
> la memoria,[2]
> pues que dio muerte a la gloria!

---

[4] Parece un descuido de Núñez. San
Pedro había relatado: «Cuando besó las
manos a Laureola pasaron cosas mucho de notar» (cap. 18).

[1] Esta voz de ultratumba y *triste*

puede significar que Leriano está pa-
deciendo tormento, tal y como corresponde a un suicida.○

[2] *morte*: latinismo, no del todo inusitado en esta época: compárese *muy
bona gente* en San Pedro (cap. 36).

[15]

El auctor

Quando yo vi que no le veía, miré a la parte donde Laureola
estava, por ver si la viera, y vila con tanto pesar, y los ojos baña-
dos en agua que, no como ella era hermosa, mas como si verdaderamente estoviera muerta, estava amarilla, perdida la habla, vencida la fuerça; y en tal dispusición la vi que más compassión avía
de vella que a Leriano, aunque estava muerto; y de ver tal al
uno, y al otro en peor peligro, estava tan desesperado que dezien-
do verdad, yo quisiera más acompañar a Leriano muerto que seguir a Laureola vivo; la qual con mucha tristeza, desimulando
quanto podía la pena que la de Leriano le dava, forçando las lágrimas como discreta, començó a fablarme en esta manera.[1]

[16]

Laureola al auctor

Verdaderamente con más coraçón y mejor voluntad me despidiera
de la vida y tomara la muerte que salir de tu posada, si no creyes-
se que saliendo me avía de salir el alma; porque es cierto que
si creyera que veyendo a Leriano tal me avía de ver, nunca en
tal me pusiera, y antes suffriera la pena de absencia que la gloria
de velle, pues no podía remediarle; que nunca pensé que así me
penara, porque quanto más sus servicios y lealtad delante de mí
ponía para algo querelle, tanto mi bondad y la grandeza de mi
estado me lo estorvava; y no porque contra esto esperava ir —¡antes
la vida de mí se vaya!— salvo que con más trabajo y menos olvido trabajara con el rey mi señor su libertad, ahunque a mí no
era dado, para que entrase en la corte y oviera lugar de verme.
Y con esto, que según él dezía y su muerte manifestava, y con

[1] Al disculparse en el comienzo de
su relato, Núñez había indicado que,
como continuación a la obra de San
Pedro, se proponía 'acrescentar lo que
de suyo está crescido'. Entre otros cabos que trató de enlazar, Núñez se propuso dotar al personaje de Laureola de
unos rasgos de patetismo que aplica por
varios medios. Si la confesión tardía de
la piedad no logra conmover, el conti-
nuador se detiene en describir la fuerza
expresiva de la efusión del llanto.°

la esperança que le dava, oviera logar de no desesperar; pero si
yo con mi crueza lo consintía, con la compassión lo he pagado
y espero pagar tan bien, que para mi salud estoviera tan bien hazello como para mi bondad por qualquiera parte negallo.[1] Pero
no de mi voluntad quiero quexarme, pues sus servicios con buenas obras esperava pagallo. Mas de la hermosura que Dios me
dio me quexo,[2] y él deve quexarse; y ésta pudo más aína que
mi condición y voluntad engañalle; y porque el tiempo es corto
y la passión es larga, no quiero más dezirte, salvo que te hago
cierto que aunque Leriano, según mi estado y linaje, por muger
no me merecía, nunca deviera perder él la esperança.[3] Y pues a
él no puedo pagar sus obras y buenos servicios, a ti te ruego que
de la corte no te partas, aunque el deseo de tu naturaleza te
pene,[4] porque conozcas en las mercedes que te haré si aquí bi-
vieres, las honras que a Leriano fiziera biviendo.

[17]

El auctor

Quando Laureola acabó de hablarme quedó tan triste y tan llenas
sus vestiduras de lágrimas de sus ojos, que en grande manera me
ponía más manzilla su penada vida que la muerte del muerto;
y a todo lo que me dixo quisiera mucho respondelle, gradeciéndole las mercedes que quería fazerme, como la cortesía con que me
hablava, salvo que quando más seguro y pensativo en lo que
me havía dicho estava, se partió de mí con un grande sospiro,
y con una boz con que pudo recordarme,[1] que dezía:

Ya no puede más doler
la muerte, aunque esté más cierta,
que la vida que está muerta.[2]

---

[1] *espero pagar ... parte negallo*: Es probable que sobre el primer *tan bien*.°
[2] En la argumentación que sostiene
Laureola frente a Leriano, la expresión
se acomoda como *locus* de naturaleza,
apuntando que la percepción sensorial
es perniciosa.°
[3] *nunca deviera perder él la esperança*:
no consta en el texto, pero hace falta
alguna frase parecida a ésta.°

[4] *de tu naturaleza*: 'de tu patria'.

[1] *recordarme*: 'despertarme'.
[2] En el original la letra que sigue
está impresa toda seguida, como si fuese
prosa; no parece probable que sea una
pura coincidencia el que la prosa se deje
medir como una típica letra de dos octosílabos más un verso de pie quebrado, con rima.

[18]

Sigue el auctor

Después que miré al derredor y vi que me avía quedado solo,
falléme tan triste y tan enbeleñado[1] que no sabía lo que de mí
hiziesse, ni de lo que havía soñado qué pensasse; y como no tenía
con quien hablar, estava tan pensativo que mil vezes con mis manos quisiera darme la muerte, si creyera hallar en ella lo que con
ella perdí. Y como pensé que con mi muerte no se cobrava la
vida del muerto, vi que era yerro perder el alma sin gozar del
cuerpo;[2] y como es cierta esperiencia que la música cresce la pena
donde la falla, y acrescienta el plazer en el coraçón contento, tomé
una viyuela y, más como desatinado que con saber cierto lo que
hazía, comencé a dezir esta canción y villancico.

Canción

No te dé pena penar,
coraçón en esta vida,
que lo que va de vencida
no puede mucho durar.

Porque según es mortal
el mal y se muestra fuerte,
¿para qué es temer la muerte,
pues la vida es mayor mal?
Comiénçate a consolar,
no muestres fuerça vencida,
que lo que mata a la vida
con muerte se ha se sanar.

Villancico

¿Para qué es buena la vida,
si la muerte
se toma para mejor suerte?

[1] *enbeleñado*: 'entorpecido'. También
puede entenderse como embelesado tanto con algo que parece que ha perdido el juicio. La palabra deriva de
beleño, una planta en la que la ingestión de alguna de sus variedades puede llegar a privar del juicio.

[2] El argumento parece muy débil y
acaso haya que suponer en su intención un cierto matiz irónico. En su aspecto formal se trata de una fórmula
de abreviación.

Quien muere, muerte viviendo,
no haze mucho suffriente,
mas el que bive muriendo
sin la muerte,
¿qué mal ni pena ay más fuerte?

Quien puede soffrir su mal
o quexallo a quien lo haze,
con su mal se satisfaze
su vida, aunque es mortal;
pero el dolor desigual
de la muerte
¿quién lo suffre que no acierte?

[19]

El auctor

Acabado de dezir la canción y deshecha lo menos mal que yo
pude,[1] dexé la vihuela y sin más pensar lo que devía hazer, man-
dé ensillar, porque me parecía que era tiempo y bía de me partir
a mi tierra; y despedido de los que hallé por la calle, salí de la
corte más acompañado de pesar que consolado de plazer; y tanto
mi tristeza crescía y mi salud menguava, que nunca pensé llegar
bivo a Castilla. Después que comencé a entrar por mi camino,
viniéronme tantas cosas a la fantasía, que no oviera por mal perder el seso, por perder el pensamiento dellas. Pero, membrándome como no havía ningún provecho pensar más en ello, trabajava
comigo quanto podía por me defender de traellas a la memoria;
y asý trabajando, el cuerpo en el camino y el alma en el pensamiento, llegué aquí a Peñafiel (como dixo Sant Pedro), do quedo
besando las manos de vuestras mercedes.

*Fue emprentada la presente obra por Fadrique Alemán de Basilea,
en la muy noble y leal ciudad de Burgos, año del nascimiento
de Nuestro Señor Jesucristo, Mill CCCC XCVI, a XXVII
de octubre.*

[1] *deshecha*: composición que conden-
sa a modo de conclusión, como la fi-
nida trovadoresca, el contenido lírico
de la canción anterior. Su disposición
estrófica suele ser la del villancico o la
canción.

APARATO CRÍTICO

Los números iniciales de cada entrada remiten a la página y a la línea correspondientes. La referencia a otros editores se hace señalando el nombre del editor y la página de la edición. En cuanto a las referencias a la edición crítica de I. Corfis, se remite al número de la nota en el aparato textual, que corresponde a la línea de la página.

A   Sevilla: Quatro conpañeros alemanes, 1492.
Z   Zaragoza: Pablo Hurus, 1493.
B   Burgos: Fadrique Alemán de Basilea, 1496.
C   Toledo: Pedro Hagenbach, 1500.
E   Sevilla: Jacobo Cromberger, 1509.

Las siglas *A*, *Z*, *B*, *C*, y *E* corresponden a los impresos más antiguos de *Cárcel de amor*, representantes de las tres ramas de la transmisión.

3.1 tractado fue hecho *ECB* tracta... cho *A* [Por pérdida de la esquina del folio recto.
3.1 señor don Diego *ECB* señor... Diego *A* [Por pérdida de la esquina del folio recto.
3.2 de otros *EBA* de los otros *C*
3.2 cortesanos llamase *EBA* cortesanos y llamase *C*
3.3 conpusolo san *A* conpusolo diego de san *ECB*
3.8 que dixiese y *A* que dixiesse *B* que dixese y *EC*
3.9 lo conozca aunque *CBA* lo conozco aunque *E*
3.15 la señora *BA* la virtuosa señora *EC*
3.15 doña Marina Manuel *BA* doña Maria Manuel *EC*
3.15 porque le parescia menos malo *ECB* por... malo *A* [Esta laguna se debe a la pérdida de la esquina del folio vuelto.
3.16 otro tractado que vido mio *BE* otro... do mio *A* otro trac-

tado que vio mio *C* [Como en los casos anteriores, la laguna es por pérdida de la esquina del folio.
3.17 su mandamiento pense *EB* su man... nto pense *A* su mandamiento piense *C* [Laguna de la misma naturaleza que la anterior.
3.19 acorde endereçarla *EA* acorde de endereçarla *CB*
4.3 como he *CBA* como yo he *E*
4.3 otra escritura de *ECB* otra escitura de *A*
4.6 señor considerado esto *BA* señor considerando esto *EC*
4.9 hazerlo que se *CBA* hazerlo se *E*
4.19 por entre unos robredales *BA* por entre unos robledales *C* por unos robledales *E*
4.19 do mi camino *EBA* do me camino *C*
4.20 cavallero assi feroz *CBA* cavallero tan feroz *E*
4.22 fuerte y *CBA* fuerte y muy rezio y *E*

4.22 la derecha *CBA*   la mano derecha *E*

4.24 la vista salian *CBA*   la vista de los ojos salian *E*

4.25 que el cavallero *CBA*   que aquel cavallero *E*

5.1 para temer que *ECB*   para temor que *A*   [Adopto la lección de los testimonios cotejados. Para K. Whinnom 'por los acostumbrados paralelismos y *similiter cadens* sanpedrinos parece preferible el infinitivo'. Es solución que adopta I. Corfis.

5.6 en dexalle flaqueza *ECB*   en dexallo flaqueza *A*

5.11 fuerça le hazia *CBA*   fuerça hazia *E*

5.14 para cometer al *CBA*   para acometer al *E*

5.16 que rebolvi el *ECA*   que rebuelve el *B*

5.20 a lo qual *EBA*   a la qual *C*

5.22 para secutar mal *EBA*   para essecutar mal *C*

5.25 la braveza de *ECA*   la praveza de *B*

5.28 hermosura desta ymagen *ECA*   hermosura deste ymagen *B*

5.28 con ellas quemo *ECA*   con ellos quemo *B*

6.3 el atormentador cavallero *ECB*   el atormentator cavallero *A*

6.3 me yva diciendo *ECB*   me yda diciendo *A*

6.4 sierra de tanta *CBA*   sierra aspera de tanta *E*

6.6 como vido que *EBA*   como vio que *E*

6.12 allí desesperava de toda esperança; allí esperava mi perdimiento *CBA*   alli desesperava mi perdimiento *E*

6.16 en tristes y *CBA*   en tristezas y *E*

6.30 la una de leonado y la otra de negro y la otra de pardillo *EA*   la una de leonado otra de negro y la otra de pardillo *B*   la una de leonado y la otra de negro y la otra de perdillo *C*

7.4 ella oya dos *ECA*   ella oy dos *B*

7.7 con los marmoles *EBA*   con las marmoles *C*

7.13 lo que me *CBA*   lo qual me *E*

7.15 portero al qual *ECA*   portero el qual *B*

7.16 haria pero que *ECA*   haria enpero que *B*

7.21 descanso y esperança *ECA*   descanso esperança *B*

7.27 llegue ya a *EBA*   llegue a *C*

7.33 mas entendia en mirar *ECA*   mas entendien mirar *B*

7.35 las ymagines que *CBA*   las ymagenes que *E*

8.3 y adornavan poniendole *CBA*   y adoravan poniendole *E*

8.5 el celebro y *ECA*   el cerebro y *B*

8.9 le truxeron de *ECA*   le truxieron de *B*

8.9 negra y tres *ECA*   negra tres *B*

8.13 onbre cuydoso y *CBA*   onbre cuytoso y *E*

8.23 merecias pero ya *ECA*   merecias enpero ya *B*

8.26 yo la cause *CBA*   yo mismo la cause *E*

9.4 sepa poco *EBA*   sepa muy poco *C*

9.6 causa de mi prisión *EA*   causa de mi presion *B*   causa y razon de mi prision *C*

9.8 me delibres quiero *BA*   me libres quiero *EC*

9.13 que agora reyna *EBA*   que hora reyna *C*

9.14 reyna pensamiento que *A*   pensando que *B*   causa que *C* reyna cosa que *E*

9.20 su fundamiento y *BA*   su fundamiento y *EC*

9.21 sobre quien la *CBA*   sobre que la *E*   [En su edición crítica I. Corfis adopta la solución de *E*, al advertir que *piedra*, antecedente del re-

lativo, es un sustantivo inanimado. Para
K. Whinnom el empleo de *quien* con
antecedente de cosa, aunque permiti-
do en la lengua clásica, es raro en San
Pedro; sin embargo, lo conserva en su
edición. Mantienen esta lectura S. Gili
Gaya y E. Moreno Báez. Respeto la
lectura *quien* mantenida en dos ramas
de la transmisión (véase I. Corfis, pp.
51-69), donde están los testimonios más
conservadores, lo que puede responder
a un uso común.

9.29 consiento al mal *ECA*
consiento el mal *B*

10.3 le estara la *EBA*   le sera la *C*

10.12 tres imagines que *CBA*
tres imagenes que *E*

10.14 leonado y negro *ECA*   leonado negro *B*

10.14 otra congoxa *BA*   otra es
congoxa *EC*

10.16 quales tienen atado *C*   quales tiene atado *EBA*

10.20 tinieblas desta triste *C*   tinieblas deste triste *BA*   tinieblas
de la triste *E*   [De acuerdo con
K. Whinnom, aunque la utilización del
demostrativo masculino puede ser un
rasgo cultista, pues acompaña a *cárcel*,
género masculino en latín, me inclino
por la formación *desta triste*, puesto que
San Pedro emplea *cárcel* como femenino a lo largo de la obra. Es lección
que adoptan todos los editores modernos.

10.21 ningund inpedimento le *ECA*
ningund inpedimiento le *B*

10.25 tal aviso porque *CBA*   tal
uso porque *E*

10.26 obscura por do sobiste *A*
escura por donde sobiste *ECB*

10.27 el primero portero *CBA*   el
primer portero *E*

10.29 por esso te dixo *EBA*   por
esto te dixo *C*

10.32 porque está de *CBA*   porque estava de *E*

11.4 grave cuydado que *ECA*
grave cuytado que *B*

11.12 como y pienso *ECA*   como
pienso *B*

11.14 mal y pena *ECA*   mal
pena *B*

11.15 con que coma *ECA*   con
que como *B*

11.17 trae el agua *CBA*   trae agua
E

11.24 redemir los *BA*   remedir los
C   redemir a los *E*

12.2 pasados y por la cuyta
CBA   passados por la cuyta *E*

12.2 yo ternia de *CBA*   yo tenia
de *E*

12.7 la peior fortuna *A*   la peior
fortuna *ECB*   la peior fortuna *A*
[Todos los editores, menos I. Corfis,
conservan la *i* intervocálica etimológica, cultismo latinizante, según K.
Whinnom.

12.11 eres soy muy *CBA*   eres so
muy *E*

12.14 sino coraçon *CBA*   sino
con coraçon *E*

12.21 en otra cosa no *CBA*   en
tal caso no *E*

12.24 que mandas *EBA*   que me
mandas *C*

12.25 tal la dicha *CBA*   tal dicha *E*

12.27 obligado amarte *A*   obligado a amarte *ECB*

13.2 bien te truxere *EA*   bien te
truxiere *B*   bien o remedio te truxere *C*

13.6 E como acabe *ECA*   como
acabe *B*

13.10 fui a palacio *A*   fue a palacio *ECB*

13.10 trato y estilo de *EBA*   trato de *C*

13.12 saber donde me *CBA*   saber do me *E*

13.12 o aguardar para *AC*   o
guardar para *BE*

13.13 queria aprender y *ECA*
queria enprender y *B*   [Los editores
modernos han optado por la lectura de
ECA pero algunos han expresado sus
dudas. K. Whinnom interpreta *apren-*

der como *emprender* aunque confiesa no hallar documentada tal acepción en los diccionarios y sugiere un error por anticipación del *aprender* de la frase siguiente. Para E. Moreno Báez se trata de una errata. Para I. Corfis *aprender* deriva directamente del latín *aprehendere*, con el sentido de 'coger, apoderarse'. Así interpreta que el *auctor* desearía aprender las costumbres y etiqueta de la vida cortesana con el fin de poder ayudar a su amigo.

13.20 yo fui tan *BA*   yo fue tan *EC*

13.21 damas y assí *CBA*   damas assi *E*

13.22 aviendo ya noticia *CBA* haviendo noticia *E*

13.27 puesta la rodilla *ECA* puesto de rodillas *B*

13.27 dixele lo siguiente *CBA* dixe lo siguiente *E*

14.5 se emiendan por *EBA*   se entiendan por *C*

14.8 digo esto señora *ECA* digo esta señora *B*

14.9 dezir halle osadia *ECBA* [A diferencia de otros editores, como S. Gili Gaya y E. Moreno Báez, K. Whinnom e I. Corfis leen *hallé* y no *halle*. Me parece coherente el uso del pasado pues la justificación del atrevimiento queda de manifiesto en los elogios previos.

14.10 la puedes tener *ECA*   la puedas tener *B*

14.14 tu señora sabrás *ECA*   tu sabras *B*

14.14 asperezas desiertas vi *CBA* asperezas de sierras vi *E*

14.18 con el camine *CBA*   con el camino *E*

14.21 pena le secuta *E*   pena le executa *C*   pena la secuta *BA* [Es probable que el laísmo de *BA* se deba más bien a una atracción del femenino, a juzgar por el predominio leísta en el pasaje y en la obra en general. El leísmo es aceptado por todos los editores.

14.22 pensamiento lo desvela *EBA*   pensamiento le desvela *C*

14.23 esto tu eres causa *EBA* esto eres tu causa *C*

14.27 de lastima y *ECA*   de lastimado y *B*

15.5 no que te culpen *EBA*   no te culpen *C*

15.7 si la remedias *BA*   si le remedias *E*   si lo remedias *C*

15.9 en darle la vida *EBA*   en dar la vida *C*

15.12 que cosa grave para ti *EBA*   que grave cosa para ti *C*

15.13 que serte a ti *EBA*   que ser a ti *C*

15.14 dicho mi atrevimiento *EBA*   dicho atrevimiento *C*

15.15 me podra venir *BA*   me podria venir *EC*

15.16 que el me *EBA*   que me *C*

15.18 cativo Leriano *EBA*   cativo de Leriano *C*

15.23 acabaran a un tienpo *CBA* acabaran en un tienpo *E*

15.24 la piedad que *ECA*   la piadad que *B*

15.26 en ti secutada *EBA*   en ti executada *C*

15.28 y tenidas segund *EBA*   y temidas segund *C*

16.2 atrevimiento devias morir *EBA*   atrevimiento devieras morir *C*

16.13 te hable en *ECBA*   [K. Whinnom e I. Corfis acentúan la palabra en contra del resto de los editores modernos que interpretan *hable* como presente de subjuntivo.

16.28 por no esquivarme *CBA* por esquivarme *E*

17.10 quien oye con la desvergüença *EBA*   quien por la desvergüença *C*

17.15 menos esquividad para *ECBA*   [Para K. Whinnom este pasaje ofrece dificultad, pues el *menos* que acompaña a *esquividad* puede ser un error del cajista por atracción del *menos* anterior. Se entiende que Laureola habla con rigor pero es más asequible en su apariencia externa. Compruébese más abajo: *hallava áspero lo que respondía y sin aspereza lo que mostrava*.

17.18 que fueron diversas *ECA* que fuera diversas *B*

17.20 en todo lo que se esperava *EBA* en todo aquello que se esperava *C*

17.23 mas vezes *ECA* algunas vezes *B*

17.27 bolviase supito colorada *ECA* bolviase supita colorada *B*

17.28 mudanças forçavala la pasion *EBA* mudanças forçavale la pasion *C*

18.10 que escrivo para *EBA* que escrivio para *C*

18.12 mi fe dezía *EBA* mi fe me dezia *C*

18.14 mas guay de mi *CBA* mas ay de mi *E*

18.16 merced te meresciese *EBA* merced meresciese *C*

18.20 bien podrie bastar *A* bien podria bastar *BC* bien podra bastar *E*

18.20 las otras partes *CBA* las partes *E*

18.22 cuenta del servir el penar *BA* cuenta del servicio el penar *EC*

18.24 te maravilles que *ECA* te maravillas que *B*

19.7 males que *EBA* males y trabajos que *C*

19.10 quisieres hazerme no lo *CBA* quisieres hazer no me lo *E*

19.19 escrivillas quien las enbia *EBA* escrivillas que las enbia *C*

20.5 servir antes que *BA* servir ante que *EC*

20.7 y este tiene *CBA* y esto tiene *E*

20.8 queria escusarse *A* querria escusarse *ECB*

20.13 sea pesado que por otra *AC* sea passado que por otro *B* sea pesado por otra *E*

20.16 tu la hazes llama bienaventu-rada *CBA* tu le hazes llamar bienaventurada *E*

20.17 hermosura queria tener *A* hermosura querria tener *ECB*

20.19 tiene su memoria *CBA* tiene tu memoria *E*

20.20 si por ventura siendo yo *ECA* si por ventura seyendo yo *B*

20.20 tan desdichado pierde *EBA* tan desdichada pierde *C*

20.22 leella quisieres a el *EBA* leella quisiesses a el *C*

20.30 ni tema mas *ECA* ni tenia mas *B*

21.4 Laureola al auctor *EBA* laureola *C*

21.5 tanto estrecho me ponen *ECA* tantos estrechos me ponen *B*

21.12 sin amanzillar mi onrra *BA* sin manzillar mi onrra *EC*

21.18 mugeres deven assi *CBA* mugeres devan assi *E*

21.20 se vee en ellas *ECB* se vee en ella *A* [Para facilitar la concordancia sigo como K. Whinnom e I. Corfis la lección de los tres coincidentes. No obstante, podría aceptarse la que presenta el impreso de Sevilla, pues tiende a singularizar a la mujer de alta categoría frente a un grupo social inferior, lo que concuerda con el *argumentum per simplicem conclusionem* con que se defiende la princesa. El resto de los editores han adoptado el testimonio de *A*, sin comentario alguno acerca de su sentido.

21.21 gran fealdad. Pues *ECB* gran fealtad. Pues *A*

22.2 de mi sofrimiento *ECA* de soffrimiento *B* [Parece aceptable la lección de los testimonios coincidentes proporcionando un equilibrio conceptual antitético en la frase.

22.7 levaras buena esperança *AC* levaras buen esperança *BE*

22.11 agena te falte remedio *ECA* te falta remedio *B*

22.21 entre tanto *CBA* en tanto *E*

22.26 mejor medio que *EBA*   mejor remedio que *C*

22.27 me ha sido la ventura *A* me ha seydo la ventura *ECB*

22.29 me ha sido enemiga *ECA*   me ha seydo enemiga *B*

23.3 ni pude entenderlas *BA*   ni puedo entenderlas *E*   ni puede entenderlas *C*

23.3 ni saber dezirlas *ECBA* [En esta lectura coinciden todos los testimonios consultados. Pero los editores enmiendan *saber* en *sabre*, con excepción de I. Corfis, para quien *saber* es lectura del arquetipo, por lo que *entenderlas y saber dezirlas* serían complemento de *puedo*. Para ello recurre Corfis a enmendar la lectura de *BA*, tomando *puedo* de *E*, puesto que el valor de tiempo de pasado no se ajusta a su interpretación.

23.9 viendola movible *ECA*   veyendola movible *B*

23.15 grave parece en *A*   grave parecen en *CB*   grave parecer *E*   [K. Whinnom edita *parece* con cierta reserva, apuntando la necesidad de enmendar siguiendo las ediciones del XVI que, según el *stemma* de I. Corfis, dependen de *E*. I. Corfis elige en este pasaje la lectura de este último testimonio. Por mi parte, creo que es aceptable la concordancia que observa *A*.

23.17 te dixiese suplicote *AC* te dixese suplicote *E*   te dixiesse suplicote *B*

23.23 gran corona es para ti *CBA*   grande corona espera de ti *E*

23.26 tentada cata que *EBA*   tentada mira que *C*

24.4 responde Leriano *BA*   respuesta de Leriano *EC*

24.6 esto no te *EBA*   esto non te *C*

24.7 te maravilles si *ECA*   te maravillas si *B*

24.10 para otra cosa *ECA*   para otro cosa *B*

24.16 me podiera igualar *BA*   me podria igualar *EC*

24.24 al alma las *CBA*   al anima las *E*

24.27 las conozco y *ECA*   las conozca y *B*

24.28 ha de usar *EBA*   ha usar *C*

24.31 me obligavan a *CBA*   me obligan a *E*

25.4 Laureola en una *ECA*   Laureola una *B*

25.10 afanes avie de *A*   afanes avia de *ECB*

25.14 presto en un *EBA*   presto un *C*

25.15 te deves maravillar *ECA* te devas maravillar *B*

25.20 que en *ECA*   que si en *B*

25.20 esto si mi *EA*   esto mi *CB*

25.21 espantado esto *EBA*   muy espantado estoy *C*

25.22 por serlo del *ECB*   por selo del *A*

25.23 te querra servir *EBA*   te querria servir *C*

25.24 tus propias cosas destruyes *EBA*   tus cosas propias destruyes *C*

00.00 cierto tu eres *CBA*   cierto que eres *E*

25.24 eres tu enemiga *EBA*   eres mi enemiga *C*

25.25 si no me *EBA*   si non me *C*

25.28 servicio no seria justo *BA*   servicio non seria justo *C*   servicio no sera justo *E*

25.31 quanto yo mas *ECA* quanto mas *B*

25.32 te maravilles verdad *ECA*   te maravillas *B*

25.33 era tal descargo *ECA*   era de tal descargo *B*

25.34 que de desculpar *ECA*   que desculpar *B*

26.5 esperiencia mía lo *CBA*   esperiencia me lo *E*

26.12 mas largas *EBA*   mas alargas *C*

26.13 las almas desesperadas *CBA*   las animas desesperadas *E*

26.14 no pedire otro *EBA*   no pediere otro *C*

26.15 gozar aquel poco *ECA*   gozar el poco *B*

26.20 sin poderle hablar *EBA*   sin poderse hablar *C*

26.21 aviendo aquella segund *ECA*   aviendo aquel segund *B*

26.22 camino puse un *BA*   camino puso un *EC*

26.25 acabo de leer *ECB*   acabo leer *A*

26.27 vista vi que *CBA*   vista vide que *E*

27.1 no le escusase *BA*   no la escusase *EC*

27.11 no escrivo la *EBA*   no escrivio la *C*

27.11 y onestad que *CBA*   y honestidad que *E*

27.11 en su razonamiento *CBA*   en sus razonamientos *E*

27.12 estudio avie usado *A*   estudio avia usado *ECB*

27.17 tienpo para alargarme no *EBA*   tienpo no *C*

28.2 fin aquel *CBA*   fin a aquel *E*

28.14 que deseavas y *EBA*   que desseas y *C*

28.16 de nadie pueda *ECA*   de nadi pueda *B*

28.19 ya he dicho con *CBA*   ya heho con *E*

28.21 esto querria estenderme *CBA*   esto queria estenderme *E*

29.7 contentamiento y esperança y descanso y plazer y alegria *ECA* contentamiento esperança descanso plazer alegria *B*

29.8 holgança y porque *EBA* holgança porque *C*

29.11 mi compañia segui *CBA* mi compaña segui *E*

29.14 huia mas cerca *AC*   huia mas circa *B*   huia menos cerca *E*

29.20 bien perdido el *CBA*   bien perdio el *E*

29.20 dentro de la *ECA*   dentro en la *B*

29.22 eche a decanso *CBA*   eche al descanso *E*

29.22 claridad a su *EBA*   claridad su *C*

29.23 su tiniebra y *B*   su tinibra y *A*   su tiniebla *EC*

30.7 el alma esperança *CBA*   el anima esperança *E*

30.12 echavame muchas vezes *ECA*   echavame muchas vezas *B*

30.14 que merecie mi *BA*   que merecio mi *EC*

30.19 y atavios *CBA*   y muy ricos atavios *E*

30.23 mas ufana le *CBA*   mas ufania le *E*

30.24 fue aconpañado hasta *ECA* fue aconpañada hasta *B*

30.27 color ni el *ECA*   color ne el *B*

30.33 miro de alli *ECA*   miro alli *B*

31.2 que imaginava *CBA*   que el imaginava *E*

31.4 lugar y dixole afirmadamente *EBA*   lugar y dixo afirmadamente *C*

31.6 que devie a *A*   que devia a *ECB*

31.9 mucho afrontado mas *BA*   mucho afrentado mas *EC*

31.16 forçava a otorgarlo *CBA*   forçava otorgarlo *E*

31.17 su mando y *ECA*   su mandado y *B*

31.18 aprendiste obrar traycion *EBA*   aprendiste hazer traycion *C*

32.7 que recibieras por *AC*   que recibiras por *BE*

32.18 despues de acostado *EBA*   despues acostado *C*

32.20 te rebto por *BA*   te reuto por *EC*

32.22 mundo durare sere *ECA*   mundo durara sere *B*

32.23 sere en exenplo *BA*   sere enxenplo *EC*

33.2 teniendote por cierto amigo *CBA*   teniendote cierto por amigo *E*

33.3 parece yo confiava *ECB* parece y confiava *AZ* [Todos los editores modernos, incluida la edición crítica de I. Corfis, desechan la evidente errata de *A*.

33.5 que encobria causo *CA* que encubrias causo *EB*

33.17 que no niego *EBA* que non niego *C*

33.24 lenguas dentramos quede para *A* lenguas dentramos quedo para *B* lenguas entranbos quede para *EC*

33.26 tu reutas con *ECA* tu rebtas con *B*

33.29 cubiertas y cuello *ECA* cubiertas cuello *B*

33.31 defendiendo lo dicho te *ECA* defendiendo digo que te *B*

34.6 y conbidan a *ECBA* [Sin embargo, me inclino por la forma del imperfecto: *conbidavan*. Así enmiendan R. Foulché-Delbosc; S. Gili Gaya y K. Whinnom. Tanto E. Moreno Báez como I. Corfis mantienen la forma del presente: *conbidan*, como se halla en todos los testimonios.

34.9 y señalado el *CBA* y señalando el *E*

34.9 donde hiziesen y *ECB* donde hieziesen y *A* [I. Corfis considera necesaria la inclusión de un complemento pronominal que sustituya a *batalla*, con el fin de hacer más claro el pasaje, resultando así: *donde la hiziesen*.

34.13 onras dentramos entraron *BA* onras dentranbos entraron *EC*

34.16 encuentros pusieron mano *BA* encuentros echaron mano *EC*

34.22 porque no pague *EBA* porque non pague *C*

34.25 aunque me falta *CBA* aunque falta *E*

34.27 y oyendo Leriano *BA* oyendo Leriano *EC*

34.29 rey mandasse *CBA* rey que mandasse *E*

35.2 fuesen despartidos leriano *BA* fuesen partidos leriano *EC*

35.3 con mucha razon *ECA* con mucho razon *B*

35.13 que le guardasen *EBA* que guardassen *C*

35.16 quales se profirieron *ECA* quales le profirieron *B*

36.2 a hizolo la *CBA* a hizelo la *E*

36.5 en este caso bien *CBA* en esto bien *E*

36.11 quanta costança de *A* quanta constancia de *ECB*

36.13 la tercia parte *BA* la tercera parte *EC*

36.15 quitaste cata que *EBA* quitaste mira que *C*

36.17 no corronpa su *EC* no corronpan su *BAZ* [Adopto esta lectura *corronpa* para efectuar la concordancia con *venino*. Igualmente K. Whinnom (120), E. Moreno Báez e I. Corfis.

36.19 este indicio merezco *ECA* este judicio merezco *B*

36.22 digote que te sera el mas leal *AC* digote sera el mas leal *B* digote que te sera mas el leal *E*

37.8 Leriano quiso *EBA* Leriano no quiso *C*

37.10 se avie de *A* se avia de *ECB*

37.18 lo que luego *CBA* lo qual luego *E*

37.21 sienpre se travajava *EBA* sienpre travajava *C*

37.22 en defenderla por *CBA* en defenderlo por *E*

37.24 se delibrase y *BA* se deliberase y *C* se librasse y *E*

37.25 le dixesse como *ECA* le dixiesse como *B*

37.28 lo que ellos *CBA* lo qual ellos *E*

38.2 mejor sabien concertar *A* mejor sabian concertar *ECB*

38.25 como viste tu *AC* como visto tu *B* como diste tu *E*

39.5 como gran pesadunbre *ECBA* [K. Whinnom sustituye *como* por *con*, sugiriendo que se trata de un error del cajista por la proximidad de otro *como*.

39.6 pones en matar *ECA*   pones a matar *B*

39.9 si no pudieses *EBA*   si non pudieses *C*

39.12 osadia y si *CBA*   osadia si *E*

39.13 pues tienes espacio *ECA* pues tiene espacio *B*

39.15 no la hallares disponas lo *A* no la hallares dispornas lo *BC*   no la fallares dispornas lo *E*

39.15 tienes pensado que *ECA* tienes pensando que *B*

39.18 lo cometas y *ECA*   lo acometas y *B*

39.20 la libraras de *EBA*   la libras de *C*

39.21 para sanear esto *BA*   para sanar esto *EC*

39.26 si fuere tal tu *BA*   si fuera tal tu *C*   si fuere tu *E*

39.26 sacar en *EBA*   sacar y en *C*

39.28 y tu *EBA*   y de tu *C*

39.28 y que recebida entre *CBA* y que resciba entre *E*

39.29 en dala fortaleza *ECA*   en una fortaleza *B*

39.31 por postrimero *EBA*   por el postrimero *C*

39.33 de gausa todos *CBAZ*   de gaula todos *E*   [I. Corfis defiende la lección de *E*, manifestando que en la obra se citan lugares geográficos comprobables, por lo que la lección *Gausa* es error tipográfico que se transmitió en dos ramas del *stemma* por confusión entre la *l* y la *s* alta.

39.33 que ay se *BA*   que alli se *EC*

40.6 proferirme he al *EC*   proferirme al *BA*

40.6 tuya que *CBA*   tuya para que *E*

40.8 la que por *CBA*   la qual por *E*

40.12 obra en *EBA*   obra aqui en *C*

40.23 qual dezian assi *CBA*   qual eran estas que se siguen *E*

40.27 uvieran sido causa *ECA* uvieran seydo causa *B*

40.29 puso estado *CA*   puso en estado *EB*

41.13 no dexa el *ECA*   no dexo el *B*

41.18 durare en exenplo *A*   durare enxenplo *ECB*

41.19 la injusticia de *CBA*   la justicia de *E*

41.21 no osara el *ECB*   no osare el *A*   [Desecho la lección de *A* y adopto la que generalmente ofrecen los testimonios antiguos y los editores modernos. K. Whinnom, I. Corfis. Tanto S. Gili Gaya como E. Moreno Báez prefieren la forma del imperfecto de subjuntivo.

41.22 salvacion que se *ECB*   salvacion qui se *A*

41.31 causas reciben grandes *EBA* causas reciban grandes *C*

42.7 para vella me *A*   para verla me *B*   para ello me *EC*

42.7 una camara donde *ECA* una camarera donde *BZ*

42.7 donde dormia vi *EBA* donde dormi vi *C*

42.14 mis pisadas echo *EBA*   mis pesadas echo *C*

42.16 en ella para *ECA*   en ello para *B*

42.16 y sintiendome ir *ECA*   y sintiome ir *B*

42.19 le pude responder *EBA*   le puede responder *C*

43.10 mucho te trabajes *A*   mucho que trabajes *EB*   mucho trabajes *C*

43.11 y no mi *EBA*   y non mi *C*

43.16 han hecho muertes *EBA* han hecha muertes *C*

43.18 me lastiman con *EBA*   me lastimen con *C*

43.24 la quiera hazer *BA*   la quiere hazer *EC*

43.26 se desdixese que *EA*   se desdixiesse que *B*   se dixese que *C*

43.27 determina que segund *EBA* determina segund *C*

43.34 de nadie el *ECA*   de nadi el *B*

44.1 della le pudieran *EBA* della se pudieran *C*

44.26 que se sigue *ECA* que sigue *B*

44.27 pide el parecer *EBA* pide al parecer *C*

45.2 venimos a enojar *EBA* venimos enojar *C*

45.8 primero delibran que *ECA* primero deliberan que *B*

45.12 se dilaten hanlo *BA* se dilatan hanlo *EC*

45.12 semejantes casos la *BA* semejantes cosas la *EC*

45.15 establecenles secucion onesta *EBA* establecenles esecucion onesta *C*

45.15 propriedad es *EBA* propriedad es *C*

45.20 se parta de *BA* se parte de *EC*

45.22 tenplança y contenplar *EA* tenplança y contenpla *B* tenplança contenplar *C*

45.24 señor todo *ECA* señor muy poderoso todo *B*

45.27 sabido que quieres *EBA* sabido en como quieres *C*

45.28 ser justiciada en *EBA* ser justiciado en *C*

45.30 juizio que puesto que *EBA* juizio puesto que *C*

45.33 testimonio cata que *EBA* testimonio mira que *C*

46.3 se mostro claramente *ECA* se muestra claramente *B*

46.5 te pareciere que *EBA* te pareciera que *C*

46.8 palabras de las dichas bastavas segund *EBA* palabras bastavan *C*

46.10 que perezca tu *ECA* que paresca tu *B*

46.18 bien sabes quando *CA* bien sabeys quando *EB*

46.30 que podrie amanzillar *A* que podria amanzillar *ECB*

47.1 linage cunde toda *ECA* linage conde toda *B*

47.4 por piadoso y *EBA* por piadosa y *C*

47.5 que los reyes *EBA* que les reyes *C*

47.8 tal pecado muera *ECA* tal pecada muera *B*

47.18 pequelos enfrena los *EBA* pequeños enferma los *C*

47.21 mis proprias cosas *EA* mis propias cosas *CB*

47.24 que deviera dar *ECA* que devria dar *B*

47.26 os maravilleys de *EBA* os maravillays de *C*

47.30 quisiera aceutar vuestro *A* quisiera aceptar vuestro *ECB*

47.33 por la salvacion *ECA* por salvacion *B*

48.9 dueñas y damas cuya *EBA* dueñas cuya *C*

48.14 deziale la *BA* dezia la *EC*

48.19 salva matarie la *A* salva mataria la *ECB*

48.25 sin temer su *ECA* sin tener su *B*

49.13 que biviere despues *EBA* que bivire despues *C*

49.18 que avies de eredar *A* que avias de eredar *ECB*

49.21 ciegos deseavan vista *EBA* ciegos desean vista *C*

49.21 mudos habla por *ECA* mudos hablar por *B*

49.23 Persio fuiste odiosa *EB* Persio fuisti odiosa *A* persio fueste odiosa *C*

49.25 morir para vengarme *EBA* morir por vengarme *C*

49.25 tomallas he *ECB* [*A*, impreso de Sevilla 1492, presenta el signo tironiano como si se interpretase la forma del verbo haber como conjunción. K. Whinnom conjetura que en el manuscrito aparecería *e*.

49.28 la secucion de *EBA* la esecucion de *C*

49.29 de la virtud *BA* de virtud *EC*

49.32 causa sino que *EBA*   causa sinon que *C*

50.4 permanece quiere el *ECA* permanece quiera el *B*

50.6 te sacare de el *ECBA*   [R. Foulché-Delbosc, K. Whinnom adoptan *sacare*, como un futuro perfecto con valor condicional. S. Gili Gaya, E. Moreno Báez, e I. Corfis optan por el futuro.

50.9 padre culpado *EBA*   padre por culpado *C*

50.10 sin eredera detengome *ECA* sin eredero detengome *B*

50.21 no quiso esperar *ECB*   no quise esperar *A*   [Todos los editores coinciden en desechar la lección de *A* por carecer de sentido.

50.25 ida enbie a *ECA*   ida enbio a *B*

51.3 me sentencias a *EBA*   me sentenciays a *C*

51.7 qual conocerias si *EBA* qual conoceras si *C*

51.8 dexase ver la verdad *EBA* dexase la verdad *C*

51.15 acuerdes que determines *EBA* acuerdes o determines *C*

51.20 que al cabo so *EBA*   que acabo so *C*

51.28 dellos aprendieron digote *ECB* dellos aprendieron *A*   [Es una elección difícil de establecer entre modo indicativo o modo subjuntivo. S. Gili Gaya y E. Moreno Báez optan por la lección de *A*. La desechan K. Whinnom, quien sospecha que se trata de error del cajista, e I Corfis.

51.30 vida mal esperança *BA* vida mala esperança *EC*

51.30 mi temiendo otro *ECA*   mi teniendo otro *B*

52.3 por su salvacion *ECA*   por salvacion *B*

52.3 peligro velanlos de *EBA* peligro velando de *C*

52.11 por el escandalo *EBA*   por escandalo *C*

52.12 obra nadie se *ECA*   obra nadi se *B*

52.12 de nadie te *ECA*   de nadi te *B*

52.19 verdad assi *BA*   verdad y assi *EC*

52.25 y todos *BA*   y de todos *EC*

52.25 le dieran libertad *ECA*   le diera libertad *B*

52.27 de avella leydo *EBA*   de havello leydo *C*

52.28 que al levador *EBA*   que el levador *C*

52.28 yo viendo comence *EBA* yo veyendo comence *C*

52.32 con Galio tio *ECB*   con Gaulo tio *A*   [No adopto el error del impreso de Sevilla 1492, puesto que Gaulo es el nombre del rey. Enmiendan K. Whinnom, E. Moreno Báez e I. Corfis.

53.2 suplicava mandase *EBA* suplicava que mandase *C*

53.5 la acusacion *EBA*   la falsa acusacion *C*

53.7 que aceutava lo *A*   que aceptava lo *ECB*

53.8 conformes dio priesa *BA* conformes di priessa *EC*   [Tanto K. Whinnom como I. Corfis eligen la lección de *EC*, considerando que el sujeto de la acción es el *auctor*. Sin embargo, creo que los preparativos de la acción corresponden a Galio.

53.16 pensava que sacarle a *B* pensava que sacarle a *A*   pensava de sacarle a *C*   pensava de sacar a *E* [La lección de *A* debe ser error de cajista. Los editores modernos aceptan la lectura de *B*, incluido K. Whinnom, quien propone, no obstante, aceptar una enmienda alternativa, la de *A*, aunque suprimiendo *que*. De este modo se leería: *quando pensava sacarle a Laureola*. Para I. Corfis, a juzgar por los testimonios posteriores por ella estudiados, se hace necesario elegir entre *A*, con la enmienda propuesta por Whinnom, y *E*, que es, justamente, la lección que finalmente adopta.

53.17 lo podrie hazer *A*   lo podria hazer *ECB*

53.17 dexadas las *EBA*   dexadas todas las *C*

53.23 rey dixieran que *A*   rey dixeran que *ECB*

53.24 lo devia dexar *BA*   lo devria dexar *C*   lo deviera dexar *E*

53.28 junto sus *BA*   junto todos sus *EC*

53.31 aun bivia la *ECA*   aun venia la *B*

53.33 a la memoria *EBA*   a memoria *C*

54.10 en defensa se *EBA*   en defenso se *C*

54.18 no recibiese daño *BA*   no recibiesen daño *EC*

54.24 començase amanecer *BA* començase a amanecer *EC*

54.30 la saña la *EBA*   la saño la *C*

54.31 passar adelante sino *EBA* pasar delante sino *C*

55.12 a dala la *ECAZ*   a darle la *B*

55.20 iva ordenado con *BA*   iva ordenando con *EC*

55.23 aquello avie dado *A*   aquello avia dado *ECB*

55.27 donde avie partido *A*   donde avia partido *ECB*

56.1 algo ell andar *EBA*   algo de andar *C*

56.10 y viendo Leriano *EBA*   y veyendo Leriano *C*

56.16 todo osava como *EA*   todo usava como *CB*

56.18 y proveo en *A*   y proveyo en *ECB*

56.19 hueste cunplian mando *ECA* hueste conplia mando *B*

56.20 muy bona gente *A*   muy buena gente *ECBZ*

56.25 andava sobresaliente con *ECA* andava sobre con *B*

56.25 con cient cavalieros *A*   con cient cavalleros *EC*   con ciento cavalleros *B*

56.25 tenia diputados donde *BZ* tenia disputados donde *A*   tenia deputados donde *EC*

56.26 flaqueza esforçava donde *ECB* flaqueza se forçava donde *A*

56.33 le fallecian ya *ECA*   le faleçia ya *B*

57.2 obras nadie ge *ECA*   obras nadi ge *B*

57.4 que otra vez ordenavan *ECA* que ordenavan *B*

57.23 por temor se *EBA*   por temer se *C*

57.24 para osar la *ECA*   para usar la *B*

57.34 cavalleros leales que *ECAZ* cavalleros reales que *B*

58.3 con las palabras *BA*   con palabras *EC*

58.6 se adereça el *EBA*   se aderecha el *C*

58.7 se vaya a *ECA*   se va a *B*

58.16 vigor començaron *EBA*   vigor y esfuerço començaron *C*

58.18 segund los de *EBA*   segund que los cavalleros de *C*

58.19 faltava duro el *EBA*   faltava y duro el *C*

58.19 noche que *EBA*   noche escura que *C*

58.20 fueron heridos *EBA*   fueron en aquella pelea heridos *C*

58.20 mill de *EBA*   mil hombres de *C*

58.22 segund esforçado no *EBA* segund esforçado cavallero no *C*

58.24 anima estuvo *CBA*   anima y estuvo *E*

58.25 estuvo toda *EBA*   estuvo Leriano toda *C*

58.26 loando los *EBA*   loando y esforçando los *C*

58.27 veya y otro *EBA*   veya el otro *C*

58.31 la estancia mataron *ECA* la instancia mataron *B*

58.34 los dannados que *A*   los dañados que *EB*   los damnados que *C*

59.2 que dixese por *ECA*   que dixiesse por *B*

59.6 mal avien sido *A*   mal avian sido *ECB*

59.7 cierto aceuto con *A*   cierto acepto con *ECB*

59.14 y la *BA*   y de la *EC*

59.15 se derramaran de *A*   se derramaron de *ECB*

59.17 dolor el *BA*   dolor y el *EC*

59.18 Leriano mandole el *BA*   Leriano mando el *EC*

59.19 por estonces en *ECA*   por entonces en *B*

59.26 su onestad que *BA*   su honestidad que *EC*

59.27 penso hablalla en *BA*   penso hablalle en *EC*

59.29 plazer aceutava sus *A*   placer aceptava sus *ECB*

59.31 dixo a lo *ECA*   dixo lo *B*

59.30 que veya *A*   que la veya *ECB*

59.32 responder fuy a *EBA*   responder fue a *C*

60.2 entetenelle dixele que *ECB*   entretenelle dixile que *A*

60.4 no tenia que acordalle *BA*   no temia que acordalle *C*   no tenia de acordalle *E*

60.8 la causa tu *ECA*   la causo tu *B*

60.25 no pude sobir *EBA*   no puede sobir *C*

60.30 la avies de *A*   la avias de *ECB*

61.2 me ayudaran virtud *ECA*   me ayudaren virtud *B*

61.2 son acetas a *A*   son aceptas a *ECB*

61.3 no sera desdichada *EBA*   no seras desdichada *C*

61.23 de Laureola a Leriano *ECA*   de leriano a laureola *B*

62.2 y el *ECA*   y a el *B*

62.4 solo tomarias por *ECA*   solo tomarlas por *B*

62.15 mi onestad la *BA*   mi honestidad la *EC*

62.19 quieres condenalla pues *ECA*   quieres condemnarla pues *B*

62.23 alaba la *ECA*   ala la *B*

62.24 porque ninguna   esperança

ECA   porque ningun esperança *B*

62.25 que so movible *BA*   que soy movible *EC*

62.28 quan sanamente lo *ECA*   quan solamente lo *B*

62.30 onrra pues tanto *ECA*   onrra que tanto *B*

62.34 como acabo de *EBA*   como acabe de *C*

63.26 mas que hasta *EBA*   mas hasta *C*

63.28 que podie acabar *A*   que podia acabar *ECB*

64.1 Leriano se dexava *EBA*   Leriano no dexava *C*

64.13 llamado Tefeo fuesse *EBA*   llamado Teseo fuesse *C*

64.18 ni nadie lo *ECA*   ni nadi lo *B*

64.20 a Tefeo porque *EBA*   a Teseo porque *C*

64.24 a contradezille en *CBA*   a dezille en *E*

64.26 tu perseverança el *CBA*   tu perseverancia el *E*

65.10 qual lo puede *CBA*   qual puede *E*

66.1 onrra de los *BA*   onrra los *EC*

66.20 y onestad por *BA*   y honestidad por *EC*

66.23 fealdad de la virtud *ECBAZ* [Puesto que no tiene sentido, adopto: *a la virtud*, como K. Whinnom e I. Corfis.

66.29 que qualquiera se *CBA*   que qualquier se *E*

66.30 la novena y *EBA*   la IX y *C*

66.32 la dezena es *EBA*   la X es *C*

67.1 mugeres despienden el *ECA*   mugeres despenden el *B*

67.2 desmesura diferencian en *ECA*   desmesura diferencia en *B*

67.3 en propiedad no *ECA*   en propiedad no *B*

67.4 no pueden estar *ECA*   no puedan estar *B*

67.4 estar sin enemiga *CBA*   estar en enemiga *E*

67.5 la onzena es *BA* la XI es *EC*

67.5 se recrecia que *BA* se recrecian que *EC*

67.10 la dozena es *BA* la XII es *EC*

67.13 la trezena es *BA* la XIII es *EC*

67.14 son a todos que *CB* son atados que *A* son a todo que *E*

67.15 y algunos por *B* y algunas por *ECA*

67.15 sus amigos puesto *ECBAZ* [Se trata de un error que ha pasado a todos los impresos y a algunas ediciones modernas. El error se produce ya en la variante anterior. Es necesario entender *algunos por satisfazer a sus amigas*, lo que hace clara la expresión. Aunque las mujeres no lo soliciten, los hombres se arrojan al peligro, batiéndose con los que las vituperan. Véase K. Whinnom, E. Moreno Báez e I. Corfis.

67.16 lo pidan ni *ECA* lo podian ni *B*

67.16 lo quieran *EC* lo querian ponen *A* lo querrian ponen *B*

67.18 la catorzena es *BA* la XIII, es *EC*

67.19 deslenguados les ponen *EC* deslenguados le ponen *BA*

67.22 la quinzena es *BA* la XV es *EC*

67.22 de que han *BA* de quien han *EC*

67.32 Tefeo pues *EBA* Teseo pues *C*

68.7 an se libran *ECA* an libran *B*

68.12 hazen suficientes que *CBAZ* hazen sufrientes que *E* [Disiento de la lección *sufrientes* que proponen K. Whinnom e I. Corfis. Sigue *CBA* S. Gili Gaya y E. Moreno Báez.

68.24 la onestad la *BA* la honestidad la *EC*

68.28 las afrentas por *ECA* las affruentas por *B*

68.29 mas ell alabança *EBA* mas alabança *C*

69.1 porque no menos *EBA* porque non menos *C*

69.5 hazer a aquella *CBA* hazer aquella *E*

69.16 destruye espera en *A* destruye esperan en *ECB*

69.19 nos aparejan el *EBA* nos aparejen el *C*

69.22 la propiedad de *ECA* la propiedad de *B*

69.23 pensamiento esta *ECB* pensamiento tad esta *A*

69.26 contricion la tengamos *EBA* contricion lo tengamos *C*

69.32 la otava razon *BA* la VIII razon *EC*

69.34 que quando queremos *ECA* que quanto queremos *B*

70.4 la novena razon *EBA* la nona razon *C*

70.4 como siendo penados *BA* como seyendo penados *EC*

70.5 remedio acostunbrado en *AC* remedio acostumbrados en *BE*

70.7 el perdon dellas *CBA* el dellas *E*

70.8 dan que a *CBA* dan a *E*

70.9 que nosotros con muy largo *E* que nosotros cunple largo *A* que a nosotros cunple largo *CBZ* [Adopto la lección de *E* propuesta por I. Corfis. No es necesaria la conjetura que, siguiendo a Menéndez Pelayo, han propuesto todos los editores modernos, enmendando *A* en *con largo*.

70.12 y aplacan la *ECB* y apalacan la *A*

70.13 la onzena es *CBA* la XI es *E*

70.13 ellas se alcançan *BA* ellas si alcançan *EC*

70.14 rentas y porque *ECA* rentas porque *B*

70.21 la dozena razon *CA* la XII razon *EB*

70.21 apartandonos del avaricia *CA* apartandonos de la avaricia *EB*

70.22 la libertad de *CBA*   la liberalidad de *EZ*

70.29 la trezena es *CA*   la XIII es *EB*

71.1 la quinzena es *CA*   la XV es *EB*

71.6 merece cada uno nos da lo *ECA*   merece a cada uno nos dan lo *B*

71.8 la razon desiseys es *A*   la XVI razon es *B*   la razon XVI es *EC*

71.11 naturaleza algunos *BA*   naturaleza a algunos *EC*

71.12 las ropas con *EBA*   las ropa con *C*

71.13 se pone cabello *BA*   se ponen cabello *EC*

71.15 galanes entretales las *A*   galanes entretalles las *ECB*

71.17 la dezisiete razon *A*   la XVII razon *ECB*

71.18 se asuenan *E*   se asueñan *A*   se asuevan *B*   se asonan *C*

71.22 la dizeochena es *A*   la XVIII es *ECB*

71.25 la diezinueve razon *A*   la XIX razon *ECB*

71.27 se alcança los *BZ*   se alcançan los *ECA*   [Para efectuar la concordancia se hace necesario desechar la lección de *A*, como todos los editores modernos.

71.31 o copla que *ECA*   o culpa que *B*

71.33 la veyntena y *A*   la veynte y *B*   la XX y *EC*

71.33 y postrimera razon *CBA*   y postrera razon *E*

72.1 de mugeres de *ECA*   de muger de *B*

72.2 se puedan dezir *A*   se pueden dezir *ECB*

72.5 lugar a que *CBA*   lugar que *E*

72.8 nosotros devan ser *EBA*   nosotros deven ser *C*

72.10 que muger *EBA*   que a muger *C*

72.12 creera las razones *CBA*   creera razones *E*

72.13 razones juradas qual *ECA*   razones jurada qual *B*

72.22 las mugeres *ECA*   las mujeras *B*

72.23 que las loadas *CBA*   que loadas *E*

72.24 merecen aviese de *BA*   merecen aviase de *EC*

72.26 su propiedad se *CA*   su propiedad si *EB*

72.28 an sido tantas *EBA*   an seydo tantas *C*

73.1 les da devida y universal *CBA*   les es devida universal *E*

73.2 tan malas palabras *ECA*   tan males palabras *B*

73.4 hablaron no pudieron *EBA*   hablaron non pudieron *C*

73.4 llegar al estado *ECA*   llegar a el estado *B*

73.8 de Calatyno y *CA*   de Colatyno y *EB*

73.10 de Colatyno *EBA*   de Calatyno *C*

73.13 por enxenplo mio *EBA*   por exenplo mio *C*

73.18 misma Penolope fue *CAZ*   misma Penolpe fue *B*   misma penelope que fue *E*

73.19 y ydo el a *BA*   y seyendo el ydo a *C*   y siendo ydo a *E*

73.20 de Ytalia aquexados *ECBAZ*   [Es necesario corregir en Itaca, como todos los editores modernos, a excepción de Corfis.

73.24 que le pedian *EBA*   que pedian *C*

73.25 deshazia de noche *CBA*   deshazia la noche *E*

73.26 en cuya lavor *CBA*   en cuyo lavor *E*

73.29 hija del Cesar *CBA*   hija de Cesar *E*

73.30 de Ponpeo en *CBA*   de ponpeyo *E*

73.30 manera lo amava *ECA*   manera la amava *B*

73.34 con Manzol rey *ECA*   con Mansol rey *B*   [Los editores modernos discrepan en la transcripción de este nombre. *Mauzol* M. Menéndez Pelayo; *Mausol* R. Foulché-Delbosc, S. Gili Gaya y E. Moreno Báez; *Mausolo* K. Whinnom, lección que suscribo. I. Corfis edita *Manzol*.

74.1 huesos en ellos la *BAZ* huesos con fuego la *EC*

74.10 las tiniebras de *BA*   las tinieblas de *EC*

74.12 y haziendole quemar *CBA* y haziendolo quemar *E*

74.13 poner sus cenizas en *CBA* poner su ceniza en *E*

74.15 Ypo la greciana *ECBA*   [Ha habido variantes en la transcripción e interpretación de este nombre por los editores modernos. *Y Pola greciana* R. Foulché-Delbosc; *Yno la greciana* S. Gili Gaya; *Hipo la greciana* K. Whinnom; *Ipo la greciana* E. Moreno Báez; *Ypo la greciana* I. Corfis, lectura que también adopto.

74.33 feroces batallas peleando *ECB* feroces batalles peleando *A*

75.6 y oracion libro *CBA*   y oraciones libro *E*

75.9 Sanson Elisabel muger *A* Sanson Elizabet muger *B*   Sanson Elizabeth muger *EC*

75.11 de las antiguas *ECA*   de les antiguas *B*

75.14 Maria Cornel en *CBA*   Maria Coronel en *E*

75.14 los Corneles porque *CBA* los Coroneles porque *E*

75.15 castidad fuese loada *EBA* castidad fue loada *C*

75.19 de Hurueña don *CBA*   de Ureña don *E*

75.22 casasse lo qual *CBA*   casasse la qual *E*

75.29 beata siendo nacida *EBA* beata seyendo nacida *C*

76.2 grandes miraglos de *BA* grandes milagros de *EC*

76.4 Atrisilia sevila nacida *CBA* Atrisilia sibila nacida *E*

76.7 de la laguna *ECA*   de tal laguna *B*

76.9 de los onbres *BA*   de onbres *EC*

76.11 los bolesques *ECBA*

76.13 bestal Clodia romana *EBA* bestal Cladia romana *C*   [Cloelia debe aceptarse como lección correcta.

76.14 fuese enojoso no *CBA*   fuese enojo no *E*

76.15 virtuosos enxenplos que *ECA* virtuosos eyenplos que *B*

76.18 que nadie os *ECA*   que nadi os *B*

76.21 la estoria *BA*   la historia *EC*

77.1 perdida ya los *ECA*   perdida yo los *B*

77.5 que temia que *CB* que tenia que *A*   [Desechan la lección de *A* todos los editores.

77.7 triste coiuntura y *A*   triste cojuntura y *B*   triste conjuntura *EC*

77.8 veyan le davan *ECA*   veyan davan *B*

77.11 estuvo sin acuerdo que *CBA* estuvo en su desacuerdo que *E*

77.11 que todos *ECA*   que que todos *B*

77.15 de muerta con *AC*   de muerte con *BE*

77.16 le vivio el *EA*   le avivio el *B*   le bolvio el *C*

77.21 oy dexas dezir hijo *A*   hoy te dexas de dezirte hijo *ECB*   [En *A*, en el ejemplar I-2134 de la Biblioteca Nacional de Madrid, hay una corrección manuscrita que transforma *dezir* en *de ser* y que ha sido adoptada por R. Foulché-Delbosc y S. Gili Gaya. K. Whinnom propone una lectura aproximada a *ECB*: *hoy dexas de dezirte hijo*. Siguen esta lección E. Moreno Báez, I. Corfis y es la que se toma igualmente en esta edición.

77.23 parte acaesciame muchas *ECA*   parte acaesciome muchas *B*

77.26 me hallava rezando *CBA* me iva rezando *E*

77.30 grandes aullidos que *EAZ* grandes bozes y aullidos que *B*   grandes audillos que *C*

77.30 me corte el *BA*   me corto el *EC*

78.2 tu en edad *EBA*   tu edad *C*

78.3 tu amador de *CBA*   tu enamorador de *E*

78.9 con el entendimiento *CBA* con entendimiento *E*

78.14 que nadie para *ECA*   que nadi para *B*

78.19 los sesenta de *BA*   los setenta de *EC*

78.22 si con tus obras *CBA*   si tu con obras *E*

78.25 mia recebira consuelo *ECA* mia reçibiras consuelo *B*

78.25 hijo mio que *BA*   hijo que *EC*

78.29 vida tan poderoso *CBA* vida poderoso *E*

78.34 ni tu fortuna *BA*   ni fortuna *EC*

79.11 de algun suyo *CBA*   de alguno suyo *E*

79.16 y llegada ya *ECA*   y llegado ya *B*

79.20 crueldad escrivillos *EBA* crueldad de escrivillos *C*

NOTAS COMPLEMENTARIAS

*Los números iniciales de cada entrada remiten, por este orden, a la página
y a la nota al pie que se complementa.*

3.1 La *s* de Hernandes es una muestra del seseo en los tipógrafos sevi-
llanos. Véase A. Alonso [1977] y M. Danesi [1977]. Diego Hernández
o Diego Fernández de Córdoba fue miembro de una de las cuatro ramas
de la casa de Córdoba: la de los alcaides de los donceles. Desde el nom-
bramiento del primer alcaide, bajo el reinado de Enrique II, la familia
fue confirmada en este cargo con sus derechos y obligaciones por Juan
II en 1420. El *alcaide* a quien va la dedicatoria de San Pedro fue premiado
en 1483 con la confirmación del cargo en juro de heredad por su éxito
en la batalla de Lucena, en la que Boabdil fue hecho prisionero. Véase
M.A. Ladero Quesada [1973:47-48]. Diego Hernández era hijo de Martín Fernández de Córdoba y de Leonor de Arellano y de Córdoba, y
sobrino por parte de padre y de madre respectivamente del famoso conde
de Cabra, Diego Fernández de Córdoba —linaje de los mariscales de
Castilla— y de Alfonso Fernández de Córdoba, llamado Aguilar el Grande, así como del Gran Capitán —linaje de los señores de Aguilar—. Al
ocuparse de la identificación de esta figura, S. Gili Gaya [1967:XXVII]
consideró que la dedicatoria de San Pedro no pudo ser escrita antes de
1483, fecha en que don Diego, muy joven, alcanzó notoriedad. K. Whinnom [1973*a*], encareció la importancia de los entronques familiares de
don Diego con la familia de los Téllez-Girón, a quienes sirvió San Pedro,
según se desprende del prólogo de su *Desprecio de Fortuna*. Don Diego
Hernández estuvo casado con Juana Pacheco, prima del marqués de Villena.

3.2 *puesto que* con el valor de 'aunque' permanece hasta el siglo XVII,
según *Autoridades*.

3.3 Parece apuntar a la idea aristotélica a propósito del hombre incon-
tinente que «no tiene conocimiento sino sólo opinión» (*Ética* VII, 1145*b*).
Acaso gravite en este pasaje de San Pedro la disculpa de San Pablo, *Romanos* 7, 15-18: «Realmente mi proceder no lo comprendo; pues no hago
lo que quiero, sino que hago lo que aborrezco. Y, si hago lo que no
quiero, estoy de acuerdo con la ley en que es buena; en realidad ya no
soy yo quien obra, sino el pecado que habita en mí».

3.4 Para todo lo relacionado con el estilo de la prosa de San Pedro,
remito de ahora en adelante a K. Whinnom [1960]. Según Cicerón,
De inventione, I, XV, 20, en el exordio conviene establecer cuál es el
género de la causa que se va a desarrollar. La vacilación entre verdad
y opinión y las consecuencias de la culpabilidad, aunque recursos comunes de la introducción literaria, son rasgos propios de la estrategia forense
en el *genus anceps*, aquel en el que se aconseja la pronta disculpa o justifi-

cación del carácter ambivalente de torpeza u honestidad de tal clase de causas. El estudio de la tópica histórica puede verse en E.R. Curtius [1955]. El importante estudio de K. Whinnom [1960] propuso para *Cárcel de amor* el análisis de su estilo desde la perspectiva retórica. Años más tarde, el mismo Whinnom [1971*a*] extendió el estudio a las diferentes unidades del discurso. J. Chorpenning [1977] considera el influjo de la tradición retórica en las obras de San Pedro, advirtiendo en *Cárcel de amor* una estructura análoga a las de las partes de la *oratio*, con mención especial a los recursos propios del *exordium*. Han analizado la obra desde una perspectiva retórica E. Torrego [1983] y I. Corfis [1985].

3.5 Con el léxico propio del género judicial se introducen en este *exordium* las fórmulas de la tópica: *obedientia*, *rusticitas* y *taedium*.

3.6 En la identificación de *doña Marina Manuel* debe desecharse la propuesta por E. Cotarelo y Mori [1927], que fue mantenida por S. Gili Gaya [1967:114, n. 5]. Véase, por el contrario, K. Whinnom [1973*a*, del mismo autor y con mayor precisión 1973*b*, y de modo sumario 1974]. *Doña Marina Manuel*, descendiente del escritor don Juan Manuel, fue dama de Isabel la Católica hasta su casamiento en 1489 con el hermano bastardo de Carlos el Temerario. Este matrimonio forma parte de los tratados aliancistas con la casa de Borgoña. Aparte del prestigio de la figura de *doña Marina*, autora de un mote glosado por Cartagena en el *Cancionero general*, y destinataria de una epístola amorosa en el propio cancionero, la referencia a ella en este prólogo dedicado a un familiar de los Téllez-Girón no es ociosa, porque la dama estaba emparentada por línea materna con doña Leonor de la Vega y Velasco, de la familia Lasso de la Vega, esposa de don Juan Téllez-Girón. Tanto para K. Whinnom [1960] como para J. Chorpenning [1977], la *oración* de la que se encarece el estilo sería el *Sermón* o alguna otra obra perdida.

3.7 Véase K. Whinnom [1960 y 1971*a*]. Según A. Rey [1981], en la petición hecha por el alcaide de los donceles va implícita una condena a *Arnalte y Lucenda*. Las obras de Diego de San Pedro *Arnalte y Lucenda* y *Cárcel de amor* han sido estudiadas como verdaderos tratados de amor escritos con la finalidad humanística del tratado del siglo XV. Véase A. Krause [1952:245-275] y E. Dudley [1979:233-243]. Sin embargo, en el siglo XV el marbete *tractado* tiene un empleo muy laxo, pudiendo aplicarse a libros de muy diversa materia: históricos, filosóficos o prosa de ficción. Véase K. Whinnom [1982*b*]. En este sentido, no es muy seguro hablar de una autoclasificación genérica del escritor San Pedro al recurrir, como en este pasaje del prólogo, a una variada terminología. La propia edición de Sevilla 1492 lo prueba. Probablemente por designio editorial (*cuatro conpañeros alemanes*) se denomina a la obra *tractado* —así en el epígrafe que encabeza el prólogo—, pero el colofón reza: «Acabóse esta obra», que es justamente el término con el que parece San Pedro distinguir su *Cárcel de amor* del resto de su producción: *sermón, tractado, escritura de la calidad desta.*

3.8 En *La Celestina*, X, se hallan algunos préstamos verbales de *Cárcel de amor*. «Verdad es que ante que me determinasse ... estuve en grandes dudas ... Visto el gran poder de tu padre temía; mirando la gentileza de Calisto, osava; vista tu discreción, me reçelava; mirando tu virtud y humanidad, me esforçava. En lo uno fallava el miedo y en lo otro la seguridad».

4.1 Esta localización en el marco de la obra tiene para Whinnom [1973, especialmente 25] un carácter «pseudorrealista» que se complementa con la referencia a Peñafiel en la conclusión, proporcionando cierta proyección biográfica del autor, pues según la pesquisa biográfica de Whinnom, Diego de San Pedro habría participado en la guerra de Granada, acompañando al conde de Urueña y señor de Peñafiel, don Juan Téllez-Girón. En el asedio de diez años no es fácil determinar a qué campaña se refiere el autor, pero es posible que a la primera (1482-1484) o a la segunda (1485-1487), en las que los períodos duraban de primavera a otoño. Para Ester Tórrego [1983] la referencia a una experiencia vivida es un recurso propio de la comunicación hablada o de las historias narradas con la finalidad de ser oídas. Según Tórrego, la referencia a la etapa de un viaje sirve para precipitar los hechos de la historia sin mayor dilación. Un análisis sobre las fronteras de realidad y ficción en la prosa sentimental puede verse en E.M. Gerli [1989*a*] y A. Chas [1992:*en prensa*].

4.2 Véase K. Whinnom [1971*a*:51]. En la literatura, el folklore y la iconografía medievales es tradicional la figura del *salvaje*, por su representación de hombre feroz y su valor simbólico lujurioso. Véase R. Bernheimer [1952]. La plástica representación en los textos literarios de hombres o mujeres selváticas procede de leyendas relacionadas con los ritos paganos de la fertilidad de la tierra. L. Spitzer [1974] rechaza el carácter realista atribuido por Menéndez Pidal a la representación de las mujeres serranas. Con todo, Martín de Riquer [1967] documenta la presencia en la España del siglo XV de auténticos caballeros salvajes, lo que pudo haber influido en algunos relatos sentimentales. Un estudio sobre la rica y compleja tradición del salvaje puede verse en A. Deyermond [1964: 97-111], en donde se analiza también la representación del hombre salvaje bajo la caracterización del penitente, como una deuda de las leyendas cristianas hagiográficas. Para Deyermond, el papel del salvaje en los relatos sentimentales tendría un valor emblemático de «la tensión y la violencia» del código amoroso que sustentan tales obras. Deben verse sus adiciones al tema ahora (A. Deyermond 1993). Según E. von Richthofen [1981:111-112, especialmente 116], la inspiración de San Pedro en esta visión pudo ser un pasaje de la *Vita nuova*, III, de Dante. Sin embargo, en Dante se trata de la representación del Amor, de «pauroso aspetto», como corresponde a lo inesperado de la visión nocturna, sin ningún rasgo físico propio de la ferocidad de un hombre salvaje. Por otra parte, rasgos como la fragosidad del paisaje y falta de luz —*valles hondos y escuros*— conforman la antítesis del tema retórico-poético del *locus amoenus*, recurso utilizado en otras ficciones sentimentales. Rodríguez del Padrón (*Siervo libre de amor*) metamorfosea un hermoso paisaje para expresar mejor la segunda vía del siervo enamorado. En *Grimalte y Gradisa*, de Juan de Flores, el encuentro entre Grimalte y Fiometa tiene lugar entre las asperezas de una selva despoblada. Y en la misma obra los amantes arrepentidos, Grimalte y Pánfilo, hacen su penitencia en un desierto. El propio San Pedro, en *Arnalte y Lucenda* (89) presenta a su narrador en situación parecida a la de la *Cárcel de amor*, no economizando recursos retóricos en la referencia al paisaje, como sucede con el oxímoron: «halléme en un grand desierto, el cual de estraña soledad y temeroso espanto era poblado».

4.4 San Pedro introduce el relato ficticio por medio de una sistemática figuración de la psicología del estado de amante, en principio, como cautivo de Amor. Así, el carácter probatorio de la *similitudo* se organiza por medio de la alegoría, recurso de las *figurae sententiae*. Véase Ch.R. Post [1915], E. de Bruyne [1958], y C.S. Lewis [1976]. Para J.L. Varela [1965] la alegoría en la *Cárcel de amor* no es más que ornato superfluo. M.R. Lida de Malkiel [1977] ofrece numerosos ejemplos en latín o en castellano —en ocasiones, con función paródica— de textos sagrados o litúrgicos que pueden ponerse en relación con la frase que dice el prisionero. E.M. Gerli [1981] analizó el sincretismo de lo religioso y lo profano. Algunos pasajes de la *Cárcel de amor* han recibido atención con esta perspectiva. El primero que consideró la similitud de la Pasión de Cristo con el comportamiento de Leriano fue B. Wardropper [1953:168-193]; luego lo han hecho J.F. Chorpenning [1980] y E.M. Gerli [1981*a*]. La utilización de citas o alusiones a textos religiosos es relativamente frecuente en los relatos sentimentales y en textos afines, como *Triste deleytación*, *Notable de Amor*. Un valor ponderativo no exento de ironía puede verse en el *Triunfo de Amor* de Juan de Flores. Véase C. Parrilla [1992:*en prensa*]. En cuanto a la imagen femenina y resplandeciente que lleva el hombre salvaje y que ha sido representada en el grabado de la edición catalana de la *Cárcel de amor* de 1493, M.R. Fraxanet [1984], que ha estudiado las reproducciones, advierte del simbolismo sensual de este primer grabado y conviene en que todos ellos son originales y encargados expresamente para la edición. Ahora sabemos que ya estaban en Zaragoza 1493. (Véase en el prólogo, «Historia del texto», pp. XXXVII y ss.) Sobre la fortuna y utilización de los grabados en ediciones extranjeras de la *Cárcel de amor* y su aplicación en las artes decorativas, véanse B. Kurth [1942:237-245] y M. Dickman [1983:211-221]. A. Parker [1986] comenta que la estatuilla es un señuelo para engañar a los hombres, pues aunque se trata de la diosa Venus, la imagen «irradia una aureola más propia de un santo o de la Virgen María». H. Sharrer [*en prensa*] ha dedicado un interesante estudio a los atributos iconográficos, relacionando el grabado elegido por el editor y la intención de San Pedro. Al revisar la tradición iconográfica medieval de Venus advierte del cruce y contaminación de la diosa pagana y la Virgen María. Por ello, considera que la obra se abre ya desde el principio e intencionadamente a una confluencia de lo sagrado y lo profano, preparando así una simetría temática, pues el suicidio del protagonista al final de la obra debe verse desde esta perspectiva sacroprofana.

4.5 Es voz tomada del occitano antiguo y popularizada por la poesía trovadoresca para expresar la pena derivada del servicio de amor. Suele formularse como un modo de reiteración de imágenes y sentimiento grato aunque doloroso para el amante. Así, por ejemplo, en Juan de Mena: «Quando los bienes están/ más lexos del querer mío. /estonçes las cuitas han/ sobre mí más poderío» (ed. Pérez Priego, 1989, 109). El viajero no sabe, con todo, que la *cuita* del prisionero es de tal calidad, solamente tendrá una cabal comprensión cuando se desentrañe el sentido alegórico del pasaje. Por ello, en el cap. 3, San Pedro utiliza el término *cuita* con el recto sentido de 'aflicción', que es el sentimiento experimentado por el viajero ante el sufrimiento ajeno. Este agradece a Leriano la explicación: «por proveer en mi fatiga forçaste tu voluntad, juzgando por los trabajos pasados y por la cuita presente que yo ternía de bevir poca esperança.»

5.7 Las virtudes morales se adquirían por hábito, según enseñaba Aristóteles, *Ética* II. De ahí se seguía una compleja subdivisión de las cuatro virtudes morales: prudencia, justicia, fortaleza y templanza. Véase Alfonso Fernández de Madrigal, 'el Tostado', *Cuestiones de Filosofía moral*, 144-152. En el *Breviloquio de virtudes*, Diego de Valera [1959:147-154, especialmente 148-149] incluye entre las partes de la justicia dos que se ajustan a la decisión que en la *Cárcel de amor* toma el viajero: «Misericordia segund Séneca es miseria del coraçón por la qual el misericordioso se duele de los males agenos... Magnanimidad es virtud que desecha todos los viles e desonestos provechos e fase los onbres osados, alegres e omildes». Por ello, la acción es noble y con riesgo de la vida pero es una virtud acabada, según concluye Valera: «Honestad es virtud que orna e conpone todos nuestros actos». La práctica de la virtud confiere al viajero un importante papel en la narración. Como ha señalado Wardropper [1953:170] se trata de un «simpático» intermediario, según la acepción etimológica del término. Para H. Bermejo y D. Cvitanovic [1966] la actitud del *auctor* es la consecuencia de una curiosidad que anuncia el enfoque emocional y racional que San Pedro dará a su historia. F.A. de Armas [1974] indica que la esencialidad del *auctor* proviene de su interacción con el personaje Leriano. Para E. Tórrego [1983] el papel específico del *auctor* en la ficción se justifica por esta decisión de talante filantrópico. Soy partidaria de ver en esta figura decisiva la aplicación práctica del grado más alto del afecto humano, la *philia* clásica (amistança o amiçiçia), como notas caracterizadoras provenientes de los escritos morales del siglo XV que se ocupan del tema de los efectos. El amigo consejero, mensajero y colaborador eficaz en la ficción amorosa, que puede hallarse en obras como *Triste deleytación*, es diferente a esta figura creada por San Pedro para la *Cárcel de amor*; igualmente, hay una diferencia no sólo de función sino caracterizadora entre este narrador-personaje y el que San Pedro había introducido en *Arnalte y Lucenda*. Véase A. Rey [1981]. En el arranque de la *Cárcel de amor* el auctor no es familiar o servidor de Leriano, ni tampoco es un tercero profesional, como lo prueba su notoria ignorancia del asunto que quedará patente más adelante (cap. 3, nota 5). Pero su disponibilidad hacia Leriano desde el primer momento señala la aplicación del patrón amistad. Experimenta una atracción benivolente pero no instintiva sino reflexiva —invoca el valor de la virtud no sin dudar—; presta ayuda en tiempo de «mal andança», como observaba Alfonso de Cartagena para caracterizar las acciones del amigo virtuoso, en una glosa del *Título de la amistança o del amigo*, fol 224vº, al traducir ciertas entradas de la *Tabulatio et expositio Senecae* de Luca Manelli. A mi juicio, el valor y la repercusión del tema de la amistad se hace elemento esencial y caracterizador en la *Cárcel* de una figura rectora como es la del *auctor*, el personaje más verosímil por convincente y que nace a la historia manifestándose por su virtud.

5.8 Según Corominas, procede del francés antiguo *empeechier*: 'impedir', 'estorbar'. En *Autoridades*, tiene una segunda acepción: «turbar, infundir empacho y vergüenza, cortar y en cierta manera suspender o embarazar a uno la execución de alguna cosa».

5.9 Sin embargo, el viajero lleva armas, como se leerá más adelante. La exposición de su estado de ánimo, oscilando entre opciones opuestas, pone de relieve el carácter deliberativo que anticipa sus acciones: «estove quedo, trastornando en el coraçón diversas consideraciones»; «con la turbación no sabía escoger lo mejor»; «me fallecía consejo»... La expresa reiteración del proceso deliberativo es una muestra de la prudencia, como virtud moral y guía del hombre de bien.

5.11 Cicerón, *De inventione*, XXIV. San Pedro se sirve de la teoría aristotélica naturalista que respaldaba en el siglo XV la fenomenología amorosa. Corresponde a Deseo ofrecer a la vista la imagen femenina y, a la vez, negarla. Es el sentido alegórico de la pasión amorosa porque el deseo sexual es apetito natural que el hombre experimenta con crudeza mediante la función de su alma intelectiva, que asume las operaciones sensitivas y vegetativas. La pasión amorosa es una afección del alma causada por la impronta de la memoria y la imaginación. Aristóteles, *De anima*, 424a; 435a; *Parva naturalia*, 450a. Leriano escribirá a Laureola: «...tu hermosura causó el afición, y el afición el deseo, y el deseo la pena, y la pena el atrevimiento». Un amplio comentario sobre la proyección de la filosofía natural en la teoría amorosa puede verse en P. Cátedra [1989a] y la repercusión literaria del aristotelismo heterodoxo en la doctrina natural, en F. Rico [1985].

6.12 Las formas modernas *llevar, lleva* están generalizadas desde Nebrija. Corominas, p. 713*b*. Sin embargo, la alternancia es frecuente en la lengua literaria hasta 1520. Respecto a la referencia que hace Deseo a la liberación del prisionero por medio de la muerte, conviene recordar que la poesía cancioneril proporcionó manifestaciones paradójicas que se hicieron lugar común para la expresión de un concepto de la muerte como lenitivo de la pena de amor. La ficción sentimental acogió tales aserciones, que pueden parecer absurdas pero que, como paradojas que son, inducen a descifrar y analizar sus elementos aparentemente contradictorios (K. Whinnon 1981:45). Hay paradojas extremas, como la que se halla en la canción del Comendador Escrivá: «Ven, muerte, tan escondida / que no te sienta conmigo, / porque el gozo de contigo / no me torne a dar la vida (*Cancionero general*, 1511, fol. 128vº). Arnalte dedica a Lucenda una canción en la que expresa: «Pues si mi dicha es perdida/ y mi dolor es tan fuerte,/ ¿para qué es temer la muerte/ pues que en ella está la vida?» (San Pedro, *Obras completas*, I, 1973, 109). Diego de San Pedro, al contrahacer el romance «Yo me estava en Barbadillo», expresa la misma idea que formula Deseo: «que no me podrien valer / lágrimas, fe ni verdad; / porque con sólo morir/ esperava libertad» (San Pedro, *Obras completas*, III, 1979, 259).

6.13 Para H. Bermejo y D. Cvitanovic [1966:289-300] los personajes de la ficción, incluido el *auctor* —un personaje más—, están íntimamente ligados a la comprensión de la arquitectura alegórica que abre el relato. El camino ascendente es elemento constitutivo de la aventura espiritual. Véase ahora B. Kurtz [1983-1984 y 1985].

6.14 Se documenta esta acepción en el portugués del siglo XVI: «instinto natural, sagacidade natural que faz descobrir as coisas ignoradas ... a memória local que conservamos de noite ... para que os que caminhão não percão o tino de suas jornadas». (Corominas, 497-500). Éste parece ser el significado en San Pedro. En *Arnalte y Lucenda*, 61-63: «y en el mejor tino que en mi desatino hallé, guié a aquella parte donde el humo se mostrava». En contexto semejante, en *Grimalte y Gradisa*, 39, 48-49, se utiliza una forma alternativa: «fueme a los pastores que de él me avían dicho, por saber los más certeros atinos por donde él andava y lo yo deviese buscar».

6.15 Margueritta Morreale [1952:310-317], describe el carácter proteiforme de esta voz. Véase *Triunfo de Amor*, 28.53: «salió el Amor de todos acompañado, encima de un triunfal carro, muy ricamente guarnido. En la más estraña forma se mostrava».

6.16 Ch.R. Post [1915] encuentra la fuente de esta arquitectura literaria en modelos franceses. H. Ciocchini [1967] relaciona esta arquitectura simbólica, que aparece abruptamente, con la obra de Francesco Colonna, *El sueño de Poliphilo*, publicado dos años antes que la *Cárcel de amor*.

J. Chorpenning [1978-1979] y B. Kurtz [1983-1984 y 1985] hallan influencias de la literatura de carácter ascético-religioso.

6.18 Véase F. Bubost [1988].

7.24 A pesar de los ornamentos del edificio, el viajero penetrará en un infierno de amor. Véase H. Patch [1956]. Por ello, su acción muestra la calidad del vínculo afectivo. Cartagena, para glosar la comunidad de bienes entre amigos, recurre a ejemplos clásicos de parejas famosas entresacadas principalmente de Valerio Máximo, y secunda la duda del historiador desconfiando a su vez de la 'fablilla', por lo que se apresura a recurrir al 'seso': «dixieron bien los griegos que por el amor o amistad descendian los omnes a los infiernos por sus amigos, que es tanto como si dixieran que por su amor o amistad se ponen a peligro de muerte e a otras desaventuras o trabajos que son egualados a la muerte» (*Título de la amistança o del amigo*, fol. 225r°).

7.25 En su edición, K. Whinnom [1971a:86] conjetura en nota: «tal vez haya que enmendar la frase: *porque sin cunplir con tales condiciones*». Para J. Mandrell [1983-1984:99-112] pone en entredicho la 'autoridad' del narrador su ignorancia de los requisitos que le transmite el portero.

7.26 Aclaración que tomo literalmente de K. Whinnom en su edición [1971a:86].

8.1 Para J. Chorpenning [1977:1-8], Diego de San Pedro es un *auctor* que está ejerciendo su *auctoritas*. Ciertamente, así puede entenderse, si la autoridad es garantía de hacer una narración verosímil. Pero el término *auctor* aparece únicamente en las rúbricas, lo cual puede entenderse como decisión del impresor y no de San Pedro. Véase para el variado empleo del término *auctor* en el siglo XV, K. Whinnom [1982b:211-218, especialmente 211-214]. Varios estudios críticos se han centrado en el papel de este *auctor* como narrador y en el análisis de sus características. B. Wardropper [1952] considera que existe un grado de identificación básica entre el personaje Leriano y el *auctor*, lo que define a esta pareja como una proyección doble y refractada de San Pedro. Para F.A. de Armas [1974] la función del *auctor* en la obra sería recordar a los lectores las ideas que San Pedro comunicó en su *Sermón ordenado*. De este modo se explica el que ciertos editores, a lo largo del XVI imprimieran juntas las dos obras. Para P.N. Dunn [1979] la función del narrador de la *Cárcel de amor* es de gran originalidad aunque no exenta de incoherencias narrativas, al desarrollar el doble papel de relator de los hechos y actor de ellos, actuando en los niveles de la *historia* y el *discurso*. A. Rey [1981] observa que el *auctor* adopta dos perspectivas en la narración: una limitada y parcial, como corresponde a su caracterización como personaje de la historia, otra omnisciente. Son interesantes las puntualizaciones que a este respecto expone J. Mandrell [1983-1984]. Para Ester Tórrego [1983] la inclusión del narrador como personaje es clave del procedimiento retórico en que la obra se organiza. Este narrador, como personaje, acude a su memoria para disponer la *sermocinatio* del resto de los personajes. A. Deyermond [1988 y 1993] proporciona sugestivas cuestiones en torno a la función y caracterización del *auctor*. Recientemente, E. Gascón Vera [1990], en un trabajo dedicado a encuadrar la *Cárcel de amor* bajo la influencia del estilo trágico de ciertas creaciones originadas en el entorno de Juan II de Castilla, se pregunta si la figura del *auctor* no podría verse como «un posible embrión del coro y a la vez del mensajero portador de noticias trágicas» de la tragedia clásica.

8.3 F.A. de Armas [1974] interpreta forzadamente la expresión como referencia inequívoca al autor del *Sermón ordenado*. Para este crítico el proceso de escritura de *Cárcel de amor* sería el comentario de la obra anterior, una aplicación de las recomendaciones allí expresadas.

9.8 A. Deyermond [1988 y 1993] señala la influencia de la tradición artúrica en la obra de San Pedro.

9.9 «Tú sabrás que la tierra y naturaleza mía es Thebas ... Pues como Thebas mi naturaleza fuese» (*Arnalte y Lucenda*, 423).

9.10 La ubicuidad del *auctor*, desconcertante y no justificada, llamó la atención de E. Moreno Báez [1974]. La aventura va a desarrollarse en territorio alejado de los lectores, con mínimas indicaciones que remitan a una topografía comprobable. De este modo, la descripción de lugares queda relegada al plano de la alegoría. En su análisis del género sentimental, J.L. Varela [1965] interpretó este procedimiento como un consciente deseo de evasión y una exaltación del sentimiento como forma del conocimiento humano. Para Whinnom [1971a:52], la dificultad de delimitar los planos 'real' y alegórico «confiere a la alegoría una inmediatez y una proximidad conturbadoras». Sin embargo, para A. Deyermond [1988 y 1993] el viaje señala la entrada en un mundo alegórico en el que la complejidad de los planos se resuelve por la mediación del narrador. No me parece convincente la opinión de C. Nepaulsing [1986], quien ve en este pasaje una huella de *Hechos de los Apóstoles* 16, cuando San Pablo tiene una visión en la que se le insta a ir a Macedonia, lugar en donde, por cierto, el apóstol padeció prisión. Creo que los lugares exóticos representados con cierta inverosimilitud son frecuentes en el género sentimental y otros relatos afines. Así Thebas en *Arnalte y Lucenda*, o Escocia en *Grisel y Mirabella*; el rey de Persia en su ciudad de Frigia acoge al Dios Amor en *Triunfo de Amor*; Grimalte viaja a Florencia pero también a las partidas de Asia (*Grimalte y Gradisa*).

9.11 Véase A. Deyermond [1988 y 1993] para el posible origen del nombre.

9.12 Hay aquí huellas de la doctrina naturalista fundada en la gradación jerárquica de los seres vivos en relación con las potencias o almas que poseen. De este modo se entiende el que «los primeros movimientos no se puedan en los honbres escusar», porque ello cae debajo de las operaciones del alma vegetativa, reflejando las leyes inexorables de un orden natural. El sujeto se deja vencer por el amor porque no actúa el alma racional y sí la sensitiva, consintiendo en la delectación del ser deseado. El origen se halla en el *De anima* de Aristóteles, por lo que integra con otros textos la enseñanza escolástica en materias teológicas y filosóficas. Véase F. Rico [1985] y P. Cátedra [1989a].

9.13 La fe de Leriano es su amor por Laureola. Así, la fe es concepto que el caballero manejará como eje temático en la primera carta que enviará a la princesa. El amor por Laureola plantea al protagonista ciertos conflictos, al no poder conciliar normas contrapuestas. Pues, a lo largo de la obra, Leriano se representa como perfecto amador, perfecto súbdito del rey, perfecto guerrero y perfecto cristiano. (B. Wardropper 1953). La explicación que da Leriano pone de manifiesto la relación entre lo material y lo inmaterial, en cuya expresión, proporcionando los *visibilia* más adecuados, se halla una perfecta manifestación de la alegoría. Véase C.S. Lewis [1969:37-38].

10.14 Según la doctrina propuesta por Nicolás de Cusa. Véase E. Moreno Báez [1974]. A propósito del consentimiento de Leriano, véase K. Whinnom [1971a:29].

10.15 Véase B. Wardropper [1953]. Incorpora San Pedro el motivo de la tradición europea del Tribunal de Amor, el cual tiene también vigencia en la poesía cancioneril. Para S. Tejerina-Canal [1984] la fuerza tiránica del amor origina la acción de la obra y presta unidad a toda ella, puesto que la tiranía se manifiesta aunque no sea siempre ostentada por el Dios Amor, en otros lugares. El salvaje Deseo, a juicio de este crítico, es el primer motivo recurrente de la tiranía.

10.16 Véase en este mismo volumen la continuación a la *Cárcel de amor* de Nicolás Núñez, 8, n. 2.

10.17 C. Ripa [1987:194].

11.19 En silla de fuego se halla sentado don Diego López de Haro en el *Infierno de amor* de Garci Sánchez de Badajoz: «Vi que stava en un hastial / don Diego López de Haro / en una silla infernal, / puesto en el lugar más claro / porque era mayor su mal. / Vi la silla en fuego arder / y él sentado a su plazer / publicando sus tormentos / y diziendo en estos cuentos: / 'caro me cuesta tener / tan altos mis pensamientos'». Por cierto, que el propio San Pedro se encuentra preso en el infierno de Garci Sánchez en las ediciones de 1511 y 1514 del *Cancionero general*. Pone en su boca el autor del *Infierno* estas palabras: «manzilla no ayays de mí, / que aquesta gruessa cadena / yo mismo me la texí / ... / ¡o cruel, ingrato amor / lleno de ravia mortal!; / ¡o biva muerte y gran mal, / tenémoste por señor / y tu galardón es tal». Otros cancioneros manuscritos o impresos donde se encuentra el *Infierno* de Sánchez de Badajoz no incluyen la copla correspondiente a San Pedro, salvo un cancio-

nero tardío del siglo XVI, copiado en el siglo XIX en La Coruña. Véase
B. Dutton, MN14.

11.20 Esta representación del mártir de amor debe ponerse en relación
con el pasaje final del suicidio o muerte por consunción, lo que denota
un ejemplo más de la simetría temática y estructural apuntada por Severin [1977]. Sin embargo, ha de notarse que aunque Leriano ha aceptado
voluntariamente el cautiverio, en este pasaje los tormentos son produci-
dos por agentes externos que tratan al prisionero sin piedad. Según el
auctor, dos dueñas lastimeras ponen con 'crueza' sobre la cabeza del prisionero una corona de puntas de hierro (véase capítulo 1). Como corresponde a su calidad alegórica, todas estas manifestaciones han de ponerse
en relación con lo que prefiguran. Así, conviene recordar que la 'crueza'
o crueldad es nota distintiva en la actitud convencional seguida para el
carácter de la mujer requerida de amores. Por medio de la 'crueza', se
salvaguarda la honestidad, se mantiene la inaccesibilidad de la dama, como
prueba de la superioridad femenina. Aunque transmitida la crueldad por
el estereotipo de la tradición trovadoresca, este formulismo arraigó acaso
más en nuestra poesía cancioneril a través de *La belle Dame sans Mercy*
de Alain Chartier. Domina así la 'crueza' la representación plástica del
sentimiento del amante.

11.21 C. Ripa [1987:193].

11.22 La cárcel es representación alegórica de la interioridad de Leriano. Véase J. Chorpenning [1977-1978]. En el estado de mártir se sobreentiende también la guarda del secreto de amor que, a partir de la
ayuda del *auctor*, va a ser quebrantado. Por medio de su intermediario,
Leriano comunicará su secreto a Laureola, buscando remedio. Así dice
al *auctor*: «que sepa de ti Laureola qual me viste». Véase F.A. de Armas
[1974].

12.2 *Retórica*, III, 1417a.

12.3 Moralidad es término propio de la ciencia ética y más concretamente de la exégesis. Leriano ha descifrado al *auctor el sensus: aperta signi-
ficatio* y la *sententia: profundior intelligentia*. Véase H. de Lubac [1965].

12.4 Véase el estudio de María Rosa Lida [1977] sobre la tradición
helenista y el judaísmo alejandrino en el empleo del término *cativa* en
las *Coplas a la muerte de su padre* de Jorge Manrique. María Rosa Lida
[1952: 239] incluye *cativo* entre las variantes arcaicas vulgares empleadas
por Juan de Mena. *Cativo* tiene también un significado traslaticio de 'desdichado, miserable, malo' que, justamente, en esta expresión de San Pedro da cuenta de la derivación, porque el *auctor* está libre tanto de una
prisión real como metafórica, pues no está enamorado. En general, para
San Pedro el término se especializa en la doble acepción de prisionero
y de desdichado, como manifestaciones del servicio amoroso. En el *Sermón* (174), al recomendar la discreción a los enamorados: «conviene que
lo que edificare el desseo en el coraçón cativo, sea sobre cimiento del

secreto». En el mismo *Sermón* (177) exhorta a la aceptación racional del estado de cautivo: «todos los que cativaren sus libertades, deven primero mirar el merescer de la que causare la captividad, porque el afición justa alivia la pena». En el *Cancionero de Palacio* Suero de Ribera da cuenta del sentido de infeliz para 'cativo': «Aún me queda gran contienda, / senyora, mientre bivo, / que seré siervo cativo / de quien sabe mi fazienda; / malfadado / a mí lo pueden dezir, / pues que soy por bien servir, / olvidado» (*Cancionero de Palacio*, 51-52).

12.5 Ante la confesión del *auctor* como antiguo enamorado, Wardropper [1952] sugirió una compleja teoría, según la cual Leriano y el *auctor* encarnarían los aspectos sentimental y racional del autor. Para F.A. de Armas [1974] el *auctor*, en tanto reflejo de San Pedro escritor, no puede entender el significado amoroso en esta obra. Por ejemplo, en la dedicatoria al alcaide de los donceles, el escritor no invoca al Amor, lo que sí hace cuando escribe el *Sermón*. Observaciones más certeras acerca de la caracterización y función de este *auctor* se hallan en P. Dunn [1979]. J. Mandrell [1983-1984] duda de la autoridad de este *auctor* porque no sabe cómo comportarse y debe ser instruido por Leriano. Creo que su autoridad se refuerza cuando el *auctor* media en el conflicto que Leriano mantiene con su rey. Para Weissberger [1992] la figura del *auctor* tiende a subrayar el poderío masculino en la sociedad que la obra describe. Por mi parte, observo que el narrador y testigo ocular en los relatos sentimentales suele representarse libre de los sufrimientos del amor. Al viajero que recibe las confidencias de Arnalte le sorprenden las demostraciones de la pena del amador de Lucenda. El narrador de *Triunfo de Amor* (51.21-22) contempla el paraíso de los enamorados y, al abreviar su relato, utilizando un tópico de la imposibilidad, confiesa que no conoce «el abc de amar». En una respuesta poética se disculpa don Alfonso Enríquez de no poder prestar ayuda precisamente por no tener libertad, por estar enamorado (*Cancionero de Palacio*, 52-53), lo que hace pensar que la pasión amorosa impide un cabal raciocinio.

12.6 Ha sido observado por E. Moreno Báez [1974]. Para K. Whinnom [1982] este rasgo concuerda con la situación de Eurialo, el personaje de la *Historia de duobus amantibus* de Piccolomini. Eurialo es franco, esto es, habla la lengua alemana y lamenta su ignorancia del italiano, pero no se nos aclara en qué lengua envía sus cartas a Lucrecia. Para Ester Tórrego [1983] es una muestra de que San Pedro, cuidadoso en la integración de las unidades retóricas de su discurso, se despreocupa de ciertos detalles del argumento.

12.8 El *auctor* y Leriano intercambian un alto grado de afecto: el amor de amiçicia, en donde el amante sólo desea el bien del amado. Véase Aristóteles, *Ética*, VIII, 1156b. La amistad entre los dos hombres se constituye en un momento de tribulación y no de bienestar. Es esta, por tanto, una muestra de afecto limpio y desinteresado. En el *Título de la* *amistança*, fol. 4v°, Alfonso de Cartagena glosa a Valerio Máximo, IV, vii: «estonçes se conoscen ser linpias las amistanças quando responden e acuden en el tienpo de las tribulaçiones en el qual tienpo qualquier cosa que el amigo faze por su amigo que asi esta atribulado e trabajado proçede e sale de firme e virtuosa benquerençia.» Pero *galardón* es además un término clave en la literatura amorosa con el que se señala el premio al servicio amoroso, esto es, el favor de la dama. Es palabra de origen germánico correspondiente a la terminología feudal. Al especializarse en la tópica amorosa en ocasiones, el galardón no conlleva la disponibilidad de la dama sino todo lo contrario. Y en la sublimación del estado de amante es preciso, con todo, adoptar la misma actitud que si el galardón fuese concedido, como aconseja San Pedro en su *Sermón*: «Haz igual el coraçón a todo lo que te pueda venir. E si fuere bien, ámalo; e si fuere mal, súfrelo; que todo lo que de tu parte te viniere es galardón para ti»(San Pedro, *Obras completas*, I, 178).

13.1 Váse A. Yllera [1980]. La referencia a la composición de la obra, un aspecto coincidente en los narradores de la ficción sentimental, relativiza la materia narrada, atrayendo al lector al marco del relato, en este caso, las circunstancias pseudohistóricas del viajero a su vuelta a Peñafiel. Sobre este recurso narrativo en algunas obras del grupo sentimental, véase M.E. Lacarra [1989a] y R. Rohland de Langbehn [1992].

13.3 Así, como señala E. Tórrego [1983], la versión de los hechos es totalmente partidista, pues el *auctor* participa en los acontecimientos con el fin de ayudar a su amigo.

14.2 Aristóteles, *De animalia*, IX, 1. Es argumento utilizado por los defensores de la mujer para caracterizarla dignamente. Rodríguez del Padrón, en el *Triunfo de las donas*, 227-228, concedía, sin embargo, que la piedad femenina abría la puerta, en ocasiones, a la deshonestidad. Para Martín de Córdoba [1974:199] la piedad femenina es condición natural que caracteriza a la mujer como un ser inexperto y débil, a semejanza del niño y del viejo. Solamente cuando la piedad ha de practicarla una gran señora, la condición femenina hace a la mujer útil y responsable. Para Wardropper [1953] es virtud femenina exigida en un código de conducta cortesano. Van Beysterveldt [1979] interpreta la actitud piadosa y la conducta vacilante de las heroínas de las obras de San Pedro como una evolución desde la concepción cortés del amor de la lírica cancioneril hasta una expresión amorosa de índole naturalista que el crítico señala como «movimiento anticortesano que se despliega en el ámbito más realista del género novelístico». La piedad es en la *Cárcel de amor* un componente ambiguo, pues es virtud reclamada, no sólo a la mujer en el trato amoroso, sino también en el plano de la justicia social (P. Taravacci, ed. *Cárcel de amor*, 10-12).

14.5 Los recursos del ornato correspondientes a la semejanza de las figuras tienden a prodigarse en las unidades retóricas de tipo argumentativo como este parlamento del *auctor*, con el que el personaje quiere persuadir. En la narración de los hechos se economizan estos recursos, como recomendaba la *Rhetorica ad Herennium*, IV, XXII, pues en tal ocasión, «cum in veritate dicimus», no es conveniente su abuso.

14.6 Se trata del femenino analógico de los adjetivos terminados en -or. Nebrija, *Gramática*, III, 5, estudia este fenómeno en los nombres verbales. Véase R. Santiago [1992]. Respecto al término *mal* («sabidora de su mal»), la palabra parece compendiar todas las percepciones propias de la sintomatología amorosa. Un poco más arriba: «todos los males del mundo sostiene». Pero, para el amante de la lírica cancioneril o de los tratados de amor, el mal como atributo totalizador en el sentimiento amoroso no se siente como un perjuicio. Carvajal (o Carvajales) en el *Cancionero de Estúñiga*, comenta en el cuerpo de una canción: «Atán grave mal posseo / que tormenta mis sentidos, / porqu'e en todas partes ueo / mis afanes ser perdidos.» Sin embargo, anuncia en el estribillo: «De mis males, el menor / es continuo suspirar»(*Cancionero de Estúñiga*, 605). Se queja Grimalte a Gradisa del desinterés y desconocimiento de ésta ante sus servicios, de modo que «mi mal avéis por bien» o de que él mismo no ha sabido ser suficientemente elocuente: «Mas bien paresce que por mengua de no saberos quexar mis males, ni tratar segund aquellos que los amores siguen, conviene con tal remedio y final respuesta quedar qual yo oigo» (Juan de Flores, *Grimalte y Gradisa*, ed. C. Parrilla, 12, 15). Una de las posibilidades de evitar el *mal* sería la muerte, según ya recuerda en su variado recetario San Pedro en el *Sermón* y lo lleva a cabo Leriano en la *Cárcel*. «Acabados son mis males» son sus últimas palabras (capítulo 48). Que en la literatura amatoria el mal de amor, por doloroso que sea es finalmente beneficioso, lo recuerda acaso irónicamente San Pedro en el *Sermón*: «en los dolores deste mal se aguza el seso» (San Pedro, *Obras completas*, I, 177). Tal claridad de juicio parece estar en desacuerdo con las teorías médicas medievales. Véase más abajo, capítulo 7, nota 11.

15.8 Se toma también por el mismo 'lograr' (*Autoridades*). Es un ejemplo de la terminología feudal aplicada al servicio amoroso y de la que tantas muestras se hallan en la poesía cancioneril. San Pedro, *Sermón*, 174: «todo amador deve ... recebir la muerte callando su pena, que merecerla trayendo su cuidado a su publicación». Pero en este caso el merecer se atribuye a la dama, como reconocimiento a su superioridad. San Pedro, *Sermón*, 177, 180: «todos los que cativaren sus libertades, deven primero mirar el merescer de la que causare la captividad»...; «¿Cómo, señoras, no es bien que conozcáis la obediente voluntad con que vuestros siervos no quieren ser nada suyos por serlo del todo vuestros?, que transportados en vuestro merescimiento, ni tienen seso para fablar, ni razón para responder»...

15.10 Véase E.M. Gerli [1981*a*].

15.1 En *La Celestina*, IV, dice Melibea: «Por cierto, si no mirase a mi honestidad y por no publicar su osadía de ese atrevido, yo te hiciera, malvada, que tu razón y tu vida acabaran en un tiempo». Ha sido señalado por F. Castro Guisasola [1975] y anotado en las ediciones de S. Gili Gaya [1969], K. Whinnom [1971] y I. Corfis [1987]. Sin embargo, A. van Beysterveldt [1979] sostiene que en la ficción sentimental el papel de la mujer en las aventuras amorosas «se encuentra desarrollado explícita y articuladamente», a diferencia de la modalidad unilateral que para el asunto de la recuesta amorosa presenta la poesía cancioneril. El protagonismo o la representatividad femeninas se hace elocuente, a su juicio, en *Cárcel de amor*, una obra en la que «se perfilan claramente dos esferas de vida, la del hombre y la de la mujer».

15.2 Se entiende que la virtud femenina viene impuesta por la consideración social. De ahí la doctrina extendida por Martín de Córdoba, antes citado. Pero además, el honor se preserva por medio de la discreción, a modo de correctivo de la debilidad femenina, más proclive a dispensar piedad. Véase H. Bermejo y D. Cvitanovic [1966]. Por su parte, J. Rodríguez Puértolas [1982] advierte en la actitud de la princesa la sumisión a un sistema social que ya se fundamenta en el honor-opinión y no tanto en una virtud individual. Véase también A. van Beysterveldt [1979].

16.3 Como poderosa, la princesa no debe ejercer la función de perdonar puesto que su estado la libera de recibir ofensas de un inferior. Pero, por otra parte, su condición femenina la hace piadosa, aunque esta disponibilidad, según la doctrina estoica, es censurable y propia de viejas o de mujercillas. «Misericordia est aegritudo animi», escribe Séneca, *De clementia* II, IV.

16.1 Para E. Tórrego [1983], el sentido acusado y subjetivo del paso del tiempo en la *Cárcel de amor* sólo se pone de manifiesto en estos proyectos del *auctor* para vencer la resistencia de Laureola. A propósito de este relato de la vivencia de un narrador, véase S. Roubaud [1988].

17.7 *Esquivo* es palabra de origen germánico, voz muy antigua en castellano y de gran variedad semántica (Corominas, 763). esquividad manifiestan en los primeros encuentros las heroínas de la ficción sentimental, resultando una nota distintiva en la mujer al ser abordada por el galán o sus mensajeros. En *La Celestina*, II, Calisto muestra a Pármeno ciertos imponderables para acercarse a Melibea: «quando hay mucha distancia del que ruega al rogado, o por gravedad de obediencia o por señorío de estado o esquividad de género, como entre mi señora y mí, es necessario que suba de mano en mano mi mensaje». Véase la opinión de María Rosa Lida [1962] en defensa de motivos tradicionales en el requerimiento amoroso de la pareja Calisto-Melibea a propósito de este pasaje.

17.10 Para P. Waley [1966] con estos síntomas se cumple lo apuntado ya por San Pedro en su *Sermón*. El fenómeno del enamoramiento es un trastorno mental que afecta a la salud física, según se recoge en los tratados médicos medievales. Sobre este aspecto, véase J. Levingstone Lowes [1913-1914], B. Nardi [1959] y M. Ciavolella [1976]. Keith Whinnom [1971a] ha llamado la atención sobre la complejidad de las teorías amorosas, proyectando en el ámbito de la prosa de ficción del siglo XV, más concretamente en las obras de San Pedro, las teorías psicológicas medievales, la postura de los teólogos, la opinión de los físicos. A. Deyermond [1988 y 1993] está de acuerdo en que los síntomas externos de Laureola son los que describen los tratados médicos de la época para la enfermedad de amor. Para la productividad literaria del desequilibrio amoroso, véase June Hall Martin [1972]. J.L. Canet [1992] ve en la dolencia amorosa de la *Cárcel de amor* un tipo de obsesión en la que se sublima el apetito sexual, pasión solamente sufrida por seres singulares. Esto determina el estilo trágico que este crítico ve en la obra y aproxima el ideario amoroso a la concepción neoplatónica que hallará cabida en el siglo siguiente. Para comprender el trasfondo intelectual de la teorización amorosa en la Castilla del siglo XV, véase Pedro Cátedra [1989a].

18.14 El *auctor*, en efecto, va a ser mucho más que un simple mensajero, de acuerdo con su doble función de narrador y personaje. Este aspecto ha sido considerado por B.W. Wardropper [1952], P. Dunn [1979], A. Rey [1981], E. Tórrego [1983], J. Mandrell [1984], P.E. Grieve [1987] y A. Deyermond [1988 y 1993].

18.1 En la moda epistolar del relato sentimental pesa el influjo de las *Heroidas* de Ovidio y de sus traducciones y adaptaciones en el siglo XV, así como la obra de E.S. Piccolomini, *Historia de duobus amantibus*. Véanse A. Deyermond [1986 y 1993:43-64] y E.M. Gerli [1989b]. El primer relato sentimental, *Siervo libre de amor* de Rodríguez del Padrón, es una autobiografía amorosa encuadrada en el marco de la forma epistolar. O.T. Impey [1980ab] ha estudiado la labor de Rodríguez del Padrón como adaptador de Ovidio y sus consecuencias en el primer relato del género. En obras posteriores del grupo sentimental el intercambio de cartas cumple una función narrativa complementaria a las secciones que corren a cargo de un narrador. Véase el análisis de F. Vigier [1984]. Cuando San Pedro, en su *Desprecio de la Fortuna*, se retracta de sus antiguas «escrituras livianas», hay un recuerdo elocuente al vehículo epistolar: «Y aquellas cartas de amores / escritas de dos en dos, / ¿qué serán, dezí, señores, / sino mis acusadores / para delante de Dios» (276). Que el género epistolar ejerció a su vez una «fuerte influencia genérica» sobre la prosa sentimental ha sido señalado en un interesante trabajo de J.N.H.Lawrance [1988] en el que se ofrece en amplio panorama la variedad temática del epistolario de la segunda mitad del siglo XV.

18.2 Para la historia y teoría del arte epistolar medieval, véase Ch.E. Kany [1944] y J.Murphy [1986]. Conviene, no obstante, prestar atención a ciertos manuales próximos en el tiempo a Diego de San Pedro, como el dedicado al príncipe Juan por Fernando Manzanares, *Flores rheto-*

rici (Salamanca, ¿1485?), cuyo libro III comprende un arte epistólico. I. Corfis [1985*b*] estudia la relación entre las cartas de *Cárcel de amor* y los formularios o manuales epistolares de la época. Para el formato de una carta, véase C. Copenhagen [1983-1984; 1985*ab* y 1986]. Un análisis del intercambio epistolar en *Cárcel de amor* en Sol Miguel-Prendes [1991].

19.1 Para una magnífica exposición de la extensión del término pena y de su polisemia en un contexto cortesano y literario, véase F. Rico [1966, y 1990].

19.3 Sobre el tópico, véase E. Curtius [1976]. Sobre la manifestación del sentimiento del autor, B. Wardropper [1952 y 1953], E. Tórrego [1983] y E.M. Gerli [1989*b*].

20.2 Con esta *detractio* el zeugma proporciona una variación semántica. El término expresado, 'juicio', significa 'seso, cordura'. El término omitido por la *detractio* significa otra acepción de juicio: 'opinión' o 'dictamen'. De este modo, Leriano necesitaría los juicios ajenos y el suyo propio para componer el elogio.

20.4 El encarecimiento del *auctor* pone de manifiesto la importancia de esta figura para la relación *in absentia* de Leriano y Laureola. Véase E. Tórrego [1983]. Para el valor de la repetición de los conceptos vertidos en las cartas, S. Miguel-Prendes [1991].

21.6 El *auctor* solicita que Laureola se apiade de la pasión de Leriano. Según B. Wardropper [1953], la pasión es polo positivo y masculino; la piedad, polo negativo y femenino. Estos sentimientos no son complementarios para la ocasión, pues el verdadero amor es pasión y no piedad.

21.2 Es voz común en toda la Edad Media, empleada en el tecnicismo jurídico y, por extensión, en el lenguaje literario amoroso. En el *Cancionero de Estúñiga*, Sancho de Villegas para encarecer su pena de amor, increpa a los infortunados: «A quantos de la fortuna / bevís querellosos, tristes, / a todos pregunto: '¿Uistes / ser ygual a mí alguna / persona, si conosçisres?'» (N. Salvador Miguel 1987: 151).

21.4 Para A. van Beysterveldt [1979:78] se trata de exponer una nueva dialéctica entre hombre y mujer, con el consiguiente derrumbamiento de los ideales amorosos de carácter cortés transmitidos por la poesía cancioneril.

21.6 Véase P. Heugas [1973], F. Vigier [1984], C. Parrilla [1988] y O. Impey [1990].

23.3 J. Rodríguez Puértolas [1982] interpreta esta frase del *auctor* como muestra de un cambio de apreciaciones y sentimientos en la representación de personajes, lo que revela que en obras como la *Cárcel de amor* se está manifestando una forma de escritura ficticia capaz de ser apreciada por un ambiente burgués y cortesano. Es conveniente confrontar con E. Gascón Vera [1979].

23.6 Aunque la aserción parece tener validez general, sin embargo éste fue argumento caracterizador de la condición femenina. En su *Corbaccio*,

Boccaccio lo declara expresamente, al tiempo que admite que las féminas sólo son estables en lo que atañe a la lujuria. Pero el argumento tiene notable antigüedad. Isidoro de Sevilla, glosa el «Varium et mutabile semper femina» de *Eneida*, IV, 569, con estas palabras: «Las mujeres se encuentran bajo la potestad del varón, porque suelen ser frecuentemente engañadas por la ligereza de su espíritu. De ahí que resultara justo que se vieran gobernadas por la autoridad del hombre. Por eso los antiguos establecieron que las solteras, aun mayores de edad, estuvieran bajo tutela precisamente por la versatilidad de su espíritu» (Isidoro de Sevilla, *Etimologías*, IX, 7.30).

23.11 A lo largo de la Edad Media todavía *amatar* es expresión predominante en su alternancia con *apagar* ('sofocar un fuego; pacificar una contienda'). Por ello, entra a formar parte del lenguaje amoroso tanto en la poesía como en la prosa para apagar la llama del deseo.

24.4 Véase J. Rodríguez Puértolas [1984].

26.5 El encarecimiento y las repeticiones son fundamentales en el estilo de las epístolas amatorias para lograr convencer. Por medio de las cláusulas paralelísticas que a continuación emplea, Leriano logra exponer estadios sucesivos de la relación amorosa. Véase S. Miguel-Prendes [1991].

26.6 Whinnom [1971] interpreta 'largas razones'. Igualmente Corfis [1987], subrayando el recurso de la *brevitas*.

26.1 Para una valoración del sentimiento como tema integral en el grupo sentimental, véase E. Gerli [1989*b*].

26.3 En su *Manual de escribientes*, Torquemada entiende como sobrescrito el nombre de la persona a la cual va escrita la carta. Igualmente Covarrubias entiende «intitular la carta a la persona para la cual va escrita». Sin embargo, el sobrescrito que recibe Laureola es un pretexto para hacer llegar el mensaje. Acaso quepa reconocer el influjo de Ovidio en la enseñanza del intercambio epistolar: «Cera vadum temptet rasis infusa tabellis, / era tuae primum conscia mentis eat...» (*Ars Amandi*, I, 435-436). La estratagema del mensajero es una prueba de su iniciativa y habilidad. Para esta conducta, véase P. Dunn [1979].

27.7 Véase Corominas.

28.1 En *Espéculo*, libro IV, leyes XXIX y XLIII, ni el rey ni las dignidades eclesiásticas ni la nobleza en sus distintos grados, están sujetos a testimonios de terceros. El rey responde de su propio testimonio y no debe ser apremiado a juicio. Esto puede hacerse extensivo a mujeres e hijos de un monarca.

28.2 R. Lapesa [1981].

28.3 Corominas, 3, 713*a*.

28.4 Laureola muestra su lucha interna. Para A. van Beysterveldt [1979], el desasosiego de Laureola es una prueba de la evolución de la figura femenina literaria, que desde la «dama cruel e ingrata de la poesía cortesana» se transforma en «la dama piadosa y compasiva de la novela sentimental». Véase ahora el trabajo de G.T. Howe [1987].

28.7 En *Arnalte y Lucenda*, 132, dice la protagonista femenina: «Cata que cuando las tales victorias los hombres pregonan, de la honra de las mugeres fazen justicia». En el *Sermón*, 174, se dice: «todo amador deve antes perder la vida que escurecer la fama de la que sirviere, haviendo por mejor recebir la muerte callando su pena, que merecerla trayendo su cuidado a su publicación».

28.8 Lucenda, en su carta a Arnalte (*Arnalte y Lucenda*, 132), dice: «E mucho te ruego que con senblantes templados hospedes mi carta, y que con abtos mesurados sea de ti festejada, y con mucha cordura las alteraciones del gozo te ruego que encubras, y con mucho seso los misterios enamorados refrenes».

28.9 F.A. de Armas [1974].

28.10 K. Whinnom [1971a:110] consideró oscura la frase e interpretó «la vida (fortuna) tendría que tratarme tan justamente como yo he obrado». Las ediciones bilingües suprimieron «y para que mis obras recibiesen galardón justo, avía de hazer la vida otro tanto». Véase también I. Corfis [1987].

29.1 Para su función retórica, véase H. Lausberg [1967:II, 124-128].

29.7 Ripa viste de verde a la agricultura porque este color significa la esperanza «sin la que no podría haber quien se entregase a la fatiga y el cultivo de la tierra» (I, 73-74). El verde es también, según Ripa, el color de la alegría y el placer. Estas cualidades de los colores cumplen función expresiva en la poesía cancioneril y en la ficción sentimental. En la continuación de la *Cárcel de amor* de Nicolás Núñez, Leriano se presenta con «un bonete de seda morada muy encendida, con una veta de seda verde de mala color que apenas se podía determinar, y con una letra bordada que dezía: Ya está muerta la esperança / y su color / mató un vuestro desamor». Los conocedores de las paradojas del lenguaje amoroso entenderían el sentido encerrado en esta representación: «Traía un jubón de seda amarilla y colorada, con una letra que dezía: Mi passión a mi alegría / satisfaze / en fazella quien la haze». Vease K. Whinnom [1979].

29.8 Aristóteles, *Retórica*, II, 23. Para A. Deyermond [1988 y 1993] en este pasaje se cierra la representación del mundo alegórico.

29.10 En el encuentro de Fiometa con Pánfilo se dice: «Y peleando la vieja congoxa con la nueva alegría, ambos en uno de tal forma combatieron, que sobrado gozo la derribó quasi muerta en el suelo, de manera que sin esperança de vida fue judgada de mí y de aquel en cuyos braços cayó. Y allí Pánfilo forçado, buscó piedad prestada, y con sus calientes lágrimas mojava el su descolorido gesto» (*Grimalte y Gradisa*, 78).

30.12 Véase E.M. Gerli [1981b]. Leriano va a ser redimido de su pena y, por tanto, pasa al estado de los bienaventurados.

30.13 Véase F.A. de Armas [1974].

30.15 Más racional que la de Leriano es la actitud de San Pedro poeta en el *Cancionero general*: «Si muestro contentamiento / con males dissimulados, / es por hurtalles el viento / a los que traen pensamiento / del rastro de mis cuydados».

31.17 Para B. Weissberger [1992], el amor de los dos caballeros por la princesa va acompañado del deseo de un ascenso social. B. Weissberger no alega razones para mantener esta opinión. No obstante, la obra, siempre ambigua, ofrece una ocasión para el desarrollo de la idea cuando Leriano, en sus razones en alabanza de las mujeres, declara a su amigo Tefeo en su undécima razón que las mujeres «buenos casamientos nos proporcionan». Sin embargo, en otras ocasiones los personajes no pueden ser tomados como portavoces fidedignos. Véase para ello A. Deyermond [1988 y 1993].

31.18 Véase R. Rohland de Langbehn [1989c]. A. Deyermond [1988 y 1993] encuentra ambiguo el pasaje. No se niega que la relación sexual se haya consumado. H. Bermejo y D. Cvitanovic [1966] señalan que, a partir del testimonio de Persio, inicia su culminación la figura de Leriano, siervo de amor. Para B. Wardropper [1953] la relación de Persio-Leriano precipita la tragedia final, como una derrota del sentimiento frente a la razón. La concatenación de amor y honor en la obra ha sido tratada por P. Waley [1966]. P. Earle [1956] considera un elemento propio de tragedia la intervención de Persio porque provoca la destrucción de la honra de Laureola. Para F. Márquez Villanueva [1966], el episodio que ahora comienza con la acusación contra Laureola, las pruebas judiciales y la acción guerrera de Leriano tienen una función ideológica por ser clave para entender a través de un relato ficticio la implantación del Santo Oficio en la España de los ochenta. Se trataría de una especie de excurso político en el que se manifiesta una actitud anticesarista por parte del autor. Esta interpretación parte de la suposición de un San Pedro converso. Pero para este punto véase K. Whinnom [1973a] y, más recientemente, para el reflejo del sector social de los conversos en las obras de ficción, R. Rohland [1989c]. Conviene tener en cuenta en este punto las prudentes observaciones de N. Salvador Miguel [1989] para *Celestina*. Para S. Tejerina-Canal [1984], partidario de F. Márquez Villanueva, el episodio supone un estudio más profundo por parte de San Pedro de la superposición de la tiranía en la novelización de unos hechos amorosos. A. Deyermond [1986 y 1993] ha mostrado que en este pasaje de la *Cárcel de amor*, a partir de la acusación de Persio, hay un préstamo directo de la tradición artúrica, concretamente de la *Mort Artú*, en lo que concierne a la estructura narrativa. Señalaré los préstamos aducidos en cada ocasión en que se manifiesten. M. Menéndez Pelayo [1905-1915] señalaba en la trama huellas de relatos caballerescos; concretamente, en la acusación injusta a la princesa, la influencia de la *Historia de la reina Sevilla*. B. Wardropper

[1953] asegura que *Cárcel de amor* es «una novela de caballerías en pequeño». K. Whinnom [1971a] refuta la idea, pues en la narración que se
sigue, hasta la liberación de Laureola, conviene distinguir los episodios
políticos de los militares. En estos últimos, a su juicio, hay más influencias de los relatos cronísticos contemporáneos a San Pedro que de los
relatos caballerescos.

31.20 B. Wardropper [1953] achacó la turbación a una emoción comprensible ante la sorpresa. F. Márquez Villanueva [1966] la juzga como
ofuscación inicial de su inteligencia, que le conducirá a aceptar la culpabilidad de Laureola por lo que llama «un prejuicio sucio y antinatural».
Apunta B. Weissberger [1992] un posible rasgo incestuoso, recordando
la elaboración del motivo del incesto también en la obra de Juan de Flores, *Grisel y Mirabella*. No comparto esta opinión para la *Cárcel de amor*
ni, a pesar de las equívocas alusiones al asunto, en el comienzo de *Grisel
y Mirabella*. Creo que en la obra de Flores lo que se pone de manifiesto
por la vía de la censura es el error paterno al no cumplir los deberes
que lleva aparejados la «comunicación de linaje». En la obra, Mirabella
es una menor, dependiente de su padre, quien debe dispensarle amor de
beneficio en su relación de superioridad afectuosa. El beneficio debido
es el buscarle casamiento conveniente y en tiempo oportuno.

31.22 Se da la circunstancia de que frente a la prisión alegórica de
Leriano, la de Laureola es una prisión real. F.A. de Armas [1974] recuerda que la libertad de Leriano provoca la prisión de Laureola. En la cárcel,
la princesa sufrirá tormentos. Como sucede con otros componentes de
la obra, el motivo de la cárcel configura el relato en una estructura temática de equivalencias que ha sido señalada por D. Severin [1977] en estudio comparativo con *Arnalte y Lucenda*. S. Tejerina-Canal [1984] opina
que la idea de prisión está siempre presente en la obra, como el símbolo
de una especie de injusticia cósmica.

31.23 La suposición de Persio crea un conflicto en el que conviene
resaltar ciertas particularidades. El *auctor* califica de malvado el pensamiento de Persio, pero antes informa que el rival se mueve por celos,
lo que ocasiona que obre con ofuscación. El modo de plantear la acusación —apartar al rey en secreto— es el procedimiento empleado por quien
ha de delatar una traición. Así se recoge en la Partida VII, título III,
ley IV, cuando alguien se halla en la obligación de retar a otro. Sin embargo, en este caso es el rey quien califica de traición el acto de Leriano.
El rey no alcanza a creerlo; finalmente se persuade por la dignidad de
Persio, pero, sin deliberar, apresa a Laureola. Por tanto, se entiende que,
oída la acusación, su padre la crea tan culpable como a Leriano y, llevado
de su autoridad de padre, la castigue. Entre las disposiciones de las *Partidas* en torno a las relaciones de los reyes con sus hijos, se halla la de
que «quando erraren, castigarlos como Padre, e como Señor». Sorprende
que el rey no haga pesquisas en busca de pruebas, como corresponde

legalmente en una acusación (Partida VII, título I, ley XVII), pero lo impide la alta condición social de los dos acusados. Véase también la *Partida* VII, título IV, ley I.

31.24 El desafío por carteles estaba prohibido por los Reyes Católicos desde las Ordenanzas de Toledo de 1480, que venían a contradecir un antiguo derecho de los hidalgos presente ya en las *Partidas* (E. Buceta 1933). Insiste en la complejidad del asunto A. Iglesia Ferreirós [1969], quien observa igualmente que todo el pasaje relativo al procedimiento del reto se aparta de la costumbre vigente en la Castilla de los Reyes Católicos. Ni la traición ni el aleve —la dos causas esgrimidas en la *Cárcel de amor* y en el *Arnalte y Lucenda*— se resolvían por medio del desafío por carteles, sino que se ventilaba primero el pleito en presencia de toda la corte y ante el rey. En la *Cárcel* Persio aparta al rey a lugar secreto y éste le insta a acusar a Leriano de traición «según sus leyes». Al desplazar la historia a Macedonia, San Pedro deja claro que el intercambio de carteles es una costumbre de aquel país. ¿Elude así todo problema con la regulación legal?

32.1 Porque traición es, según la partida VII, título II, ley I, «uno de los mayores yerros e denuestos en que los omes pueden caer». La infamia y deshonra por este delito afectaba a la honra y bienes de los herederos, imposibilitándolos en ocasiones para desempeñar cargos o recibir dignidades.

32.2 Para F. Márquez Villanueva [1966] hay en las palabras de Persio alusiones inequívocas al sector social de los conversos.

32.4 El cartel tiene como modelo formal algunas cartas de desafío difundidas en la época, en las que como en ésta se articulaban ideas generales sobre la justicia retributiva, se recordaban los deberes propios de los individuos de sangre noble y se cerraba el cartel con fórmulas rituales. Véase E. Buceta [1933. Para su técnica compositiva e integración como forma de discurso, I. Corfis [1985].

33.3 Aparte del *debdo natural* de amistad entre nobles, se alude a la bien conocida doctrina ciceroniana sobre la dulzura de la comunicación entre amigos. Lo que echa en cara Leriano a Persio es el cargo de aleve. El motivo del amigo desleal aparece en otras ficciones sentimentales, como *Siervo libre de amor*, *Grisel y Mirabella* y *Arnalte y Lucenda*.

34.1 Los procedimientos judiciales para resolver conflictos entre caballeros experimentan una transformación en la Baja Edad Media, pasando de ser usos judiciales de carácter feudal a cobrar en ellos un gran protagonismo la figura del monarca. Véase J.M. Nieto Soria [1993]. «E si el reptador e reptado se avinieren a la batalla, el rey les deve assignar día e ora, armas e canpo», declara Diego de Valera en su *Tratado de las armas*, 126 (M. Penna 1959).

34.2 Partida VII, título IV, ley II, además de tratados políticos como el de Diego de Valera, antes citado.

34.5 Según B. Wardropper [1953], se economiza en este tipo de relato las referencias a elementos externos de las prácticas caballerescas. A juicio de J. Rodríguez Puértolas [1982], el público lector consideraría tediosas las narraciones de batallas. Para K. Whinnom [1971a:117], con «historias viejas» se alude a las novelas de caballerías o a prácticas ya abandonadas, sin vigencia cuando San Pedro escribe. A. Deyermond [1986 y 1993] conviene en que puede tratarse de una alusión a las narraciones caballerescas, si es que no estamos ante la utilización de un tópico de brevedad existente igualmente en dichas narraciones. Todo ello apoya la suposición ya expresada por Deyermond de que San Pedro conociese la *Mort Artu* del ciclo postvulgata en su difusión peninsular. Véase también, para la relación entre libros sentimentales y caballerescos, H.L. Sharrer [1984] y D. Hook [1991].

34.6 El *bastón* es equivalente a la vara de justicia. Se hizo costumbre desde el advenimiento de los Trastámara que el rey tuviera poder para detener el combate. Véase R. de Andrés Díaz [1986].

35.8 Para A. Deyermond [1988 y 1993] la actitud del rey es incomprensible.

36.1 Esto llevará a Leriano, según B. Wardropper [1953], a no poder conciliar las dos formas de lealtad, la que debe a su rey y la que debe a su amada. Wardropper ve en la trama de esta ficción un conflicto entre los cuatro códigos medievales de conducta: amor cortesano, caballería, honor y virtud. K. Whinnom [1971] no acepta totalmente esta propuesta, pues en lo que afecta al sentimiento del amor no puede ya hablarse de un código uniforme sino de actitudes complejas. A este respecto, véase también la opinión de A. van Beysterveldt [1979]. Sin embargo, conviene consultar E. Buceta [1933] y A. Iglesia [1969].

36.3 «La noción de natural es una consecuencia de la 'concepción corporativa', en cuanto que se es 'natural' porque se pertenece a un cuerpo político en el que están integrados todos los estamentos del reino, siendo el rey la cabeza, alma y corazón de ese cuerpo» (J.M. Nieto Soria 1988:240).

36.6 Partida II, título I, ley VII. La idea es recogida también por don Juan Manuel en el *Libro de los estados* y divulgada en todos los tratados que versan sobre la figura real y sus obligaciones. Véase Diego de Valera, *Doctrinal de príncipes*, 173-202. Para estas palabras de Leriano, remito a la interpretación de F. Márquez Villanueva [1966].

37.2 Véase A. Rey [1981]. El rey, según B. Wardropper [1953:182], «juzga desfavorablemente a Leriano por pretender un amor impropio a su condición».

39.3 K. Whinnom [1971] enmienda *como* en *con*, sugiriendo que se trata de un error del cajista, por proximidad de otro *como*.

39.5 I. Corfis [1987] adopta *sanar*.

40.1 Para B. Weissberger [1992] el éxito del intermediario pone de manifiesto la conducta negativa del rey y su favoritismo hacia Persio, como imagen de las tensiones de la nobleza con el trono en las postrimerías del siglo XV.

42.1 Debe verse E. Tórrego [1983].

42.3 Véase E.M. Gerli [1989].

42.1 Para B. Wardropper [1953] y F.A. de Armas [1974], Laureola ha practicado correctamente un requisito del código del honor.

44.1 El motivo del buen consejo, aunque en ocasiones se plantea con carácter elemental como una derivación de los castigos medievales, estuvo siempre presente en los escritos doctrinales del siglo XV. Para Diego de Valera en el *Doctrinal de príncipes* crecerá el rey en la virtud si se rodea para el consejo de «onbres en vida e ciencia aprobados» (180-81).

45.3 «Quod sapiens casus providet et in expedito consilium habet» (Séneca, *De clementia*, II, IV, 1). Algunas nociones senequistas o pseudo-senequistas que se hallarán en esta sección de la obra son lugares comunes de una doctrina moral bien conocida durante todo el siglo XV de modo directo o indirecto (libres traducciones o glosas) que bien pudo conocer San Pedro. Véase K. Whinnom [1979]. La idea expuesta por el cardenal está glosada por Alonso de Cartagena en *Cinco Libros de Séneca*, libro V, «De la Providencia de Dios», LII, cuando Séneca amonesta a Nerón «diziendo que no se deuia ordenar cosa alguna arrebatadamente sin deliberaçion contra los parientes». Si pudo llegar a manos de San Pedro una traducción trecentista del *De ira* revisada por Nuño de Guzmán, en ella se encuentra el consejo de que el castigo «devese fazer sin saña. quando la rrazon e el juyzio del omne son sanos e enteros» (*Libro de Séneca contra la ira e saña*, Esc. ms. T.III.3, fol. 6vº).

45.4 En la traducción citada del *De ira* se procede a distinguir entre ira y saña: «el yrado puede ser que non sea sañudo e el sañudo non puede ser que non sea yrado». (fol. 5vº). En las máximas más populares se encontraban ecos de este pensamiento: 'Non conviene al rey tener saña tan cruda que non se pueda amansar'. Véase R. Foulché-Delbosc [1904].

46.7 Según B. Wardropper [1953], el cardenal censura al rey su poco interés en el ideal caballeresco. J. Fernández Jiménez [1989] considera injusto y cruel al monarca, casi un demente que atiende con parcialidad a sus súbditos. Este proceder está así alejado de la caracterización que Juan de Flores aplica al monarca y padre de *Grisel y Mirabella*, un gobernante con visión más moderna en su aplicación de la justicia.

46.1 Melibea a su padre: «quando el coraçón está embargado de passión, están cerrados los oydos al consejo, y en tal tiempo las frutuosas palabras, en lugar de amansar, acrecientan la saña» (*La Celestina*, XX).

47.5 «Oderint, dum metuant.» Pero el rey mantiene también la idea de que la misericordia es consecuencia de un carácter pusilánime. «Misericordia non causam, sed fortunam spectat ... misericordia est aegritudo animi» (Séneca, *De clementia*, II, III, 1, 4). B. Wardropper atenúa la crueldad del rey, considerando que el príncipe debe siempre reflexionar para actuar según justicia y clemencia. De ahí que más adelante solicite un testimonio a favor de Laureola. A. van Beysterveldt [1979] ve en las palabras del rey semejanza con los argumentos esgrimidos por Laureola cuando la princesa defiende su fama virtuosa. Hay una relación estructural en las actitudes padre-rey, hija-princesa. Si el rey fuese piadoso, no peligraría la vida de Laureola; del mismo modo, si Laureola se apiadase de Leriano, éste no concluiría trágicamente. Para A. van Beysterveldt, se asiste en la *Cárcel de amor* al destronamiento del dios Amor, que es sustituido por una divinidad más feroz: el Honor.

47.6 Para los legisladores, el adulterio es delito típica y exclusivamente femenino. Véase R. Córdoba de la Llave [1983] y M. Vincent-Cassy [1986]. R. Rohland de Langbehn [1989c] apunta que a Laureola se le aplica una pena correspondiente al delito de transgresión del contrato matrimonial. Según M.C. García Herrero [1990:284], mientras que en el hombre había un margen de disculpa por su complexión y esencia solar, en la mujer no había paliativos a tal acción pecaminosa, puesto que su naturaleza —regida por la luna— proporcionaba una complexión fría y húmeda. De este modo, en el adulterio era más culpable la mujer. Con todo, ni las leyes ni las costumbres de la España del siglo XV abundaban en aplicar la pena de muerte, a no ser que el adulterio femenino hubiese originado otros conflictos criminales. El castigo a Laureola no es más que el recuerdo de una bárbara costumbre ya olvidada, incorporada por tradición literaria y por las características de la historia ideal que traza San Pedro. Véase P. Waley [1973] y K. Whinnom [1971a]. Como recuerda C.S. Lewis [1969], el adulterio es una de las peculiaridades de la adaptación del amor en la tradición provenzal. Sin embargo, la supuesta relación entre Leriano y Laureola denunciada por Persio se tipifica en los tratados morales de la teología cristiana. Así, en Alfonso de Madrigal, 'el Tostado', *Brevis formula confessionum ad rudium instructionem* (BUS, Ms. 1756, fol. 5r°): «En la luxuria pecan en muchas maneras e tienen muchos nonbres. El primero pecado es fornicacion quando algun omne soltero duerme con alguna muger soltera».

47.7 Se trata de una noción de justicia bien enraizada en el pensamiento político medieval y que se concilia en el pasaje con la solicitud de clemencia, considerada no tanto una virtud como una facultad privativa real. El concepto de justicia que aquí se esgrime fue ampliamente difundido en el siglo XV a través de comentarios a textos clásicos o de elaboraciones más personales en forma de tratados (Pedro Díaz de Toledo, Rodrigo Sánchez de Arévalo, Diego de Valera). Puesto que el rey insistirá en el deseo de aplicar la justicia en sus propias cosas, San Pedro presenta la idea de una justicia distributiva que se deriva de la aplicación de la justicia legal, según la clasificación que dio Aristóteles a este reina de virtudes. Para ser buen rey, el monarca ha de ser justiciero, como ya exhortaba el autor del *Libro de la Nobleza e Lealtad*. Por tanto, al aplicar la justicia, el buen rey no puede hacer acepción de personas, viéndose obligado, como en este caso, a sacrificar a su hija.

48.1 Resulta extraño que, ante la sugerencia del rey de presentar un testigo de la inocencia de la princesa, no sea el mismo *auctor* quien se ofrezca a ello. Es un punto oscuro en la trama narrativa y que da cuenta de la ambigüedad fundamental que afecta a «la credibilidad general del narrador». (A. Deyermond 1993:72) De la actitud del *auctor* en este pasaje se sobreentiende que este buen amigo de Leriano está, no obstante, libre de toda sospecha de su oficio de medianero entre la pareja. Esto le permite actuar en gestiones diplomáticas en el conflicto. Para B. Wardropper [1952], el *auctor* disfruta en la corte del rey Gaulo de ciertos privilegios concedidos a extranjeros. Por otra parte, aunque sus intentos de ayuda en el conflicto desemboquen en el fracaso, lo cierto es que su responsabilidad mayor consiste en poner por escrito la historia de Leriano.

48.3 Laureola está sin culpa, puesto que, en un sentido material, su honra no ha recibido daño o deterioro. Por tanto, su castidad permanece incólume. Éste es el término latino que el anotador de las *Glosas Emilianenses* vierte al *sanos et salbos*. Véase R. Menéndez Pidal [1976:5].

48.4 Las ideas en torno a la piedad filial se ajustan a discursos directos de la misma naturaleza, como puede verse en *Grisel y Mirabella* de Juan de Flores, donde la reina se dirige al rey por dos veces, afeándole la conducta. Las «razones tan discretas para notar como lastimadas para sentir» de la madre de Laureola se expresan en *Grisel*: «que valen tus grandezas villas y ciudades: quando hijos en que succedan no tuuiesses. y como los padres a los hijos mas que a si mesmos aman: en qual humanidad cabe que de si mismo faga ninguno justicia» (357). La moderación invocada por la reina no alcanza solamente a la relación paterno-filial sino que es atributo del poderoso, en orden a usar bien de las virtudes cardinales. Así, Alonso de Cartagena a Juan II de Castilla en su prólogo a la traducción del *De clementia* de Séneca: «Tenprança a la qual prinçipalmente perteneçe reffrenar los deseos del tañer e gostar. pero porque mengua las penas demuestrase refrenamiento de saña. lo qual perteneçe a la mansedad. E de aquel refrenamiento de saña sale blandura de voluntad para menguar las penas que es propia de la clemencia. Por ende a este respecto la clemencia es dicha una parte de la tenprança. porque en el refrenamiento de los apetitos con ella comarca» (BN Ms. 5568, ivº).

49.1 Ha sido señalado por D. Severin [1977]. Véase la organización retórica de este género de discursos en J.B. Pelegrin [1989].

50.6 La declaración de Pleberio, padre de Melibea es similar: «¡O amor, amor! ... No pensé que tomavas en los hijos la vengança de los padres» (*La Celestina*, XXI).

50.7 A la imagen del 'mártir de amor' masculino, heredado de los motivos poéticos cancioneriles, se opone aquí la imagen femenina de un martirio real.

50.2 Así lo sostiene S. Tejerina-Canal [1984].

51.1 San Pedro incorpora en la súplica de la princesa nociones bien conocidas de los atributos reales. La virtud innata o el ejercicio constante de la virtud es en la Baja Edad Media uno de los fundamentos de la legitimación real que alcanza a justificar ciertas instituciones reales, como ira regia, perdón real, mercedes... Las crónicas del siglo XV muestran cómo esta doctrina es utilizada con fines propagandísticos para favorecer la imagen del monarca. Véase J.M. Nieto Soria [1988].

51.3 «El príncipe que perdona no solamente da salud a los otros mas da seguridad a sí mesmo» (*Floresta de philosophos*). Véase R. Foulché-Delbosc [1904].

51.4 «Más cierta es la seguridad del rei cuanto mayor es su mansedad»; «La crueldad real acrecienta el número de los enemigos matando alguno dellos»; «La seguridad del príncipe con la seguridad de los súbditos se gana»; «La clemencia hace al rey que esté seguro en toda parte» (*Floresta de philosophos*). Véase R. Foulché-Delbosc [1904. En la traducción del *De clementia* de Séneca realizada por Alonso de Cartagena para Juan II, el deán de Burgos encarece en la introducción las virtudes del poderoso: «Ca por la iusticia son graciosos sus fechos en los oios de toda las gentes, la franqueza acresçientale amor de sus cavalleros, la fortaleza en actos de guerra estiende su nonbre por las estrañas naçiones, mas entre todas una que mucho loor e general amor gana es la verdadera clemençia» (BN Ms. 5568, fol. IVº).

52.6 «Temperatus enim timor cohibet animos, assiduus vero et acer et extrema admovens in audaciam iacentis excitat et omnia experiri suadet» (Séneca, *De clementia*, III, x, 4).

53.6 Nótese, como recuerda K. Whinnom [1971*a*:60], que Leriano organiza el ataque después de que, como perfecto caballero, ha agotado otras vías para lograr la clemencia del rey.

54.8 La narración se centrará ahora en la alabanza de Leriano como hombre de armas. El caudillo, según las *Partidas*, debe serlo por linaje y por otro requisito importante, como es la sabiduría en el arte bélico: «sabidores e maestros de fechos de guerra ... que sepan mostrar a los otros omes, como la han de fazer» (Partida II, título XXIII, leyes III y IV).

61.5 Para A. van Beysterveldt [1979:78-79], Leriano, solicitando galardón tras galardón, parece prefigurar el amante obsesionado por conseguir a la mujer, lo cual es un modo de anticipar ciertos ingredientes que se incorporarán un siglo más tarde a la comedia española. Por tanto, Leriano ya únicamente lleva el disfraz del amador cortesano de la lírica cancioneril.

61.8 Cada una de las etapas biológicas del hombre recibió desde la Antigüedad la correspondiente exposición de su categoría y funciones.

Infancia y puericia corresponderían a la etapa de la inocencia; Leriano adquirió el conocimiento en la adolescencia, etapa en que algunos señalan que rige la discreción para proporcionar conocimiento. Alfonso de Madrigal, 'el Tostado', siguiendo, entre otras autoridades, a Isidoro de Sevilla, dice que va desde los quince hasta los veintiocho años; en ella «es ya el ombre poderoso para engendrar» (*Libro de las diez questiones de los dioses de los antiguos y edades de los ombres*, Ms. 2014, BUS, fol. 34). J.F. Chorpenning [1992] interpreta estas palabras de Leriano como el reconocimiento de la inocencia perdida del héroe, el cual entraría así en una nueva fase de la vida por la experiencia del sentimiento amoroso.

63.1 No es para K. Whinnom [1971:43] un rasgo de ingratitud de la princesa. Por mi parte, considero que San Pedro aplica a Laureola en este punto los deberes inherentes a su posición social, según los requisitos de la doctrina jurídica. Véase C. Parrilla [1992].

63.2 En este pasaje se pone de relieve que en la figura del *auctor* se conjugan dos diferentes perspectivas sobre el relato: la del personaje testigo y mensajero amigo, y la de un narrador con categoría de omnisciente, capaz no sólo de conocer más de lo que puede testificar sino también de precipitar la acción. En este caso, al invitar a la muerte a Leriano remata su función primordial: «enaltecer la figura del caballero enamorado». Véase A. Rey [1981]. Es otra vez uno de los rasgos que confieren al vínculo amistoso entre los dos hombres la categoría más noble de los afectos, según la doctrina más ortodoxa. A la luz del *Breviloquio de amor y amiçiçia* del Tostado (folios 66vº-67rº, puede acaso entenderse la actitud del *auctor* al permitir la desesperación de Leriano, porque aunque un amigo puede tomar para sí como propias las necesidades y cargas del otro, éste no puede traspasarle las pasiones del alma, que son accidentes que no pueden pasar de uno a otro sujeto.

64.3 Su enfermedad de amor no es sólo mental, como señala K. Whinnom [1971], afecta a la salud física con efectos funestos, tal y como se observaba en tratados fisiológicos medievales.

64.5 Entre los variados consejos de Ovidio en sus *Remedia amoris*, uno era ocupar la imaginación en recuerdos poco gratos de la amada: «Saepe refer tecum sceleratae facta puellae / et pone ante oculos omnia damna tuos. / Illud et illud habet nec ea contenta rapina est; sub titulum nostros misit avara lares; / sic me iuravit, sic me iurata fefellit. / ... / conveniens animo non erat illa meo» (versos 299-303 y 312). Las recetas para curar de amor por medio de la crítica de las causantes se incluyen, aunque en última instancia, entre las prescripciones médicas. Así Bernardo Gordonio en su *Lilium medicine*, al recomendar que una vieja «venga al enamorado e comiençe a dezir mal de su enamorada, diziéndole que es tiñosa o borracha, e que se mea en la cama, e que es epiléntica...». Véase P. Cátedra [1989a:215]. Los remedios de amor son el ingrediente de las numerosas consultas que se articulan en el género poético de preguntas y respuestas de la lírica cuatrocentista y conforman igualmente algunas secciones de la prosa sentimental. En general, las recetas se generan desde el bando de los misóginos en la controversia feminista. Con la malevolencia que caritativamente ofrece Tefeo, coincide el Amigo de *Triste deleytación*, 24, cuando pretende ayudar al Enamorado: «Si fuérades conduzido / del pensamiento mostrando / vuestra dama, mas entrando / bolbet, no como veçido, / a las sus condiçiones / sin mesura; / que es dada por bien tristura, / y danyos por gualardones. / Dyspuesta al mal fazer, / de la bondat enemiga / e de los viçios amiga, / en mentir gran saber, / en casa muy desigual, / mal devota / en el tiempo; aquí nota: / en la cama liberall». Consúltese para los remedios de amor F. Vigier [1979].

65.1 Sobre este tema véase J. Orstein [1941]. Es muy probable que San Pedro tuviese en cuenta dos obras centradas en la alabanza femenina: el *Triunfo de las donas* de Juan Rodríguez del Padrón y el *Tratado en defenssa de virtuosas mugeres* de Diego de Valera. Véase N. Round [1989:144-154]. Para A. Giannini [1919], este largo pasaje en el que Leriano defiende al sexo femenino contra Tefeo debe ponerse en relación con la defensa que en el libro III del *Cortegiano* de Baltasar Castiglione hace Juliano de Médicis frente a Gaspar Pallavicino. Aunque el enfoque y la elegancia de la prosa es superior en la obra del italiano, A. Giannini conjetura que Castiglione debió de conocer la obra de San Pedro, bien porque leía en lengua española o porque pudo conocer la pronta versión al italiano realizada por Lelio Manfredi en 1514. Véase C. Zilli [1983], V. Minervini y M.L. Indini [1986]. Es preciso señalar que Leriano prorrumpe en esta defensa cuando ya está dispuesto a quitarse la vida en un proceso de consunción. Ahora bien, Leriano es un hombre virtuoso en la esfera social, como se prueba en su comportamiento durante el episodio de la defensa de Laureola y, por otra parte, la reciprocidad de afecto con el *auctor* denota que ambos, como reclamaba Aristóteles en *Ética*, VIII, son iguales en virtud. Por añadidura, para concluir su servicio amoroso es capaz de llegar hasta la muerte, que es, según su ideario cortés y el de la religión cristiana, el paso hacia una vida mejor. Interpreto el largo discurso de Leriano con tan notable carga positiva hacia la mujer como el canto del cisne a punto de morir. Leriano no canta con dolor sino «mejor e más dulcemente» que haya podido expresarse antes en pro de Laureola. La idea y la breve cita me la proporciona el *Diálogo e razonamiento en la muerte del marqués de Santillana*, de Pedro Díaz de Toledo al suscitarse el tema del suicidio. Santillana expresará su convicción de que los cisnes a punto de morir cantan con alegría porque saben que salen de esta vida mezquina.

65.4 La defensa de Leriano, según K. Whinnom [1971a:29], justifica el amor, no tanto por la excelencia de la amada como por la del amor mismo. Así, muchas de las razones alegadas son impresiones subjetivas y triviales.

66.7 Juan Rodríguez del Padrón, *Triunfo de las donas*, 217: «La primera, por ser toda razonable criatura de la muger, es a saber, de la madre, naturalmente más amada. La segunda, por ser más çierta del natural debdo. La terçera, por traher ella más parte en la generación».

66.8 «Honra a tu padre y a tu madre para que se prolonguen tus días sobre la tierra» (*Éxodo* 20, 12).

68.5 Rodríguez del Padrón, en *Triunfo de las donas*, 231, opone a la práctica de la justicia en la mujer un comportamiento masculino muy diferente y completamente censurable.

68.6 Sin embargo, para Rodríguez del Padrón, la presumible fortaleza de los hombres no denota más que un mal 'regimiento'. Es a las mujeres a quienes conviene «regir e batallar quando conviene» (*Triunfo de las donas*, página 234).

69.7 Véase I. Corfis [1987:11-15].

69.9 La extensión de prácticas devotas con el fin de conseguir los favores de la dama no es infrecuente en la tradición literaria amorosa. El enamorado del *Tratado de amores*, mientras envía a su mensajera, se queda «puesto donde algunas devoçiones me pudiesen ayudar, las rodillas al suelo, encomendadas comencé mis oraçiones, hize promesas, ayunos, visitar hermitas, descalços los pies llevar estadales de çera, limosnas secretas, consolaçiones de enfermos, averiguaçiones de avergonçantes y desnudos, y toda mi vida bevir en una religión como beato». Véase C. Parrilla [1985].

70.10 Así, en *La Passión trobada*, dice a la monja a quien se la dedica: «Ved, ¿cómo podrá saber / trobar la Pasión de Dios / quien nunca tuvo poder / de saberse defender / de aquella que le dais vos? / ... / Pues no es pequeña razón / que deva yo desear / tener tanta devotión, / que llorando la Passión / pueda la mía olvidar» (página 103 y 106).

70.14 A juicio de Rodríguez del Padrón, *Triunfo de las donas*, página 223, el arreglo y acicalamiento masculino es más digno de censura que de alabanza como en San Pedro, por ser inspirado por la mujer.

71.15 En esta razón de San Pedro se esgrimen argumentos que despues utilizará Castiglione, según A. Giannini [1919].

72.23 Gradisa a Grimalte al contestar a su declaración amorosa: «¿Quién se podrá defender de vuestro continuo seguir?» (Juan de Flores, *Grimalte y Gradisa*, 4).

72.1 Según N. Round [1989], en este pasaje se encuentra la influencia del escritor Diego de Valera, autor del *Tratado en defenssa de virtuosas mugeres*, obra de la que San Pedro se sirve en la mayoría de los ejemplos de mujeres ilustres. Para este estudioso, es probable que Diego de San Pedro hubiese conocido personalmente a Valera en Andalucía en la primera década del reinado de los Reyes Católicos.

73.2 Aunque es probable que la fuente directa sea Valera, *Tratado en defenssa de virtuosas mugeres*, San Pedro elude los elementos escabrosos de la violación. Véase Round [1989:151]. La supresión obedece a la receta de las poéticas medievales: la materia torpe debe abreviarse para que sobrepuje la materia honesta.

73.3 La historia aparece en Cicerón, *Ad Brutus*, y Valerio Máximo, *Facta et dicta*, IV, 6, 5. Aunque San Pedro siga a Valera, encarece la acción con rasgos afectivos. Porcia se quita la vida «aquexada de grave dolor». Vease N. Round [1989:151].

73.4 De la heroína de Homero se ocupan Boccaccio, *De las mugeres illustres*, XXXVIII, fol. XLV, y don Álvaro de Luna, *Libro de las virtuosas...*, II, CXLV-CXLVII. Elude San Pedro las referencias de Valera a la guerra de Troya, centrándose en el ardid con que la mujer de Ulises defiende su fidelidad. Aunque Round [1989:151] señala alguna *variatio* en el relato de San Pedro, existen préstamos directos. Valera: «que le dexassen conplir una tela, a la costumbre de las dueñas reales de quel tiempo...»; «viniendo Ulisses viejo, ssolo, destroído».

73.5 Su historia es contada en Valerio Máximo, IV, 6, 4. Boccaccio, *De las mugeres illustres*, LXXXI, señala que se hallaba preñada, y lamenta su desaparición, considerando que Julia hubiese evitado la guerra civil. Del mismo modo se expresa don Alvaro de Luna, *Libro de las virtuosas...*, II, cxii-cxiii. El Condestable de Portugal encarece la fidelidad conyugal cuando se sirve del ejemplo en la *Sátira de infelice e felice vida*, 123-124.

74.6 La edición catalana de Barcelona 1493, traducida por Bernardi Vallmanya, enmienda la lectura de la princeps castellana: «que apres desser mort li dona en los seus pits sepultura, cremant los seus ossos, la cendra dels quals, poch a poch, se bevia». En la *Sátira de infelice e felice vida* del Condestable don Pedro de Portugal no hay referencia a quemar los huesos en el pecho: «la insigne Artemissa los secos huessos del su marido moliendo beviolos, queriendo soterrar el su muy querido señor en las sus mesmas entrañas» (124). Valera, *Tratado en defenssa de virtuossas mugeres*, 68-69: «después de muerto no pensó darle otra más digna sepultura qu'el pecho suyo; e quemando el cuerpo de aquél segund antigua costumbre de los generosos, las sus cenizas poco a poco bevió». En Boccaccio, *De las mugeres illustres*, lv, Artemisa se bebe las cenizas. La historia se hallaba en Valerio Máximo, *Facta et dicta*, IV, 6, 1, para celebrar el amor conyugal entre los extranjeros.

74.7 La historia se cuenta en la *General Estoria* II (Jueces), cccx (ccxlii-ccliii): «fueron ende muy tristes e aun mucho yradas»; «fizieron muy grand duelo por sos maridos e por so padre».

74.8 Valera habla de «Ypólita la griega» sin aclarar la genealogía del personaje pero sirviéndose acaso del relato de Valerio Máximo, VI, 1, 1. En *Sátira de infelice e felice vida*, 99-101, esta mujer ejemplifica la virtud de la templanza.

74.9 Valerio Máximo hace alusión a Admeto en IV, 6, 1. Boccaccio se ocupa de esta pareja en su *Genealogía de los dioses paganos*, 746-747.

Para el Condestable de Portugal en su *Sátira*, 110, Alcestis es el ejemplo de la caridad y la piedad valerosa.

75.13 En la Biblia es el marido quien ora y pregunta sobre el futuro de Sansón. Tanto Valera como San Pedro, aunque concisos en el relato, insisten en la virtud de esta mujer, por cierto innominada. La magnificación de esta figura femenina puede partir de la *General Estoria* II, dcxxiii-dcxxiv, en la que se ofrece un perfil más acusado para la madre de Sansón. El marido siente celos de la visita del ángel y experimenta temores futuros, de los que será confortado por su propia mujer. Finalmente, la *General Estoria* relata cómo la mujer, ya embarazada, sigue escrupulosamente la dieta alimenticia prescrita para quien ha de ser madre de un nazareno.

75.15 Otros la hacen mujer de Alonso de Guzmán en tiempos de Sancho IV. Circuló la leyenda de que doña María Coronel sintió la tentación de la carne en ausencia de su marido y, para no ser infiel, «metiose un tizón ardiendo por su natura, de que vino a morir». Juan de Mena la introdujo en el *Laberinto* (copla LXXIX) en el orden de la Luna, como modelo de castidad. Los glosadores y editores del *Laberinto* (Hernán Núñez, el Brocense) dan cuenta de la leyenda. Del Brocense proviene el entrecomillado anterior. Véase Juan de Mena, *Laberinto de Fortuna*, ed. Carla de Nigris [1994]. Fue leyenda muy divulgada. Algunos versos de la copla 79 del *Laberinto* se inscribieron un siglo más tarde en la sepultura de doña María en la localidad de Santiponce, a las puertas de Sevilla. Luis Zapata recoge la leyenda en su *Miscelánea* al hablar de las celebridades sevillanas. Véase María Rosa Lida de Malkiel [1984:343].

75.16 Véase Diego de Valera, *Memorial de diversas hazañas*, XXXVI, 118-120.

76.17 Véase Samuel Gili Gaya [1958:206-207]. Diego de Valera la incluye en su *Tratado en defenssa de virtuosas mugeres*. Según Laguna, que lo recoge de Pecha, *Historia de Guadalajara*, Mari García vivió hacia 1355.

76.18 Tanto Lactancio como Isidoro la hacen de Babilonia. Así, Juan de Mena, *Laberinto de Fortuna*, cxxi.

76.20 La historia consta en Valerio Máximo, V, 4, 6. Diego de Valera la comenta en su *Tratado en defenssa de virtuosas mugeres*. Según Apolodoro, hay que distinguir entre Palas y Atenea. Esta «fue criada en su infancia por el dios Tritón, que tenía una hija llamada Palas. Las dos niñas se ejercitaban en el arte de la guerra, pero un día surgió una disputa. En el momento en que Palas iba a herir a Atenea, Zeus temió por su hija y se interpuso, colocando su égida delante de Palas; ésta, asustada, no pudo parar a tiempo el golpe de su rival y cayó, mortalmente herida. Como reparación, Atenea modeló una estatua que era reproducción exacta de su compañera y, revistiéndola de la égida —que la había atemorizado, y había sido la causa indirecta de su muerte—, la colocó cerca de Zeus, rindiéndole honores como a una divinidad» (P. Grimal 1991:397). Eusebio, Pomponio Mela y San Agustín recogieron la leyenda sobre una doncella de gran inteligencia que apareció misteriosamente en el lago Tritón.

76.22 Véase K. Whinnom [1971a:171]. La historia de Camila se narra en *Eneida*. Metabo y su hija vagan por las selvas, después de ser expulsados de su ciudad. Camila fue casta y valerosa, semejante a las amazonas.

76.23 San Pedro abrevia aquí la historia de la joven vestal, ejemplo de piedad filial, narrada en Valerio Máximo, V, IV, 6. Valera se detiene en esta historia.

77.2 K. Whinnom [1971:172] interpreta como 'bañó' o 'lavó'. I. Corfis [1987:233] 'bolvió', que es la lectura de Toledo 1500. Sin aferrarme mucho a la hipótesis, ¿podría tratarse de *avivó*, con el sentido de 'esforzó'? En Berceo, *El Sacrificio de la Misa*, 182: «La muerte de don Cristo nos estonz la laudamos, / quando en nos mismos el mal mortificamos, / la su resurrección bien no la adoramos, / si en fer bonas obras bien no nos abivamos».

77.3 En *Arnalte y Lucenda*, 140, se produce este tipo de presagio: «Y un nubloso día que a caçar salí, vi muchas señales y agüeros que del mal venidero me certificaron, y fueron tales que como yo aquel aziago día de mañana me lebantase, un sabueso mío en mi cámara entró, y junto con mis pies tres aullidos temerosos dio».

78.4 Véase J.B. Pelegrin [1988]. También D. Severin [1989].

78.5 Para Andrés el Capellán es casi imposible, por ejemplo, que los campesinos sirvan en la corte del Amor, pero si alguna vez se diese el caso: «Sed etsi quandoque licet raro contingat eos ultra sui naturam amoris aculeo concitari, ipsos tamen in amoris doctrina non expedit erudire ne»; solución práctica que vela por la disposición jerárquica social. Arnau de Vilanova, en su *De amore heroico*, considera que los que pertenecen a un linaje noble son más sensibles a la dolencia de amor. Véase K. Whinnom [1971a]. Para Bruce Wardropper [1953:168-193], sólo sienten los nobles; tal experiencia amorosa les conduce a la tragedia.

79.2 En su estado de postración Leriano cumple los requisitos del estado de melancolía señalados en los tratados de medicina. Así Bernardo Gordonio: «E tanto esté corrompido el juizio e la razón, que continuamente piensa en ella e dexa todas sus obras, en tal manera que si alguno fabla con él non lo entiende, porque es en continuo pensamiento». Véase P. Cátedra [1989].

79.4 Bruce Wardropper [1953] opina que no es casualidad que las pasiones de Cristo y Leriano tengan cierta semejanza. Para K. Whinnom [1971] la muerte de Leriano presenta rasgos equívocos; no sabemos si se suicida o si muere por consunción. Joseph F. Chorpenning [1980] cree ver en la escena alusiones a ritos bíblicos de purificación recogidos en escritos del Antiguo Testamento. Esta interpretación es rechazada por E.M. Gerli [1981] quien, por el contrario, ve la influencia de otro ritual, el de moribundos, empleado en la liturgia cristiana. Por otra parte, E.M. Gerli relaciona la escena de la muerte de Leriano con la influencia de la poesía cancioneril, rica en imágenes religiosas que, sistemáticamente organizadas en *contrafacta*, desarrollan en clave amorosa la liturgia cristiana. Véase también J.Y. Tillier [1985]. La ingestión de las cartas recuerda la recepción del viático por los moribundos. Sobre el motivo de beber cenizas relacionado con los misterios de la transustanciación, D. Ynduráin [1984]. Tanto Juan de Cardona (*Notable de amor*) como Juan de Segura (*Proceso de cartas de amores*) introducen en sus obras el motivo aquí considerado. Recuerda K. Whinnom [1971a] que, puesto que San Pedro adoctrinaba en su *Sermón* exigiendo al amador constancia, la *Cárcel de amor* no podía tener otro final, «no sólo porque San Pedro ha querido retratar al amante perfecto, sino porque para San Pedro el amor perfecto es necesariamente un amor constante». Para P.E. Grieve [1987:53] el suicidio de Leriano da cuenta del poder destructivo del amor. En la poesía amorosa de San Pedro resuena esta advertencia: «mi muerte, que, cierto, creo, / a los bivos miedos haga, / pues en ley de tristes paga / la vida por el deseo» (San Pedro, *Obras completas*, III).

CONTINUACIÓN DE NICOLÁS NÚÑEZ

TÍTULO. No es mucho lo que se sabe sobre Nicolás Núñez pero algunas noticias así como la identificación y un balance de su obra poética pueden verse en D.W. McPheeters [1961] y A. Deyermond [1989:25-36].

83.2 La edición de la *Cárcel de amor* que sale en Burgos en 1496 de las prensas de Fadrique Alemán de Basilea va acompañada del relato de Núñez. A partir de esta fecha y, con muy pocas excepciones, las dos obras serán compañeras en el mercado editorial. Puede decirse que desde 1496, los lectores leen dos ficciones que aunque coexisten, tienen cualidades diferentes. Pues Núñez, como lector desazonado y descontento, se permitió rectificar a San Pedro. La obra de Núñez tiene una finalidad explicativa, según responde a su modalidad de 'cumplimiento', etiqueta con la que también se designa la continuación de Núñez, desde la edición de Toledo, 1500. Véase M. Menéndez Pelayo [1905-1915]; K. Whinnom [1973b y 1979]; M.L. Indini [1988] y C. Parrilla [1992].

83.3 Para el uso de 'lo qual' en vez de 'el qual' véase Keniston, 167, 6.42 y 15.217.

84.1 Véase R. Menéndez Pidal, 120.5. [Ahora, M. Alvar y B. Pottier [1983].

84.2 Las ediciones posteriores suelen sustituir estas formas del presente por algunas del pasado. [El uso del presente histórico no es, en cambio, habitual en San Pedro.

84.3 Véase E. Tórrego [1983:330-339]. Para la superabundancia emotiva en la ficción sentimental, E.M. Gerli [1989:474-482].

85.4 Véase el capítulo 42, nota 5 de esta edición.

86.6 Keith Whinnom enmendó la lección del impreso de Burgos 1496: 'pues si gran razon o avia de osar'. No cabe duda que 'o' no tiene ningún sentido. Sin embargo, el 'si' condicional se mantuvo en las ediciones posteriores.

87.1 Aunque Keniston, 38.2, llega a calificar el gerundio de sustantivo verbal, no da ejemplos de su empleo como sustantivo sujeto de un verbo. Aquí se puede explicar, a no ser que 'fizo' sea error por 'fize', sólo como otro caso de anacoluto. [La edición de Sevilla, 1509, enmienda ya en 'fize'.

87.2 Véase capítulo 11, nota 4 de esta edición.

87.3 Este temor que la princesa muestra es un elemento muy coherente de la caracterización de la mujer joven, lo cual se aprovecha en la argumentación de su disculpa como *conjectura in verisimilibus*. Para estos aspectos, C. Parrilla [1992:241-253].

87.5 [Núñez alude a las promesas de Laureola en su última carta (capítulo 41): «lo que por mí has hecho me obliga a nunca olvidallo y sienpre desear satisfazerlo... No pongas en peligro tu vida y en disputa mi onrra, pues tanto la deseas, que se dirá muriendo tú que galardono los servicios quitando las vidas; lo que, si al rey venço de días, se dirá al revés; ternás en el reino toda la parte que quisieres; creceré tu honrra, doblaré tu renta, sobiré tu estado, ninguna cosa ordenarás que revocada te sea; assí que biviendo causarás que me juzguen agradecida, y muriendo que me tengan por mal acondicionada».

87.1 «Hay en la Laureola de San Pedro una cierta contención en la expresión de sus sentimientos, mientras que la Laureola de Núñez no observa la misma conducta ... El narrador de San Pedro se mostraba vacilante e incluso parco al relatar los gestos y actos de Laureola. No comprendía bien los 'síntomas ovidianos'; eludió los sentimientos de la princesa en la prisión recurriendo a una fórmula de brevedad: 'No quiero dezir lo que Laureola en todo esto sentía'. Por el contrario, el narrador de Núñez no muestra dudas en el aspecto externo de la princesa y 'acrescienta' el sentimiento femenino por medio de la efusión de las lágrimas» (C. Parrilla 1992:246).

88.2 Para una posible ambigüedad en este pasaje, véase K. Whinnom [1973b:363-364].

88.3 [Las ediciones posteriores adoptan 'dixesse'.

88.4 Véase M.L. Indini [1988].

88.5 [La edición de Sevilla, 1509 ya adopta 'creyese'.

89.2 La ficción sentimental participa y se contagia del espectacular ambiente cortesano en el que la colectividad impone sus preferencias, incorporando en ocasiones, como en este caso, la elocuencia sensorial de géneros poéticos como motes e invenciones. Véase G. Ledda [1970]. Como señala F. Rico [1990:192], algunas obras que hoy conocemos como sentimentales «no pasan de un pretexto para engarzar invenciones». Véase P. Le Gentil [1949-1953] y K. Whinnom [1981]. Alguna ilustración sobre los colores la proporciona Diego de Valera en su *Espejo de verdadera nobleza*, al enumerar los siete colores de la heráldica. Sin embargo, hay otros colores fuera de esta relación, cuyo significado estrechamente ligado al tema amoroso, se interpretó de modo tradicional. Todavía Alciato recoge en su Emblema CXVII, la simbología de los colores, según la tradición medieval.

89.3 Para Whinnom la *veta* era una flámula que pendía desde el *bonete* hasta la cintura. La *letra* o letra de invención consistía en dos versos octosílabos o en tres o en la reunión de dos o tres octosílabos con un verso de pie quebrado.

No sé cómo sería el 'mal color' de la seda verde pero no cabe duda que existía una explicación para cada tono y matiz. En *Questión de Amor* los paramentos que saca un mantenedor son «de terciopelo verde oscuro é raso verde claro que son esperança perdida é cobrada».

90.4 La camisa labrada es una camisa bordada. Hay gran variedad en la simbología cromática respecto al color negro. Pero Alonso de Cardona, poeta del *Cancionero general*, responde a su amiga que le preguntó que porque iba vestido de negro: «Yo que de firmeza llevo / la voluntad guarnescida, / con esta color apruevo / que mi fe no está perdida». Para Diego de Valera (p. 110): «Lo negro por elementos es comparado a la tierra; por cosas elementadas a las tinieblas, al azavache, al jaspe, al plomo; en virtudes, a la honestidad o firmeza». No hay que olvidar que cuando Esplandián es armado caballero, Urganda le entrega armas de color negro «porque viéndolas hayas memoria de remediar la causa de su triste color» (*Amadís de Gaula*, Libro IV, 400). Recordando lo establecido en las *Partidas*, Alfonso de Cartagena en su *Doctrinal de los cavalleros*, Libro I, desecha los colores oscuros (pardo, prieto) para los caballeros mancebos pues el vestirlos sería ocasión de tristeza, lo que impediría que creciesen como valientes.

90.5 Véase C. Bernis [1978:55].

90.6 [En lo que respecta al ceceo y seseo, véanse las distintas opiniones de A. Alonso [1976], M. Danesi [1977] y el resumen de P.M. Lloyd [1993].

91.8 K. Whinnom no encuentra una conexión muy evidente entre lo representado y la letra, esto es, cuerpo visual y alma de la invención.

91.11 Creo que si en la letra que atraviesa una calza hay un reproche de este tipo, estaríamos ante una inequívoca posición de Nicolás Núñez en lo que respecta a la comunicación amorosa. Para la discusión aludida por Whinnom de un doble sentido en la poesía amorosa cuatrocentista, véase K. Whinnom [1981].

92.13 Recuerda Whinnom que el color pardillo era el utilizado para la decoración eclesiástica en tiempos de Adviento y Cuaresma como símbolo de penitencia.

92.14 K. Whinnom indica que los zapatos de punta adquirieron en los últimos años del siglo XV los más atrevidos diseños. C. Bernis [1979:40] opina que esta moda en el calzado ha desaparecido prácticamente en el último cuarto de siglo.

93.1 Véase C. Parrilla [1992:245-246].

93.2 [Como en la ocasión anterior (capítulo 7), puede interpretarse como 'creer', lección que también adopta la edición de Sevilla 1509.

[A partir de Sevilla 1509 se corrige en «creer lo que dize sin ver lo que faze», lo que proporciona sentido a la frase.

94.4 Algunas letras de invención que aparecen en *Questión de Amor* adoptan el encarnado en las vestiduras para significar las penas de amor. Debió de ser tradicional el sentido de la crueldad para este color, como lo recoge Juan de Horozco en sus *Emblemas morales*: «Del encarnado se dize que es crueldad por la alusión del vocablo en que se dize encarnizar, y el proprio de las bestias fieras» (libro I, cap. 35).

95.5 Véase C. Bernis [1978:49-50].

95.7 Véase C. Bernis [1978:19].

95.8 Véase C. Bernis [1978:14].

96.9 [Todos los impresos posteriores adoptan *tavardeta*. El tabardo corto es una especie de capotillo. Probablemente el influjo de la moda francesa que indica el *auctor*; *taverdeta francesa*, sería el de la corte borgoñona, que impone costumbres y estilo en la Europa occidental en la segunda mitad del siglo XV. Los inventarios y cuentas de la casa de Isabel la Católica testimonian la presencia de prendas a la moda del país vecino.

96.10 [En el original el primer verso reza: «Si tuviera la vida», lo que siguen el resto de las ediciones. Pero Whinnom enmendó al incluir la negación: «Si no tuviera la vida», con el fin de facilitar la medida y aclarar el sentido.

97.1 San Pedro no había descuidado este rasgo de carácter en otras manifestaciones del caballero, como se vio en las acciones bélicas que hubo de disponer. Además de que la observación de Núñez da cuenta de su fina recepción lectora de la *Cárcel de amor*, la finalidad de tal censura por parte de Laureola confiere a su parlamento la modalidad del vituperio, como recurso oratorio para mejor exhibir su autodefensa. Véase C. Parrilla [1992:249-250].

97.2 Lo ha recordado A. Deyermond [1988:50-51].

98.3 Al remitir a aquella situación, Núñez reitera la manifestación semipública (las palabras de la carta y el testimonio del *auctor*) del grado de afecto que Laureola estaba dispuesta a dispensar. San Pedro había escrito: «No pongas en peligro tu vida y en disputa mi honra, pues tanto la deseas, que se dirá muriendo tú que galardono los servicios quitando las vidas; lo que si al rey venço de días, se dirá al revés; ternás en el reino toda la parte que quisieres; creceré tu honrra, doblaré tu renta, sobiré tu estado, ninguna cosa ordenarás que revocada te sea». Me parece que lo que la princesa promete es una serie de bienes de fortuna que puede dispensar un superior a un inferior; el recuerdo a tal situación no prueba en la obra de Núñez que Laureola, aun cuando sufre por Leriano, estuviese dispuesta a entregarse a él. Véase C. Parrilla [1992: 250-251].

98.1 Véase E.M. Gerli [1989].

100.1 Véase K. Whinnom [1973*b*:363].

101.1 Véase C. Parrilla [1992].

102.1 K. Whinnom lo desechó. [Sin embargo, no han enmendado las ediciones antiguas.

102.2 Véase C. Parrilla [1992].

102.3 [La conjetura es feliz, pues Sevilla 1509 ya lee: «nunca deviera perder él la esperança», lectura que he adoptado.

BIBLIOGRAFÍA

El signo + *identifica la edición, traducción, etc., a cuya paginación
remiten las referencias hechas a lo largo del volumen.*

Aguirre, J.M., *Calisto y Melibea, amantes cortesanos*, Almenara, Zaragoza, 1962.

Alciato, *Emblemas*, ed. y comentario: Santiago Sebastián, Akal, Madrid, 1985.

Alfonso X, *Las Siete Partidas*, ed. Gregorio López, Andreade Portonaris, Salamanca, 1555, 7 vols.; ed. facsímil, Boletín Oficial del Estado, Madrid, 1974, 7 tomos en 3 vols.+.

Alonso, A., *De la pronunciación medieval a la moderna en español* (ultimado y dispuesto para la imprenta por Rafael Lapesa), 2 vols., Gredos (Biblioteca Románica Hispánica, Tratados y Monografías, 5), Madrid, 1967; reimp. 1976.

Alvar, M. y B. Pottier, *Morfología histórica del español*, Gredos (Biblioteca Románica, Manuales, 57), Madrid, 1983.

Allaigre, Claude, «Les Lauriers d'Apollon: fable, mythe et exemplarité dans les traités d'amour de Diego de San Pedro», en *Mélanges offerts à Maurice Molho, I, Moyen Âge, Espagne classique et post-classique*, Editions Hispaniques, París, 1988, pp. 9-25.

Amador de los Ríos, José, *Historia crítica de la literatura española, Imprenta de José Rodríguez, Madrid, 1861-1865, 7 vols.; ed. facsímil, Gredos (Biblioteca Románica Hispánica, Facsímiles, 4), Madrid, 1969.

Andrés Díaz, R. de, «las "entradas reales" castellanas en los siglos XIV y XV, según las crónicas de la época», *En la España medieval*, 4 (1984), pp. 48-62.

Antonio, Nicolás, *Bibliotheca Hispana Vetus*, con adiciones de F. Pérez Bayer, Madrid, 1788, 2 vols.; 2.ª ed., corregida y aumentada, Roma, 1696.

Arce, Joaquín, «Boccaccio nella letteratura castigliana: panorama generale e rassegna bibliografico-critica», en *Il Boccaccio nelle culture e letterature nazionali*, ed. Francesco Mazzoni, Olschki, Florencia, 1978, pp. 63-105.

Aristóteles, *Retórica*, ed. Antonio Tovar, Instituto de Estudios Políticos (Clásicos Políticos), Madrid, 1971.

—, *Acerca de la generación y la corrupción. Tratados breves de Historia Natural*, Gredos (Biblioteca Clásica Gredos, 107), Madrid, 1987.

—, *Ética a Nicómaco*, ed. María Araujo y Julián Marías, Centro de Estudios Constitucionales, Madrid, 1985.

Armas, Frederik A. de, «Algunas observaciones sobre la *Cárcel de amor*», *Revista de Estudios Hispánicos*, VIII (1974), pp. 107-127.

Armendáriz, Sister Ángel María, *Petronio y Apuleyo en los orígenes de la novela autobiográfica española*, MA thesis, Catholic University of America, Washington, 1963.

Autoridades: Real Academia Española, *Diccionario de la lengua castellana*, Francisco del Hierro, Madrid, 1726-1739, 6 vols.; ed. facsímil, *Diccionario de Autoridades*, Gredos (Biblioteca Románica Hispánica, Diccionarios 6), Madrid, 1963, 6 tomos en 3 vols.

Azcona, Tarsicio de, *Isabel la Católica. Estudio crítico de su vida y su reinado*, Católica (Biblioteca de Autores Cristianos, Historia y hagiografía), Madrid, 1964.

Bataillon, Marcel, «¿Melancolía renacentista o melancolía judía?», en *Estudios hispánicos: homenaje a Archer M. Huntington*, Department of Spanish, Wellesley College, Wellesley, Mass., 1952, pp. 39-50; recogido en *Varia lección de clásicos españoles*, Gredos (Biblioteca Románica Hispánica, Estudios y ensayos, 77), Madrid, 1964, pp. 39-54.

Battesti Pelegrin, Jeanne, «Je lyrique, 'je' narratif dans la *Cárcel de amor*: à propos du personnage de Leriano», *Cahiers d'Études Romanes*, XI (1986), pp. 7-19.

—, «Tópica e invención: los lamentos de las madres en la *Cárcel de amor* de Diego de San Pedro», en *Literatura Hispánica Reyes Católicos y Descubrimiento. Actas del Congreso Internacional sobre literatura hispánica en la época de los Reyes Católicos y el Descubrimiento*, ed. Manuel Criado del Val, PPU, Barcelona, 1989, pp. 237-247.

Berceo, Gonzalo de, *Del sacrificio de la misa*, ed. Pedro M. Cátedra, en *Obras completas*, Espasa-Calpe, Madrid, 1992.

Bermejo Hurtado, Haydée, y Dinko Cvitanovic, «El sentido de la aventura espiritual en *Cárcel de amor*», *Revista de Filología Española*, XLIX (1966), pp. 289-300.

Bernheimer, R., *Wild Men in the Middle Ages: A Study in Art, Sentiment and Demonology*, Harvard University Press, Cambridge-Massachusetts, 1952.

Bernis, Carmen, *Trajes y modas en la España de los Reyes Católicos*, I, Las mujeres, Instituto Diego de Velázquez del Consejo Superior de Investigaciones Científicas, Madrid, 1978.

—, *Trajes y modas en la España de los Reyes Católicos*, II, *Los hombres*, Instituto Diego Velázquez del Consejo Superior de Investigaciones Científicas, Madrid, 1979.

Bertoni, G., «Nota su Mario Equicola, bibliofilo e cortigiano», *Giornale Storico della Letteratura Italiana*, LXVI (1915), pp. 281-283.

Beysterveldt, Anthony van, «La nueva teoría del amor en las novelas de Diego de San Pedro», *Cuadernos Hispanoamericanos*, núm. 349 (1979), pp. 70-83.

—, «El amor caballeresco del *Amadís* y el *Tirante*», *Hispanic Review*, XLIX (1981), pp. 407-425.

Blay Manzanera, Vicenta, *El libro llamado Triste deleytación en el marco genérico de la ficción sentimental española: Estudio y edición*, tesis doctoral, Universidad de Valencia, 1991.

Boase, Roger, *The Origin and Meaning of Courtly Love. A Critical Study of European Scholarship*, Manchester University Press, Manchester, 1977.

—, *The Troubador Revival*, Routledge & Kegan Paul, Londres, 1978; trad. esp. *El resurgimiento de los trovadores. Un estudio del cambio social y el tradicionalismo en el final de la Edad Media en España*, Pegaso, Madrid, 1981.

Boccaccio, Giovanni, *Opere*, ed. Cesare Segre, Mursia, Milán, 1972.

Bohigas Balaguer, Pedro, «La novela caballeresca, sentimental y de aventuras», en *Historia general de las literaturas hispánicas*, ed. Guillermo Díaz-Plaja, II, Barcelona, 1951, pp. 189-236.

Borinski, Ludwig, «Diego de San Pedro und die euphuistische Erzählung», *Anglia*, LXXXIX (1971), pp. 224-239.

Bourland, C.B., «Boccaccio and the *Decameron* in Castilian and Catalan Literature», *Revue Hispanique*, XII (1905), pp. 1-232.

Bradin, Eleanor C., *Balanced Phrasing in Diego de San Pedro's Cárcel de amor*, MA thesis, Universidad de Florida, 1971.

Brownlee, Marina S., «Imprisoned Discours in the *Cárcel de amor*», *Romanic Review*, LXXVIII (1987), pp. 188-201.

Bruyne, Edgar de, *Etudes d'Esthétique médiévale*, «De Tempel», Brujas, 1946; trad. esp. *Estudios de estética medieval*, Gredos (Biblioteca Hispánica de Filosofía), Madrid, 1958, 3 vols.

Bubost, Francis, «Les couleurs héraldiques du *Perlesvaus*», en *Les couleurs au Moyen Âge*, Publications du Centre Universitaire d'Etudes et de Recherches Médiévales d'Aix, Université de Provence, Aix-en-Provence, 1988, pp. 71-85.

Buceta, Erasmo, «Cartel de desafío enviado por D. Diego López de Haro al Adelantado de Murcia, Pedro Fajardo, 1480», *Revue Hispanique*, LXXXI (1933), pp. 456-474.

—, «Algunas relaciones de la *Menina e moça* con la literatura española, especialmente con las novelas de Diego de San Pedro», *Revista de la Biblioteca, Archivo y Museo del Ayuntamiento de Madrid*, X (1933), pp. 291-307.

Cancionero de Estúñiga, ed. Nicasio Salvador, Alhambra, Madrid, 1987.+

Cancionero general (Valencia 1511), edición facsímil de A. Rodríguez Moñino, Real Academia Española, Madrid, 1958.

Cancionero de Palacio, ms. 2653 Biblioteca Universitaria de Salamanca, ed. de Ana María Álvarez Pellitero, Junta de Castilla y León, Consejería de Cultura y Turismo, 1993.

Canet, José Luis, «El proceso del enamoramiento como elemento estructurante en la ficción sentimental», en *Historias y ficciones: Coloquio sobre la Literatura del siglo XV*, ed. R. Beltrán, J.L. Canet y J.L. Sirera, Universitat de València, Departament de Filologia Espanyola, Valencia, 1992, pp. 227-240.

Capellanus, Andreas, *De amore. Tratado sobre el amor*; ed. y trad. Inés Creixell Vidal-Quadras, El Festín de Esopo y Quaderns Crema, Barcelona, 1985.

Caravaggi, Giovanni, *Miscellanea spagnola della «Trivulziana»*, Olschki, Florencia, 1976.

'Carcer d'amor', 'Carcer d'amore': due traduzioni della 'novela' di Diego de San Pedro, ed. Vicenzo Minervini y Maria Luisa Indini, Schena (Biblioteca della Ricerca, Testi Stranieri, 9), Fasano, 1986.

Cardona, Juan de, *Tratado Notable de Amor*, ed. Juan Fernández Giménez, Alcalá, Madrid, 1982.

Cartagena, Alfonso de, *Cinco libros de Séneca*, Meynardo Ungut Alemano y Stanislao Polono, Sevilla, 1491.

—, *Título de la amistança o del amigo*, BNM, ms. 6962, fols. 221 r°-264 v°.

Castro Guisasola, Francisco, *Observaciones sobre las fuentes literarias de La Celestina*, Centro de Estudios Históricos, Madrid, 1924; reimp. en Consejo Superior de Investigaciones Científicas, Madrid, 1973.

Cátedra, Pedro M., *Amor y pedagogía en la Edad Media (Estudios de doctrina amorosa y práctica literaria)*, Universidad de Salamanca, Salamanca, 1989.

—, *La historiografía en verso en la época de los Reyes Católicos. Juan Barba y su Consolatoria de Castilla*, Universidad de Salamanca, Salamanca, 1989.

Ciavolella, Massimo, *La «Malaltia d'amore» dall'Antichità al Medievo*, Bulzoni, Roma, 1976.

Cicerón, *De inventione, De optimo genere oratorum, Topica*, ed. H.M. Hubell, Harvard University Press, Cambridge - Massachusetts, 1976[+].

—, *Ad C. Herennium. De ratione dicendi (Rhetorica ad Herennium)*, ed. Harry Caplan, Harvard University Press, Cambridge - Massachusetts, 1981.

Ciocchini, Héctor, «Hipótesis de un realismo mítico-alegórico en algunos catálogos de amantes (Juan Rodríguez del Padrón, Garci-Sánchez de Badajoz, Diego de San Pedro, Cervantes)», *Revista de Filología Española*, L (1967), pp. 299-306.

Cobarruvias, Sebastián de, *Tesoro de la lengua castellana o española* (1611), Turner, Madrid, 1979.

Colonna, Francesco, *Sueño de Polifilo*, ed. Pilar Pedraza, Comisión de Cultura del Colegio de Aparejadores y Arquitectos Técnicos, Consejería de Cultura del Consejo Regional, Murcia, 1981.

Condestable Don Pedro de Portugal, *Sátira de infelice e felice vida*, en *Obras completas*, Fundação Calouste-Gulbenkian, Lisboa, 1975.

Copenhagen, Carol, «Salutations in the Fifteenth-Century Spanish Vernacular Letters», *La Corónica*, XII (1984-1985), pp. 254-264.

—, «The *Conclusio* in the Fifteenth-Century Spanish Letters», *La Corónica*, XIV (1985-1986), pp. 213-219.

—, «*Narratio and petitio* in Fifteenth-Century Spanish Letters», *La Corónica*, XIV (1985), pp. 6-14.

—, «The *Exordium* or *Captatio benevolentiae* in the Fifteenth-Century Spanish Letters», *La Corónica*, XIII (1984-1985), pp. 196-205.

Corfis, I.A., ed., *Diego de San Pedro's «Arnalte y Lucenda»: A Critical Edition*, Tamesis, Londres, 1985.

—, «The *Dispositio* of Diego de San Pedro's *Cárcel de amor*», *Iberorromania*, XXI (1985), pp. 32-47.

—, ed., *Diego de San Pedro's «Cárcel de amor»: A Critical Edition*, Tamesis, Londres, 1987.

Corominas, Joan, y José Antonio Pascual, *Diccionario crítico etimológico castellano e hispánico*, Gredos, Madrid, 1980-1991, 6 vols.[+].

Cotarelo y Mori, Emilio, «Nuevos y curiosos datos biográficos del famoso trovador y novelista Diego de San Pedro», *Boletín de la Real Academia Española*, XIV (1927), pp. 305-326.

Covarrubias, Sebastián de, *Tesoro de la lengua castellana o española* (1611), ed. Martín de Riquer, Turner, Madrid, 1979.

Crane, William G., «Lord Berners' Translation of Diego de San Pedro's *Cárcel de amor*», *Publications of the Modern Language Association of America*, XLIX (1934), pp. 1.032-1.035.

—, *Wit and Rhetoric in the Renaissance: The Formal Basis of Elizabethan Prose Style*, Columbia University Press, Nueva York, 1937.

—, *The Castle of Love: A Translation by John Bourchier*, Florida Scholars' Facsimiles and Reprints, Gainesville, 1950.

Cummins, John S., y Keith Whinnom, «An Approximate Date for the Death of Diego de San Pedro», *Bulletin of Hispanic Studies*, XXXVI (1959), pp. 226-229.

Curtius, Ernst R., *Europäische Literatur und lateinisches Mittelalter*, Francke, Berna, 1948; 2.ª ed. revisada, 1952; trad. esp. *Literatura europea y Edad Media latina*, Fondo de Cultura Económica, México-Buenos Aires, 1955, 2 vols.

Cvitanovic, Dinko, *La novela sentimental española*, Prensa Española, Madrid, 1973.

—, «Alusión y elusión en la novela española de los siglos XV y XVI», en *Estudios sobre la expresión alegórica en España y América*, ed. D. Cvitanovic, G.R. de Brevedan *et alii*, Universidad Nacional del Sur, Bahía Blanca, 1983, pp. 3-68.

Chas Aguión, Antonio, «*Cárcel de amor*: hacia la novela moderna», en *Actas del V Congreso Internacional de la Asociación Española de Semiótica, La Coruña 3, 4 y 5 de diciembre de 1992* (en prensa).

Chorpenning, J., «Rhetoric and Feminism in the *Cárcel de amor*», *Bulletin of Hispanic Studies*, LIV (1977), pp. 1-8.

—, «The Literary and Theological Method of the *Castillo interior*», *Journal of Hispanic Philology*, III (1978-1979), pp. 121-133.

—, «Leriano's Consumption of Laureola's Letters in the *Cárcel de amor*», *Modern Language Notes*, XCV (1980), pp. 442-445.

—, «Loss of Innocence, Descent into Hell, and Cannibalism: Romance Archetypes and Narrative Unity in *Cárcel de amor*», *The Modern Language Review*, LXXXVII (1992), pp. 342-351.

Damiani, Bruno, «The Didactic Intention of the *Cárcel de amor*», *Hispanófila*, LVI (1976), pp. 29-43; traducido en B. Damiani, *Moralidad y didactismo en el Siglo de Oro* (1492-1615), Orígenes, Madrid, 1987, pp. 11-29.

Danesi, M., «The case for andalucismo re-examined», *Hispanic Review*, XLV (1977), pp. 181-193.

Debax, Michelle, «Motivos tradicionales y organización narrativa en *Tractado de amores de Arnalte y Lucenda y Cárcel de amor* de Diego de San Pedro», en *Literatura Hispánica Reyes Católicos y Descubrimiento, Actas del Congreso Internacional sobre Literatura Hispánica en la época de los Reyes Católicos y el Descubrimiento*, ed. M. Criado del Val, PPU, Barcelona, 1989, pp. 279-284.

Deyermond, Alan D., «El hombre salvaje en la novela sentimental», *Filología*, X (1964), pp. 97-111.

—, *Historia de la Literatura Española*, I, *La Edad Media*, Ariel, Barcelona, 1973.

—, «The Lost Genre of Medieval Spanish Literature», *Hispanic Review*, XLIII (1975), pp. 231-259.

—, «Las relaciones genéricas de la ficción sentimental española», en *Symposium in honorem Prof. M. de Riquer*, Quaderns Crema, Barcelona, 1986, pp. 75-92; recogido en [1993:43-64].

—, «El punto de vista narrativo en la ficción sentimental del siglo XV», en *Actas del Primer Congreso de la Asociación Hispánica de Literatura Medieval*, ed. V. Beltrán, PPU, Barcelona, 1988; recogido en [1993: 65-88].

—, «La ideología del Estado moderno en la literatura española del siglo XV», en *Realidad e imágenes del poder: España a fines de la Edad Media*, ed. Adeline Rucquoi, Ámbito, Valladolid, 1988, pp. 171-93.

—, «Santillana's Love Allegories: Structure, Relation and Message», en *Studies in Honor of Bruce W. Wardropper*, Juan de la Cuesta, Newark, Delawere 1989, pp. 75-90.

—, «Notes on Sentimental Romance, 1: San Pedro, Cervantes, Shakespeare and Fletcher, Thebald: The Transformations of *Arnalte y Lucenda*», *Anuario Medieval*, III (1991), pp. 90-100.

—, *Tradiciones y puntos de vista en la ficción sentimental*, Universidad Nacional Autónoma de México (Instituto de Investigaciones Filológicas), México, 1993.

Díaz de Toledo, Pedro, *Diálogo y razonamiento en la muerte del marqués de Santillana*, en *Opúsculos literarios de los siglos XIV a XVI*, Sociedad de Bibliófilos Españoles, Madrid, 1982, pp. 244-360.

Dudley, Edward J., «The Inquisition of Love: *Tratado* as a Fictional Genre», *Mediaevalia*, V (1979), pp. 233-243.

Dunn, Peter N., «Narrator as Character in the *Cárcel de amor*», *Modern Language Notes*, XCIV (1979), pp. 187-199.

Durán, Armando, *Estructura y técnica de la novela sentimental y caballeresca*, Gredos (Biblioteca Románica Hispánica, Estudios y ensayos, 184), Madrid, 1973.

Earle, Peter G., «Love Concepts in *La Cárcel de amor* and *La Celestina*», *Hispania*, XXXIX (1956), pp. 92-96.

Falco, Alfonso, «Diego de San Pedro e la *Cárcel de amor*», *Clizia*, XXIX (1959), pp. 28-47.

Faral, Edmond, *Les Arts Poétiques du XIIe et du XIIIe siècle. Recherches et documents sur la technique littéraire du Moyen Age*, Champion, París, 1924; reimp. Slatkine, Ginebra, 1982.

Faulhaber, Charles B., *Medieval Manuscripts in the Library of the Hispanic Society of America*, Hispanic Society of America, Nueva York, 1983, 2 vols.

Fernández de Madrigal, Alfonso, *Cuestiones de Filosofía Moral*, en *Obras escogidas de filósofos*, Rivadeneyra, Madrid, 1873; reed. Atlas, Madrid, 1953, pp. 141-152.

—, *Brevis formula confessionum ad rudium instructionem*, Biblioteca Universitaria de Salamanca, ms. 1756.

—, *Libro de las diez questiones de los dioses de los antiguos y edades de los hombres*, Biblioteca Universitaria de Salamanca, Ms. 2014⁺.

—, *Brevioloquio de amor y amiçiçia*, Biblioteca Universitaria de Salamanca, Ms. 2178.

Fernández Jiménez, Juan, «La trayectoria literaria de Diego de San Pedro», *Cuadernos Hispanoamericanos*, núm. 387 (1982), pp. 647-657.

—, «Visión social moderna en la obra de Juan de Flores», *Anuario Medieval*, I (1989), pp. 96-106.

Flightner, James A., «The Popularity of the *Cárcel de amor*», *Hispania*, XLVII (1964), pp. 475-478.

Flores, Juan de, *Grimalte y Gradisa*, ed. Carmen Parrilla García, Universidad de Santiago de Compostela, 1988.

—, *Triunfo de Amor*, ed. Antonio Gargano, Giardini, Pisa, 1981⁺.

Foulché-Delbosc, Raymond, «Floresta de philósofos», *Revue Hispanique*, XI (1904), pp. 5-154.

—, ed., *Eneas Silvio Piccolomini, Historia de dos amantes*, Tipografía «L'Avenç», Barcelona, 1907.

—, *Bibliographie hispano-française, 1477-1700*, Hispanic Society of America, Nueva York, 1915-1916, 3 vols.; reimp. Kraus, Nueva York, 1962.

Fraxanet Sala, María Rosa, «Estudio sobre los grabados de la novela la

Cárcel de amor de Diego de San Pedro», en *Estudios de iconografía medieval española*, ed. Joaquín Yarza Luaces, Universidad Autónoma de Barcelona, Bellaterra, 1984, pp. 429-482.

Gallardo, Bartolomé José, *Ensayo de una biblioteca española de libros raros y curiosos*, Rivadeneyra, Madrid, 1863-1884, 4 vols.; ed. facsímil Gredos (Biblioteca Románica Hispánica, Facsímiles, 1), Madrid, 1968, 4 vols.

García Herrero, María del Carmen, *Las mujeres en Zaragoza en el siglo xv*, Ayuntamiento de Zaragoza, Zaragoza, 1990, 2 vols.

Garci-Gómez, Miguel, «Romance según los textos españoles del Medioevo y Renacimiento», *Journal of Medieval and Renaissance Studies*, IV (1984), pp. 35-62.

Gargano, Antonio, *Stato attuale degli studi sulla novela sentimental*, I: «La questione del genere», *Studi Ispanici* (1979), pp. 59-80; II: «Juan Rodríguez del Padrón, Diego de San Pedro y Juan de Flores» (1980), pp. 39-69.

Gascón Vera, Elena, «La ambigüedad en el concepto del amor y de la mujer en la prosa castellana del siglo xv», *Boletín de la Real Academia Española*, LIX (1979), pp. 119-155.

—, «Anorexia eucarística: la Cárcel de amor como tragedia clásica», *Anuario Medieval*, II (1990), pp. 64-77.

Gatti, José Francisco, Contribución al estudio de la Cárcel de amor: la apología de Leriano, Buenos Aires (sin lugar de impresión), 1955.

Gayangos, Pascual de, «Discurso preliminar y Catálogo razonado de los libros de caballería que hay en lengua castellana o portuguesa hasta el año 1800», introd. a *Libros de caballerías* (Biblioteca de Autores Españoles, XL), Rivadeneyra, Madrid, 1857, pp. III–LXXXVII.

Gerli, E. Michael, «Eros y Agape: el sincretismo del amor cortés en la literatura de la Baja Edad Media castellana», en *Actas del VI Congreso de Hispanistas celebrado en Toronto del 22 al 26 de agosto de 1977*, ed. Alan M. Gordon y Evelyn Rugg, Asociación Internacional de Hispanistas, Toronto, 1980, pp. 316-319.

—, «La 'religión del amor' y el antifeminismo en las letras castellanas del siglo xv», *Hispanic Review*, XLIX (1981), pp. 65-86.

—, «Leriano's Libation: Notes on the Cancionero Lyric, Ars moriendi and the Probable Deby to Boccaccio», *Modern Language Notes*, XCVI (1981), pp. 414-420.

—, *Triste deleytación. An Annonymus Fifteenth-Century Castilian Romance*, Georgetown University Press, 1982.

—, «Metafiction in the Spanish Sentimental Romances», en *The Age of the Catholic Monarchs 1474-1516: Literary Studies in Memory of Keith Whinnom*, University Press, Liverpool, 1989, pp. 57-63.

—, «Towards a Poetics of the Spanish Sentimental Romance», *Hispania*, LXXII (1989), pp. 474-482.

Giannini, A., «La Cárcel de amor y el Cortegiano de B. Castiglione», *Revue Hispanique*, XLVI (1919), pp. 547-68.

Gili Gaya, Samuel, ed., *Cárcel de amor*, Espasa-Calpe, Madrid, 1967, 3.ª ed.

Gilman, Stephen, *La España de Fernando de Rojas. Panorama intelectual y social de La Celestina*, Taurus, Madrid, 1978.

Giraud, Yves, *Bibliographie du roman épistolaire en France des origines à 1842*, Editions Universitaires, Fribourg, 1977.

Goldberg, Harriet, «The Several Faces of Ugliness in Medieval Castilian Literature», *La Corónica*, VII (1978-1979), pp. 80-92.

—, «A Reppraisal of Colour Symbolism in the Courtly Prose Fiction of Late-Medieval Castile», *Bulletin of Hispanic Studies*, LXIX (1992), pp. 221-237.

Gómez, Jesús, «Los libros sentimentales de los siglos XV y XVI: sobre la cuestión del género», *Epos*, VI (1990), pp. 521-532.

—, «La aportación española al estudio de la ficción sentimental, 1980-1989: tendencias y posibilidades», *La Corónica*, XIX: 1 (1990), pp. 119-136.

Green, F. Ch., «The Idealistic Novel», en *French Novelists, Manners and Ideas*, J.M. Dent, Londres, 1928; reimp. Ungar, Nueva York, 1964.

Green, Otis H., *España y la tradición occidental. El espíritu castellano en la literatura desde el «Cid» hasta Calderón*, Gredos (Biblioteca Románica Hispánica), Madrid, 1969, 4 vols.

Grieve, Patricia E., *Desire and Death in the Spanish Sentimental Romance (1440-1550)*, Juan de la Cuesta, Newark, Delaware, 1987.

—, «Mothers and Daughters in Fifteenth-century Spanish Sentimental Romances: Implications for Celestina», *Bulletin of Hispanic Studies*, LXVII (1990), pp. 345-355.

Griffin, Clive, «Un curioso inventario de libros de 1528», en *El Libro Antiguo Español, Actas del primer Coloquio Internacional (Madrid, 18 al 20 de diciembre de 1986)*, al cuidado de María Luisa López Vidriero y Pedro M. Cátedra, Ediciones de la Universidad de Salamanca-Biblioteca Nacional de Madrid-Sociedad Española de Historia del Libro, 1988, pp. 189-224.

Guevara, Fray Antonio de, *Relox de príncipes*, estudio y edición de Emilio Blanco, Escritores Franciscanos Españoles, I, Conferencia de Ministros Provinciales de España, ABL Editor, 1994.

Harris, Margaret A., *A Study of Théodose Valentinian's «Amant ressuscité de la morte d'amour»: A Religious Novel of Sentiment and its Possible Connexions with Nicolas Denisot du Mans*, Droz, Ginebra, 1966.

Hernández Alonso, César, ed. *Novela sentimental española*, Plaza y Janés, Barcelona, 1987.

Heugas, Pierre, *La Célestine et sa descendance directe*, Éditions Bière, Burdeos, 1973.

Heusch, Ch., *La philosophie de l'amour dans l'Espagne du XVe*, tesis doctoral, Universidad de París XI, 1993.

Hoffmeister, Gerhart, «Diego de San Pedro und Hans Ludwig von Kufs-
    tein: über eine frühbarocke Bearbeitung der spanischen Liebesgeschichte
    Cárcel de amor», *Arcadia: Zeitschrift für vergleichende Literaturwissens-
    chaft*, VI (1971), pp. 139-150.
Howe, Elizabeth T., «A Woman Ensnared: Laureola as Victim in the Cár-
    cel de amor», *Revista de Estudios Hispánicos* (USA), XXI (1987),
    pp. 13-27.
Huizinga, Johan, *El otoño de la Edad Media. Estudios sobre las formas de la
    vida y del espíritu durante los siglos xiv y xv en Francia y en los Países
    Bajos*, Revista de Occidente, Madrid, 1930.
Iglesia Ferreiros, Aquilino, «La crisis de la noción de fidelidad en la obra
    de Diego de San Pedro», *Anuario de la Historia del Derecho Español*,
    XXXIX (1969), pp. 707-724.
Impey, Olga T., «Ovid, Alfonso X, and Juan Rodríguez del Padrón: Two
    Castilian Translations of the Heroides and the Beginnings of Spanish
    Sentimental Prose», *Bulletin of Hispanic Studies*, LVII (1980), pp. 283-
    297.
—, «The Literary Emancipation of Juan Rodríguez del Padrón: From the
    Fictional Cartas to the Siervo libre de amor», *Speculum*, LV (1980),
    pp. 305-316.
—, «La refracción del discurso amatorio en las cartas de la Cárcel de amor»,
    en *III Congreso de la Asociación Hispánica de Literatura Medieval*, 1989
    (en prensa).
Indini, María Luisa y Saverio Panunzio, «Modelli e registri nelle traduzio-
    ni romanze della Cárcel de amor», *Tradurre: Annali della Facoltà di Lin-
    gue e Letterature Stranieri dell'Università di Bari*, I: 2 (1980), pp. 85-109.
Infante, Víctor, «La prosa de ficción renacentista: entre los géneros litera-
    rios y el género editorial», *Journal of Hispanic Philology*, XIII (1988-89),
    pp. 115-124.
Isidoro de Sevilla, *Etimologías*, Biblioteca de Autores Cristianos, Madrid,
    1951.
Johnson, Judith C., *A Concordance of Diego de San Pedro's Cárcel de amor*,
    MA diss., Universidad de Georgia, 1973.
Jorgensen Concheff, Beatrice, *Bibliography of Old Catalan Texts*, Hispanic
    Seminary of Medieval Studies, Madison, 1985.
Kany, Charles E., *The Beginnings of the Epistolary Novel in France, Italy
    and Spain* (University of California Publications in Modern Philology),
    XXI, 1, University of California Press, Berkeley, 1937.
Keniston, Hayward, *The Syntax of Castilian Prose. The Sisteenth Century*,
    University of Chicago Press, Chicago, 1937.
Krause, Anna, «Apunte bibliográfico sobre Diego de San Pedro», *Revista
    de Filología Española*, XXXVI (1952), pp. 126-130.
—, «El tractado novelístico de Diego de San Pedro», *Bulletin Hispanique*,
    LIV (1952b), pp. 245-275.

BIBLIOGRAFÍA 171

Kurth, Betty, «Three French Tapestries Illustrating the Spanish Love-Poem *Cárcel de amor*», en *Mediaeval Romances in Renaissance Tapestries, Journal of the Warburg and Courtauld Institutes*, V (1942), pp. 237-245.

Kurtz, Barbara E., «Diego de San Pedro's Cárcel de amor and the Tradition of the Allegorical Edifice», *Journal of Hispanic Philology*, VIII (1983-84), pp. 123-138. Reimp. con pocas modificaciones como «The Castle Motif and the Medieval Allegory of Love: Diego de San Pedro's Cárcel de amor» en *Fifteenth Century Studies*, XI (1985), pp. 37-49.

Lacarra, María Eugenia, «Juan de Flores y la ficción sentimental», en *Actas del IX Congreso de la Asociación Internacional de Hispanistas*, 18-23, agosto 1986, ed. Sebastian Neumeister, Frankfurt am Main, Vervuert, 1989, pp. 223-233.

—, «Sobre la cuestión de la autobiografía en la ficción sentimental», en *Actas del I Congreso de la Asociación Hispánica de Literatura Medieval*, Santiago, 1985, ed. V. Beltrán, PPU, Barcelona, 1988, pp. 359-368.

—, «La parodia de la ficción sentimental en la Celestina», *Celestinesca*, XIII: 1 (1989), pp. 11-29.

Ladero Quesada, Miguel Ángel, *Andalucía en el siglo XV*, CSIC, Instituto Jerónimo Zurita, Madrid, 1973.

Lapesa, Rafael, *Historia de la lengua española*, Gredos (Biblioteca Románica Hispánica), Madrid, 1981, 9.ª ed.

Lausberg, Heinrich, *Manual de Retórica Literaria. Fundamentos de una ciencia de la literatura*, trad. esp. de José Pérez Riesco, Gredos (Biblioteca Románica Hispánica), Madrid, 1975, 3 vols.

Lawrance, Jeremy N.H., «Nuevos lectores y nuevos géneros: apuntes y observaciones sobre la epistolografía en el primer Renacimiento español», en *Literatura en la época del Emperador*, ed. Víctor García de la Concha (Acta Salmanticensia. Academia Literaria Renacentista, 5), Universidad de Salamanca, 1988, pp. 81-99.

Ledda, Giuseppina, *Contributo allo studio della letteratura emblematica in Spagna*, Istituto di Letteratura Spagnola e Ispano-Americana, Università di Pisa, 1970.

Lewis, C.S., *The Allegory of Love: A Study in Medieval Tradition*, Clarendon Press, Oxford, 1936; trad. esp. *La alegoría del Amor. Estudio sobre la tradición medieval*, Editorial Universitaria, Buenos Aires, 1969.

Libros de caballerías, con un discurso preliminar y un catálogo razonado por Don Pascual de Gayangos (Biblioteca de Autores Españoles, XL) Atlas, Madrid, 1963.

Lida de Malkiel, María Rosa, *La originalidad artística de La Celestina*, Eudeba, Buenos Aires, 1962, 2.ª ed. 1970.

—, «La hipérbole sagrada en la poesía castellana del siglo XV», en *Estudios sobre la literatura española del siglo XV*, Porrúa Turanzas, Madrid, 1977, pp. 291-309.

Linaje Conde, Antonio, «Los caminos de la imaginación medieval: de la Fiammetta a la novela sentimental castellana», *Filología Moderna*, XV (1975), pp. 541-561.

Livermore, Harold, «El caballero salvaje: ensayo de identificación de un juglar», *Revista de Filología Española*, XXIV (1950), pp. 166-183.

Livingstone Lowes, J., «The Lovers maladye of hereos», *Modern Philology*, X (1913-1914), pp. 491-546.

Lope Blanch, Juan M., «La estructura de la cláusula en dos obras medievales», en *Actas del VII Congreso de la Asociación Internacional de Hispanistas*, II, 1982, pp. 699-706.

López Estrada, Francisco, «Tres notas al Abencerraje», *Revista Hispánica Moderna*, XXXI (1965), pp. 267-268.

Lubac, Henri de, *Estudios de Estética Medieval*, Gredos (Biblioteca Hispánica de Filosofía), Madrid, 1958-1959, 3 vols.

Lloyd, Paul M., *From Latin to Spanish. Vol. I: Historical Phonology and Morphology of the Spanish Language*, American Philosophical Society, 1987; trad. esp., *Del latín, al español I. Fonología históricas de la lengua española*, Gredos (Biblioteca Románica Hispánica. Manuales, 72), Madrid, 1993.

Mancini, Guido, «Cultura e attualità nella *Celestina*», *Anales de Literatura Española*, IV (1985), pp. 217-243.

Mandrell, James, «Author and Authority in *Cárcel de amor*: The Role of El Auctor», *Journal of Hispanic Philology*, VIII (1983-1984), pp. 99-122.

Manzanares, Fernando, *Flores rhetorici*, Salamanca, ¿1485?

Márquez Villanueva, Francisco, «Cárcel de amor, novela política», *Revista de Occidente*, 2.ª serie, núm. 14 (1966), pp. 185-200.

—, «Historia cultural e historia literaria: el caso de *Cárcel de amor*», en *The Analysis of Hispanic Texts: Current Trends in Methodology: Second York College Colloquium*, ed. Lisa E. Davis e Isabel C. Taran, Bilingual Press, Nueva York, 1976, pp. 144-157.

Martin, June Hall, *Love's Fools: Aucassin, Troilus, Calisto and the Parody of the Courtly Lover*, Tamesis, Londres, 1972.

Martínez Díez, Gonzalo y José Manuel Ruiz Asensio, *Leyes de Alfonso X, I, Espéculo*, Fundación Sánchez Albornoz, Ávila, 1985.

Martínez Latre, María Pilar, «La evolución genérica de la ficción sentimental española: un replanteamiento», *Berceo*, núms. 116-117 (1989), pp. 7-22.

Mena, Juan de, *Obras completas*, edición, introducción y notas de Miguel Ángel Pérez Priego, Planeta (Autores Hispánicos, 175), Barcelona, 1989.

—, *Laberinto de Fortuna y otros poemas*, edición, prólogo y notas de Carla de Nigris con un estudio preliminar de Guillermo Serés, Crítica (Biblioteca Clásica, 14), Barcelona, 1994.

Menéndez y Pelayo, Marcelino, *Orígenes de la novela*, Nueva Biblioteca de Autores Españoles, Bailly-Baillière, Madrid, 1905-1915; reed. Consejo Superior de Investigaciones Científicas, Madrid, 1943, reimp., 1962, 4 vols.⁺.

Menéndez Pidal, Ramón, *Crestomatía del español medieval*, I, Seminario Menéndez Pidal y Gredos, 1971.

Minervini, Vincenzo y Maria Luisa Indini, eds., *Càrcer d'amor, Carcer d'amore. Due traduzioni della 'novela' di Diego de San Pedro*, Schena (Biblioteca della Ricerca, Testi Stranieri, 9), Fasano, 1986.

Miguel-Prendes, Sol, «Las cartas de la *Cárcel de amor*», *Hispanófila*, CII (1990), pp. 1-22.

Montaner, Alberto, ed., *Cantar de Mio Cid*, Crítica (Biblioteca Clásica, 1), Barcelona, 1993.

Morreale, Marguerita, «Sobre algunas acepciones de 'extraño' y su valor ponderativo», *Revista de Filología Española*, XXXVI (1952), pp. 310-317.

Murphy, James J., *Rhetoric in the Middle Ages. A History of the Rhetorical Theory from Dt. Augustine to the Renaissance*, University of California Press, Berkeley, 1974; trad. esp. *La Retórica en la Edad Media. Historia de la Retórica desde San Agustín hasta el Renacimiento*, Fondo de Cultura Económica, México, 1986.

Nardi, B., «L'amore e i medici medievali», en *Studi in onore di Angelo Monteverdi*, Módena, 1959, pp. 517-562.

Nebrija, Antonio de, *Gramática de la lengua castellana*, ed. Antonio Quilis, Nacional (Clásicos para una Biblioteca Contemporánea), Madrid, 1980.

Nepaulsingh, Colbert I., *Towards a History of Literary Composition in Medieval Spain*, University Press (University of Toronto Romance Series, 54), Toronto, 1986, pp. 174-192.

Nieto Soria, José Manuel, *Fundamentos ideológicos del poder real en Castilla (siglos XIII-XVI)*, Eudema, Madrid, 1988.

Noveŀletes sentimentals dels segles XIV y XV, ed. Arseni Pacheco, 62, Barcelona, 1970.

Oleza, Juan de, «La corte, el amor, el teatro y la guerra», *Edad de Oro*, V (1986), pp. 149-182.

Oostendorp, H.T., *El conflicto entre el honor y el amor en la literatura española del siglo XVII*, Van Goor Zonen, La Haya, 1962.

Orejudo, A., ed., *Cartas de batalla*, PPU, Barcelona, 1993.

Orstein, Jacob, «La misoginia y el profeminismo en la literatura castellana», *Revista de Filología Hispánica*, III (1942), pp. 219-232.

Orth, Myra D., «*The Prison of Love*: A medieval Romance in the French Renaissance and its Illustration (BN Ms fr. 2150)», *Journal of the Warburg and Courtauld Institutes*, XLVI (1983), pp. 211-221.

Ovidio, *Heroïdes*, ed. Henri Bornecque y Marcel Prevost, Société d'édition «Les Belles Lettres», París, 1965.

—, *Ars amatoria. Arte de amar*, ed. José Ignacio Ciruelo, Bosch, Barcelona, 1987.

174 BIBLIOGRAFÍA

Pacheco, Arseni, ed., *Novel·letes sentimentals dels segles XIV i XV*, 62, Barcelona, 1970⁺.

Pallarés, Miguel Ángel, *La Cárcel de amor de Diego de San Pedro, impresa en Zaragoza el 3 de junio de 1493: membra disjecta de una edición desconocida*, Centro de Documentación Bibliográfica Aragonesa, Zaragoza, 1994.

Panunzio, Saverio, «Sobre la traducció catalana de la *Cárcel de amor* de Diego de San Pedro», en *Miscel·lània Pere Bohigas*, II, Abadia de Montserrat, Barcelona, 1982, pp. 00-00.

Parker, Alexander A., *The Philosophy of Love in Spanish Literature (1480-1680)*, Edinburgh University Press, Edimburgo; trad. esp. *La filosofía del amor en la literatura española, 1480-1680*, Cátedra, Madrid, 1986.

Parrilla García, Carmen, ed., Juan de Flores, *Grimalte y Gradisa*, Universidad de Santiago de Compostela, Santiago, 1988.

—, «"Acrescentar lo que de suyo está crescido": el cumplimiento de Nicolás Núñez», en *Historias y ficciones: Coloquio sobre la literatura del siglo XV*, ed. R. Beltrán, J.L. Canet y J.L. Sirera, Departament de Filologia Espanyola, Universitat de València, Valencia, 1992, pp. 241-256.

—, «La 'Derrota de Amor' de Juan de Flores», en prensa.

Patch, Howard Rollin, *The Other World According to Descriptions in Medieval Literature*, Harvard University Press, Cambridge-Massachusetts, 1950; trad. esp. *El otro mundo en la literatura medieval*, Fondo de Cultura Económica, México-Madrid-Buenos Aires, 1956; reimp. 1983.

Penna, Mario, *Prosistas castellanos del siglo XV*, I, Atlas, Madrid, 1959.

Pérez del Valle, María Andrea, *La estructura del narrador en Cárcel de amor*, tesis, Universidad de Puerto Rico, 1975.

Pérez Pastor, C., *La Imprenta en Medina del Campo*, ed. Pedro M. Cátedra, Junta de Castilla y León, 1992.

Piccolomini, Eneas Silvio, *Historia de dos amantes*, ed. Raymond Foulché-Delbosc, Tipografía «L'Avenç», Barcelona, 1907.

Place, Edwin B., ed., Juan de Segura, *Processo de cartas de amores. A Critical and Annotated Edition of this First Epistolary Novel (1548), together with an English Translation*, Northwestern University Press, Evanston, Illinois, 1950.

Post, Chandler R., *Mediaeval Spanish Allegory*, Harvard University (Harvard Studies in Comparative Literature, IV), Cambridge Massachusetts, 1915; reimp. Greenwood Press, Westport, Conneticut, 1974.

Prieto, Antonio, *Morfología de la novela (Ensayos de lingüística y crítica literaria)*, Planeta, Barcelona, 1975.

Ramírez Hugues, Beatriz, *Cárcel de amor and the Courtly Love Tradition*, tesis, Universidad de Puerto Rico, 1975.

Redondo, Augustin, «Antonio de Guevara y Diego de San Pedro: las cartas de amores de Marco Aurelio», *Bulletin Hispanique*, LXXVIII (1976), pp. 226-239.

Rey, Alfonso, «La primera persona narrativa en Diego de San Pedro», *Bulletin of Hispanic Studies*, LVIII (1981), pp. 95-102.

Rey Hazas, Antonio, «Introducción a la novela del Siglo de Oro, I (Formas de narrativa idealista)», *Edad de Oro*, I (1982), pp. 65-105.

Reyes, Alfonso, «La *Cárcel de amor* de Diego de San Pedro, novela perfecta», en *Obras completas*, I, Fondo de Cultura Económica, México, 1955, pp. 49-60.

Reyes Coria, Bulmaro, *La retórica en La partición oratoria de Cicerón*, Universidad Nacional Autónoma de México (Instituto de Investigaciones Filológicas), México, 1987.

Reynier, Gustave, *Le Roman sentimental avant L'Astrée*, Colin, París, 1908; reimp. Slatkine, Ginebra, 1969.

Rhetorica ad Herennium, ed. Juan Francisco Alcina, Bosch (Erasmo textos bilingües), Barcelona, 1991.

Rico, Francisco, «Un penacho de penas. Sobre tres invenciones del *Cancionero general*», *Romanistisches Jahrbuch*, XVII (1966), pp. 274-284; corregido y enmendado en «Un penacho de penas. De algunas invenciones y letras de caballeros», en *Texto y contextos. Estudios sobre la poesía española del siglo XV*, Crítica, Barcelona, 1990, pp. 189-230.

—, «Lección y herencia de Elio Antonio de Nebrija 1481-1981», en *Academia Literaria Renacentista*, III, *Nebrija*, ed. Víctor García de la Concha, Universidad de Salamanca, 1983, pp. 9-15.

—, «'Por aver mantenencia'. El aristotelismo heterodoxo en el *Libro de buen amor*», *El Crotalón. Anuario de Filología Española*, II (1985), pp. 169-185.

Richthofen, Erich Von, «Petrarca, Dante y Andreas Capellanus: fuentes inadvertidas de la *Cárcel de amor*», *Revista Canadiense de Estudios Hispánicos*, I (1976-77), pp. 30-38; recogido como «Sincretismo mítico-social: Diego de San Pedro. Fuentes inadvertidas de la *Cárcel de amor*», en *Sincretismo literario. Algunos ejemplos medievales y renacentistas*, Alhambra, Madrid, 1981, pp. 111-122.

Ripa, Cesare, *Iconología*, Akal, Madrid, 1987, 2 vols.

Riquer, Martín de, *Caballeros andantes españoles*, Espasa-Calpe (Austral, 1397), Madrid, 1967.

Rivers, Elias L., *Quixotic Scriptures: Essays on the Textuality of Hispanic Literature*, Indiana University Press, Bloomington, 1983, pp. 41-43.

Rodríguez Puértolas, J., «Sentimentalismo burgués y amor cortés. La novela del siglo XV», en *Essays on narrative fiction in the Iberian Peninsula in honour of Frank Pierce*, ed. R.B. Tate, The Dolphin Book, Oxford, 1982, pp. 121-139.

Rodríguez del Padrón, Juan, *Obras completas*, ed. César Hernández Alonso, Nacional, Madrid, 1982.

Rohland de Langbehn, Régula, *Zur Interpretation der Romane des Diego de San Pedro*, Carl Winter (Studia Romanica, XVIII), Heidelberg, 1970.

—, ed. *Triste deleytación. Novela de F.A.D.C., autor anónimo del siglo XV*, Universidad de Morón, Morón, 1983.

—, «Desarrollo de géneros literarios: la novela sentimental española de los siglos XV y XVI», *Filología*, XXI (1986), pp. 57-76.

—, «Fábula trágica y nivel de estilo elevado en la novela sentimental española de los siglos XV y XVI», en *Literatura Hispánica Reyes Católicos y Descubrimiento, Actas del Congreso Internacional sobre Literatura Hispánica en la época de los Reyes Católicos y el Descubrimiento*, ed. M. Criado del Val, PPU, Barcelona, 1989, pp. 230-236.

—, «Argumentación y poesía: función de las partes integradas en el relato de las novela sentimental española de los siglos XV y XVI», en *Actas del IX Congreso de la Asociación Internacional de Hispanistas*, ed. Sebastián Neumeister, Vervuert Verlag-Frankfurt am Main, 1989, pp. 575-581.

—, «El problema de los conversos y la novela sentimental», en *The Age of de Catholic Monarchs. 1475-1516, Literary Studies in Memory of Keith Whinnom*, ed. Alan Deyermond e Ian Macpherson, Liverpool University Press, 1989, pp. 134-143.

—, «El papel del lector en *Qüestion de amor* (1513)», *Bulletin of Hispanic Studies*, LXIX (1992), pp. 335-346.

Rojas, Fernando de, *Comedia o Tragicomedia de Calisto y Melibea*, ed. Peter E. Russell, Castalia (Clásicos Castalia, 191), Madrid, 1991.

Roubaud, Sylvia y Monique Joly, «Cartas son cartas: apuntes sobre la carta fuera del género epistolar», *Criticón*, XXX (1985), pp. 103-125.

—, «Le 'yo' —auteur et personnage— du roman sentimental: quelques exemples», en *Ecrire en Espagne: modèles et écartes: Actes du Colloque International d'Aix-en-Provence (4-5-6 décembre 1986)*, Université de Provence, Aix-en-Provence, 1988, pp. 25-43.

Round, Nicholas G., «The Presence of Mosén Diego de Valera in *Cárcel de amor*», en *The Age of the Catholic Monarchs 1474-1516. Literary Studies in Memory of Keith Whinnom*, ed. Alan D. Deyermond e Ian Macpherson, Liverpool University Press, 1989, pp. 144-154.

Rubio Tovar, Joaquín, «El extremismo de San Pedro», *Cuadernos Hispanoamericanos*, núm. 369 (1981), pp. 645-652.

Rumeu de Armas, Antonio, *Alfonso de Ulloa, introductor de la cultura española en Italia*, Gredos, Madrid, 1973.

Salvá y Mallén, Pedro, *Catálogo de la Biblioteca de Salvá*, Imprenta de Ferrer de Orga, Madrid, 1872, 2 vols.; reimp. facsímil, Julio Ollero, Madrid, 1992.

Salvador Miguel, Nicasio, «El presunto judaísmo de *La Celestina*», en *The Age of the Catholic Monarchs, 1474-1516. Literary Studies in Memory of Keith Whinnom*, ed. Alan Deyermond e Ian Macpherson, Liverpool University Press, 1989, pp. 162-177.

Samonà, Carmelo, «Aspetti del retoricismo nella *Celestina*», en *Studi di*

Letteratura Spagnola, II, Facoltà di Magisterio dell'Università, Roma, 1954.

—, *Studi sul romanzo sentimentale e cortese nella letteratura spagnola del Quattrocento*, Carucci, Roma, 1960.

—, «Il romanzo sentimentale», en Alberto Vàrvaro y Carmelo Samonà, *La letteratura spagnola dal 'Cid' ai Re Cattolici*, Florencia, 1972, pp. 185-195.

San Pedro, Diego de, *Cárcel de amor*, ed. Raymond Foulché-Delbosc, L'Avenç (Biblioteca Hispánica, XV), Barcelona, 1904.

—, *Cárcel de amor*, ed. Marcelino Menéndez Pelayo, en *Orígenes de la novela*, II, Bailly-Baillière (Nueva Biblioteca de Autores Españoles, 7), Madrid, 1907, pp. 1-35.

—, *Cárcel de amor*, ed. J. Rubió y Balaguer, Gustavo Gili, Barcelona, 1941.

—, *Cárcel de amor (Sevilla 1492)*; ed. facsímil al cuidado de Antonio Pérez Gómez (Incunables Poéticos Castellanos, XIII), Valencia, 1967.

—, *Obras*, ed. Samuel Gili y Gaya, Espasa-Calpe (Clásicos Castellanos, 133), Madrid, 1950; reimpresiones 1958 y 1967.

—, *Obras completas, II, Cárcel de amor*, ed. Keith Whinnom, Castalia (Clásicos Castalia, 39), Madrid, 1971 y 1985; 1991.

—, *Cárcel de amor*, ed. Enrique Moreno Báez, Cátedra (Letras Hispánicas, 8), Madrid, 1977 y 1984.

—, *Cárcel de amor*, ed. Ivy A. Corfis, Tamesis, Londres, 1987.

—, *Carcere d'amore*, ed. y trad. Pietro Taravacci, Pratiche (Biblioteca Medievale, 23), Parma, 1992.

—, *Lo carcer d'amor* (Barcelona, 1493), ed. facsímil al cuidado de R. Miquel i Planas, Novelari Català, Barcelona, 1912.

—, *Obras completas, III Poesías*, ed. Dorothy S. Severin y Keith Whinnom, Castalia, Madrid, 1979.

Santiago, R., «Derivados en -or y -ura en textos medievales», en *Actas del II Congreso Internacional de Historia de la Lengua Española*, I, ed. M. Ariza, Pabellón de España, Madrid, 1992, pp. 1.337-1.353.

Saquero, Pilar y Tomás González Rolán, ed., *Juan Rodríguez del Padrón, Bursario*, Universidad Complutense, Madrid, 1984.

Schevill, Rudolph, *Ovid and the Renascence in Spain*, University of California Press, Berkeley, 1913.

Séneca, *De clementia*, trad. de Alfonso de Cartagena, Biblioteca Nacional de Madrid, ms. 5568+.

Serés, G., «La elegía de Juan Rodríguez del Padrón», *Hispanic Review*, LXII (1994), pp. 1-22.

Severin, Dorothy S., «Structure and Thematic Repetitions in Diego de San Pedro's *Cárcel de amor* and *Arnalte y Lucenda*», *Hispanic Review*, XLV (1977), pp. 165-169.

—— y Keith Whinnom, Diego de San Pedro, *Obras completas*, III, Castalia, Madrid, 1979.

—, «La parodia del amor cortés en *La Celestina*», *Edad de Oro*, III (1984), pp. 275-279.

—, «From the Lamentations of Diego de San Pedro to Pleberio's Lament», en *The Age of the Catholic Monarchs 1474-1516. Literary Studies in Memory of Keith Whinnom*, ed. Alan Deyermond e Ian Macpherson, Liverpool University Press, 1989, pp. 178-184.

Seznec, Jean, *La survivance de Dieux antiques*, Flammarion, París, 1980; trad. esp. *Los dioses de la Antigüedad en la Edad Media y el Renacimiento*, Taurus, Madrid, 1983.

Sharrer, Harvey L., «La fusión de las novelas artúrica y sentimental a fines de la Edad Media», *El Crotalón. Anuario de Filología Española* I (1984), pp. 147-157.

—, «Juan de Burgos: Impresor y refundidor de libros caballerescos», en *El Libro Antiguo Español*, I, ed. Pedro M. Cátedra y María Luisa López Vidriero, Biblioteca Nacional-Instituto Español del Libro Antiguo-Universidad de Salamanca, Madrid-Salamanca, 1988, pp. 361-369.

—, «La *Cárcel de amor* de Diego de San Pedro: la confluencia de lo sagrado y lo profano en "la imagen femenil entallada en una piedra muy clara"», en *Actas del III Congreso Internacional de la Asociación Hispánica de Literatura Medieval*, ed. María Isabel Toro Pascua, Universidad de Salamanca, en prensa.

Sims, Edna N., *El antifeminismo en la literatura española hasta 1560*, Andes, Bogotá, 1973.

Spinelly, Emily, «Chivalry and its Terminology in the Spanish Sentimental Romance», *La Corónica*, XII (1983-1984), pp. 241-253.

Spitzer, Leo, «En torno al arte del Arcipreste de Hita», en *Lingüística e historia literaria*, Gredos, Madrid, 1974, pp. 87-134.

Taravacci, Pietro, «*La Celestina* come 'contienda cortés'», *Studi Ispanici* (1983), pp. 9-33.

Tejerina-Canal, Santiago, «Unidad en *Cárcel de amor*: el motivo de la tiranía», *Kentucky Romance Quarterly*, XXXI (1984), pp. 51-59.

Ticknor, G., *Historia de la Literatura Española*, trad. española por Pascual de Gayangos y Enrique de Vedia, Imprenta de la Publicidad, Madrid, 1851.

Tillier, J.Y., «Passion Poetry in the *Cancioneros*», *Bulletin of Hispanic Studies*, LXII (1985), pp. 65-78.

Torquemada, Antonio de, *Manual de escribientes*, ed. María Josefa C. de Zamora y A. Zamora Vicente, Anejos del *Boletín de la Real Academia Española* (Anejo XXI), Madrid, 1970.

Tórrego, Esther, «Convención retórica y ficción narrativa en *Cárcel de amor*», *Nueva Revista de Filología Hispánica*, XXXIII (1983), pp. 330-339.

Valera, Diego de, *Memorial de diversas hazañas*, ed. Juan de Mata Carriazo, Espasa-Calpe, Madrid, 1941.

Valera, Diego de, *Tratado en defenssa de virtuossas mugeres*, ed. Mario Penna, Atlas (Biblioteca de Autores Españoles), Madrid, 1959, pp. 55-76.

—, *Breviloquio de virtudes*, en *Prosistas castellanos del siglo XV*, ed. Mario Penna, Atlas (Biblioteca de Autores Españoles), Madrid, 1959, pp. 147-154.

Valerio Máximo, *Los nueve libros de hechos y dichos memorables*, ed. Fernando Martín Arcea, Akal, Madrid, 1988.

Valle-Lersundi, Fernando del, «Anotaciones a *La Celestina*», *El Diario Vasco*, 5 agosto de 1958 y 8 agosto de 1958.

Varela, José Luis, «Revisión de la novela sentimental», *Revista de Filología Española*, XLVIII (1965), pp. 351-382.

—, «La novela sentimental y el idealismo cortesano», en *La transfiguración literaria*, Prensa Española, Madrid, 1970, pp. 1-51.

Vicente, Luis Miguel, «El lamento de Pleberio: contraste y parecido con dos lamentos en *Cárcel de amor*», *Celestinesca*, XII (1988), pp. 35-43.

Vigier, Françoise, «Remèdes à l'amour en Espagne aux XVᵉ XVIᵉ siècles», en *Travaux de l'Institut d'Etudes Hispaniques et Portugaises de l'Université de Tours*, ed. Augustin Redondo, II, Études Hispaniques, Tours, 1979, pp. 151-184.

—, «Fiction epistolaire et *novela sentimental* en Espagne aux XVᵉ et XVIᵉ siècles», *Mélanges de la Casa de Velázquez*, XX (1984), pp. 229-259.

—, «Aspiration au mariage et amours illégitimes dans la *novela sentimental*», en *Amours légitimes, amours illégitimes en Espagne (XVᵉ et XVIᵉ siècles)*, ed. A. Redondo, La Sorbonne, París, 1985, pp. 269-284.

Vílchez Díaz, Alfredo, *Autores y anónimos españoles en los índices inquisitoriales*, Universidad Complutense (Trabajos del Departamento de Bibliografía, Serie B: Repertorios), Madrid, 1986.

Vincent-Cassy, Mireille, «Pechés des femmes à la fin du Moyen Age», en *La condición de la mujer en la Edad Media. Actas del Coloquio celebrado en la Casa de Velázquez, del 5 al 7 de noviembre de 1984*, Casa de Velázquez-Universidad Complutense, Madrid, 1986, pp. 501-518.

Waley, Pamela, «Love and Honour in the *Novelas sentimentales* of Diego de San Pedro and Juan de Flores», *Bulletin of Hispanic Studies*, XLIII (1966), pp. 253-275.

—, ed. Juan de Flores, *Grimalte y Gradissa*, Tamesis, Londres, 1971.

—, «*Cárcel de amor* and *Grisel y Mirabella*: A Question of Priority», *Bulletin of Hispanic Studies*, L (1973), pp. 340-356.

Walsh, Catherine Henry, «Laureola: A Mask for Melibea», *Mester* (Los Ángeles), XVII (1988), pp. 119-128.

Wardropper, Bruce W., «Allegory and the Role of 'el Autor' in the *Cárcel de amor*», *Philological Quarterly*, XXXI (1952), pp. 39-44.

—, «El mundo sentimental de la *Cárcel de amor*», *Revista de Filología Española*, XXXVII (1953), pp. 168-195.

Weissberger, Barbara F., «The Politics of *Cárcel de amor*», *Revista de Estudios Hispánicos*, XXVI (1992), pp. 307-326.

Whinnom, Keith, «Was Diego de San Pedro a Converso? A Reexamination of Cotarelo's Documentary Evidence», *Bulletin of Hispanic Studies*, XXXIV (1957), pp. 187-200.

—, «Diego de San Pedro's Stylistic Reform», *Bulletin of Hispanic Studies*, XXXVII (1960), pp. 1-15.

—, «The Religious Poems of Diego de San Pedro: Their Relationship and their Dating», *Hispanic Review*, XXVIII (1960), pp. 1-15.

—, «Two San Pedros», *Bulletin of Hispanic Studies*, XLII (1965), pp. 255-25.

—, ed., Diego de San Pedro, *Obras completas*, II, *Cárcel de amor*, Castalia (Clásicos Castalia, 39), Madrid, 1971.

—, «Lucrezia Borgia and a Lost Edition of Diego de San Pedro's *Arnalte y Lucenda*», *Annali dell'Istituto Universitario Orientale di Napoli (Sezione Romanza)*, XIII (1971), pp. 143-151.

—, ed. Diego de San Pedro, *Obras completas*, I, *Tractado de amores de Arnalte y Lucenda*, Castalia (Clásicos Castalia, 54), Madrid, 1973, pp. 9-48.

—, «Nicolás Núñez's Continuation of the *Cárcel de amor*», en *Studies in Spanish Literature of the Golden Age Presented to Edward M. Wilson*, Támesis, Londres, 1973, pp. 357-366.

—, «The Mysterious Marina Manuel (Prologue, *Cárcel de amor*)», en *Studia Iberica: Festschrift für Hans Flasche*, ed. Karl-Hermann Körner und Klaus Rühl, Francke, Berna, 1973, pp. 689-695.

—, *Diego de San Pedro*, Twayne (Twayne Words Authors Series), Nueva York, 1974.

—, ed., *Dos opúsculos isabelinos: «La coronación de la señora Gracisla» (BN Ms. 22020) y Nicolás Núñez, «Cárcel de amor»*, Exeter University, Exeter Hispanic Texts, 22, 1979.

—, «The Problem of the 'Best-Seller' in Spanish Golden-Age Literature», *Bulletin of Hispanic Studies*, LVII (1980), pp. 189-198.

—, *La poesía amatoria de la época de los Reyes Católicos*, Durham Modern Language Series (Hispanic Monographs, 2), Durham, 1981.

—, «The *Historia de Duobus Amantibus* of Aeneas Sylvus Piccolomini (Pope Pius II) and the development of spanish golden-age fiction», en *Essays on narrative fiction in the Iberian Peninsula in honour of Frank Pierce*, ed. R.B. Tate, The Dolphin Book, Oxford, 1982, pp. 243-255.

—, «Auctor and Tractado in the Fifteenth Century: Semantic Latinism or Etimological Trap?», *Bulletin of Hispanic Studies*, LIX (1982), pp. 211-218.

—, *The Spanish Sentimental Romance 1440-1550: A Critical Bibliography*, Grant & Cutler (RBC, 41), Londres, 1983.

Yllera, Alicia, *Sintaxis histórica del español: las perífrasis medievales*, Departamento de Filología Francesa, Universidad de Zaragoza, 1980.

Ynduráin, Domingo, «Las cartas de Laureola (beber cenizas)», *Edad de Oro*, III (1984), pp. 299-309.

—, «Las cartas en prosa», en *Academia Literaria Renacentista*, V, *Literatura en la época del Emperador*, ed. Víctor García de la Concha, Universidad de Salamanca, 1988, pp. 53-79.

Zilli, C., «Notizia di Lelio Manfredi, letterato di corte», en *Studi e problemi di critica testuale*, XXVII (1983), pp. 39-54.

ÍNDICE DE NOTAS

*Los números remiten, por este orden,
a la página y a la nota al pie.*

TABLA

BIBLIOTECA CLÁSICA

Los volúmenes ya publicados llevan indicados los autores
de la edición y del estudio preliminar.